D1170317

DISCOURS SUR L'ORIGINE ET LES FONDEMENTS DE L'INÉGALITÉ PARMI LES HOMMES

Du même auteur
dans la même collection

LES CONFESSIONS (deux volumes).
CONSIDÉRATIONS SUR LE GOUVERNEMENT DE POLOGNE.
L'ÉCONOMIE POLITIQUE. PROJET DE CONSTITUTION POUR LA CORSE.
DIALOGUES. LE LÉVITE D'ÉPHRAÏM.
DISCOURS SUR L'ORIGINE ET LES FONDEMENTS DE L'INÉGALITÉ PARMI LES HOMMES. DISCOURS SUR LES SCIENCES ET LES ARTS.
DU CONTRAT SOCIAL.
ÉMILE OU DE L'ÉDUCATION.
ESSAI SUR L'ORIGINE DES LANGUES ET AUTRES TEXTES SUR LA MUSIQUE.
JULIE OU LA NOUVELLE HÉLOÏSE.
LETTRE À M. D'ALEMBERT SUR LES SPECTACLES.
PROFESSION DE FOI DU VICAIRE SAVOYARD.
LES RÊVERIES DU PROMENEUR SOLITAIRE (édition avec dossier).

JEAN-JACQUES ROUSSEAU

DISCOURS SUR L'ORIGINE ET LES FONDEMENTS DE L'INÉGALITÉ PARMI LES HOMMES

Introduction, notes, bibliographie et chronologie par Blaise Bachofen et Bruno Bernardi

GF Flammarion

ISBN : 978-2-0812-7525-6

INTRODUCTION

Le *Discours sur l'origine et les fondements de l'inégalité parmi les hommes* peut être regardé comme la matrice de l'œuvre morale et politique de Rousseau. Certes, sa « théorie de l'homme » ne sera pleinement développée que dans l'*Émile*, ses « principes du droit politique » dans le *Contrat social*, et sa philosophie de l'existence, au soir de sa vie, dans les *Rêveries du promeneur solitaire*. Mais c'est dès la publication du second *Discours* (comme nous dirons désormais, selon l'usage) que s'affirment la stature du philosophe et de l'écrivain, l'originalité de sa voix et de sa pensée, la force de ce qu'il appellera son « système ». Pourtant, si l'importance de l'œuvre est généralement reconnue, son statut est souvent occulté par certains de ses caractères les plus visibles. L'appartenance du discours au genre oratoire, d'abord, qui a pu faire prendre ce texte pour de la déclamation. Le mode narratif, ensuite, qu'il semble adopter par longues périodes, et dans lequel on a cru voir le registre de la fable, la fiction étant mal démêlée d'avec l'histoire. La radicalité des thèses soutenues, enfin, dont on a voulu se débarrasser en les traitant de paradoxes. Cette présentation comme l'annotation que nous proposons pour accompagner le texte voudraient faire droit à la rigueur et à la profondeur proprement philosophiques du second *Discours* [1].

---

1. Au premier rang de ceux que nous suivons dans cette voie : Victor Goldschmidt, *Anthropologie et politique. Les principes du système de Rousseau* [1974], Paris, Vrin, 2e éd., 1983.

La rédaction du second Discours, *sa publication et sa première réception*

Le rapprochement que leur dénomination établit entre le *Discours sur les sciences et les arts* et le *Discours sur l'inégalité*, s'il est justifié par la similitude des circonstances de leur rédaction et de leur réception, est aussi trompeur. Certes, dans les deux cas, Rousseau répond à une question mise au concours par l'Académie de Dijon (comme le faisaient bien des académies de province) et publiée dans le *Mercure*, respectivement en octobre 1749 (« Si le rétablissement des sciences et des arts a contribué à épurer les mœurs ? ») et en novembre 1753 (« Quelle est la source de l'inégalité parmi les hommes et si elle est autorisée par la loi naturelle ? »)[1]. Un texte de commande donc, dont on pouvait attendre une rétribution symbolique (une médaille, une certaine célébrité) et matérielle (une somme non négligeable). Le temps de préparation laissé aux concurrents (juste six mois) les incitait à la rhétorique. Le plus souvent ils soumettaient des espèces de dissertations[2]. Ce n'est en rien dévaluer le premier *Discours*, qui avait assuré à Rousseau une célébrité aussi subite que spectaculaire, de dire qu'il vérifiait ces standards. Un lecteur attentif pouvait certes y reconnaître des thèses fortes et en rupture avec l'opinion dominante. Mais pour le plus grand nombre, les déclamations d'un collaborateur de l'*Encyclopédie* (pour les articles de musique) déclarant que l'essor des sciences et des arts allait de pair avec la corruption des mœurs relevaient du jeu rhétorique et de la provocation. Son succès

---

1. Le sujet, adopté par l'Académie de Dijon le 13 juillet 1753, est publié dans le numéro de novembre du *Mercure de France* (voir *Correspondance complète de J.-J. Rousseau*, désormais *CC*, II, A 98, p. 345).
2. Les textes de dix autres concurrents (le onzième manuscrit, comme celui de R., a disparu) ont été publiés par B. de Negroni, in *Discours sur l'origine de l'inégalité*, Paris, Fayard, 2000. Voir aussi R. Tisserand, *Les Concurrents de J.-J. Rousseau à l'Académie de Dijon*, Paris, Boivin, 1936, et M. Bouchard, *L'Académie de Dijon et le premier* Discours *de Rousseau*, Paris, Les Belles Lettres, 1951.

fut de scandale. Lorsque le second *Discours* parut, en 1755, les esprits paresseux ou prévenus y virent une récidive. Or, outre un défaut de lucidité, il fallait pour cela beaucoup de mauvaise foi. Le premier *Discours* pouvait encore être reçu comme l'exposition d'une idée ; le second, par l'ampleur de sa matière, la largeur de ses vues, la richesse et la précision des connaissances qu'il mobilisait, donnait à découvrir, à qui voulait le lire comme il le méritait, un grand philosophe.

Il n'en reste pas moins que l'ouvrage se présentait encore comme un discours d'Académie. Comment pouvait-il avoir été conçu, documenté et rédigé en six mois ? Ce que nous savons de l'histoire du texte peut se résumer brièvement. Lorsqu'il découvre le sujet, au début de novembre 1753, Rousseau décide immédiatement de s'en saisir. Il part une semaine en forêt de Saint-Germain pour y méditer à loisir [1]. Durant l'hiver, la rédaction progresse, préparée au cours de longues promenades dans le bois de Boulogne [2]. À la fin mars 1754, le discours est achevé et expédié à l'Académie de Dijon, sous anonymat [3]. L'envoi, reçu avant la date limite du 1er avril, est enregistré le 26 (le sixième sur douze concurrents) [4]. Mais le texte de Rousseau excédait largement les trois quarts d'heure de lecture fixés comme maximum : cette longueur excessive et « sa mauvaise tradition » (le manuscrit est mal présenté) en font interrompre l'examen, lors de la séance du 21 juin [5]. Si le premier *Discours* avait été couronné, le second est mis hors concours. Aussi bien, conscient que « ce n'est pas pour des discours de cette étoffe que sont fondés les prix des Académies [6] », Rousseau avait préparé sa publication : aux mois d'avril et mai, il négocie un contrat avec le libraire Pissot à l'intention duquel il laisse une copie,

---

1. *Confessions*, l. VIII, *Œuvres complètes* de Rousseau, Pléiade, désormais *OC* I, p. 388 et notes.
2. *Ibid.*, p. 390.
3. *CC* II, n° 218 et 219.
4. *CC* II, A 98, note c.
5. *CC* II, A 98. Le texte de R. est à lui seul aussi volumineux que ceux des dix autres conservés.
6. *Confessions*, l. VIII, *OC* I, p. 388.

le 1er juin, en partant pour Genève [1]. Cette copie comprenait la Préface et un premier état de la *Dédicace à la République de Genève* [2]. Au cours de son voyage, Rousseau y met la dernière main et la date du 12 juin, de Chambéry [3]. Il voulait alors que la parution se fasse le 25 août précisément, pour en faire don à sa ville natale [4]. Mais durant son séjour genevois, qui dure tout l'été, des désaccords surviennent avec Pissot. De retour à Paris, en octobre, Rousseau supervise la cession de son texte à Marc-Michel Rey, libraire à Amsterdam, qui deviendra l'éditeur de toute son œuvre [5]. L'automne et l'hiver se passent en tractations laborieuses pour la confection des épreuves. Ce n'est qu'à la fin d'avril 1755 que les dernières feuilles sont transmises à Malesherbes, le censeur royal dont dépendait l'autorisation d'introduire l'ouvrage en France [6]. En juin, la diffusion commence.

Cette chronologie montre que le texte du *Discours* a été rédigé en moins de cinq mois (de novembre 1753 à mars 1754), la Préface et la Dédicace entre le début avril et le début juin. Qu'en est-il des longues notes qu'assurément ne comportait pas la copie envoyée à Dijon ? Un faisceau d'indices porte à penser qu'elles étaient comprises dans le manuscrit transmis

1. Cette copie est confiée par R. à François Musard par l'intermédiaire de Mme Levasseur pour que celui-ci la fasse lire à Diderot, puis la transmette à Pissot contre un à-valoir de 25 louis (*CC* II, 226 et 227). Début juillet, la transaction est opérée (*CC* III, n° 230).

2. Deux lettres (à Duclos, 1er sept. 1754, *CC* III, n° 242 et note *a* ; au pasteur Jean Perdriau, 28 nov. 1754, *CC* III, n° 258) montrent que R. avait fait le voyage de Paris à Genève en particulier pour obtenir l'aval du Conseil à sa Dédicace. Dans la seconde, R. affirme formellement : « dès le mois de mai dernier il s'était fait à mon insu des copies de l'ouvrage et de la dédicace ». Suivant Leigh (*ibid.*, note *f* et n° 235, p. 17, note *b*, ainsi que « Les Manuscrits disparus de J.-J. Rousseau » (*Annales J.-J. Rousseau*, désormais *AJJR*, XXXIV, 1956-1958, p. 31-81), il faut penser qu'un premier état de la Dédicace figurait dans la copie que R. avait fait établir en mai.

3. *Confessions*, l. VIII, *OC* I, p. 392.

4. *CC* II, n° 227.

5. *CC* III n° 297.

6. Rey à Malesherbes, *CC* III, n° 290 ; R. à Rey, *CC* III, n° 302.

à Pissot en juin puis transféré à Rey en octobre. L'emploi du temps de Rousseau entre ces dates ne lui a pas laissé la possibilité matérielle de rédiger ces longues pages ni, surtout, de réunir l'importante documentation qu'elles mobilisent. Or Rey a déjà commencé à composer ces notes en novembre [1]. De plus, la correspondance entre l'auteur et son imprimeur-éditeur fait état d'*additions* aux notes mais, dans leurs démêlés, il n'est jamais question du fait que les notes aient été données après le discours : Rey n'aurait pas manqué de le rappeler pour justifier ses retards. Il faut donc conclure qu'indépendamment des corrections apportées en cours d'édition, l'ouvrage entier a été rédigé entre novembre 1753 et juin 1754.

Comment Rousseau a-t-il pu, en si peu de temps, non tant rédiger ce texte (sa productivité sera plus soutenue encore dans la seconde moitié de la décennie qui voit la rédaction, entre autres, de la *Lettre à d'Alembert*, de *La Nouvelle Héloïse*, du *Contrat social* et de l'*Émile*) mais dépouiller et digérer l'immense documentation mobilisée – Jean Morel l'a montré, il y a longtemps – par le second *Discours* [2] ? La réponse est simple : il ne l'a pas fait. Ce travail, il l'avait engagé depuis plusieurs années comme en témoigne, par exemple, le gros registre conservé à Neuchâtel, où des dizaines d'ouvrages sont méthodiquement collationnés. Ces lectures avaient été faites en vue d'un « grand projet » conçu à Venise et auquel il revient, dès l'été 1754, à Genève : « Je digérais le plan déjà formé de mes *Institutions politiques* [3]. » Lorsqu'il découvre la question mise au concours par l'Académie de Dijon, Rousseau est préparé à la prendre en charge. Il lit et fréquente depuis longtemps les philosophes dont il va s'inspirer ou dont il va discuter les thèses, explicitement ou implicitement (Aristote, Grotius, Hobbes, Pufendorf,

1. Voir la lettre de R. à Rey du 22 nov. 1754, *CC* III, n° 256. R. refuse que les notes soient mises en bas de page.

2. J. Morel, « Recherches sur les sources du *Discours sur l'inégalité* », *AJJR*, t. V, Genève, A. Jullien, 1909.

3. *Confessions*, l. VIII, *OC* I, p. 394. Sur les *Institutions politiques,* voir l'introduction de B. Bernardi au *Contrat social*, Paris, GF Flammarion, 2001.

Locke, Condillac...). De même, les naturalistes anciens ou modernes (Pline, Linné, Buffon...) et les innombrables témoignages de ce que l'on a appelé la « science des voyageurs » qui nourrissent son texte[1]. Même si c'est le plus souvent pour le réfuter, le second *Discours* mobilise un immense savoir accumulé.

Ce serait pourtant une lourde erreur de penser que Rousseau tenait prête dans ses cartons sa réponse à la question de l'Académie de Dijon. Celle-ci fut au contraire l'occasion d'un tournant décisif de sa pensée, comme l'avait été, quatre ans plus tôt, le premier *Discours.* En contestant que l'essor des arts et des sciences fussent porteurs d'un progrès dans les mœurs, il avait pris à rebours l'idéal des Lumières. Dans la polémique qui suivit, pour défendre sa thèse, il s'était engagé dans une voie qu'il désignera comme celle de « l'étude historique de la morale », dont l'objet est d'interroger ce que l'homme a fait de lui-même[2]. Là où ses contemporains entendaient rendre compte de ce que les hommes sont, peuvent, et doivent être, par leur nature (tel est le fond commun de toutes les variantes de jusnaturalisme), il affirmait que l'homme n'est intelligible que par les changements intervenus dans sa nature, changements révélateurs de la faculté qu'il possède de se modifier lui-même. La question de l'origine de l'inégalité lui offrait l'occasion d'explorer cette voie de façon à la fois large et radicale, en identifiant le processus de formation de l'homme civil et le mécanisme de production de l'inégalité. Pour montrer que les inégalités sociales ne sont pas fondées en nature, Rousseau va entreprendre de prouver qu'elles résultent de la transformation que la société opère en l'homme. Pour ce faire, il engage une démarche d'analyse régressive, de « dépouillement » dit-il, qui montre tout ce qui n'est pas naturel en l'homme et permet ainsi de récuser l'erreur commune des jusnaturalistes : attribuer à la nature ce qui est le produit de sa *dénaturation.*

---

1. H. Krief, « Rousseau et la “science” des voyageurs », in *Rousseau et les sciences*, B. Bensaude-Vincent et B. Bernardi (dir.), Paris, L'Harmattan, 2003.

2. *Confessions*, l. IX, *OC* I, p. 404.

C'est en ce point que s'enracine le contresens le plus précoce et le plus tenace à la fois dont est l'objet le second *Discours*. La réaction de Voltaire en est emblématique. Rousseau lui avait adressé un exemplaire de son ouvrage. Il lui répond, le 30 août 1755, par une lettre marquée au sceau de l'ironie [1] : « J'ai reçu, Monsieur, votre nouveau livre contre le genre humain, je vous en remercie... On n'a jamais employé tant d'esprit à vouloir nous rendre Bêtes. » Voltaire affecte de croire que la méthode régressive de Rousseau est une invitation à un retour vers un état de nature regretté. Il feint également d'y voir un *remake* du premier *Discours*, lui prêtant l'idée que « les belles-lettres et les sciences » sont *causes* de la corruption sociale, alors que le premier *Discours* établissait (ce qui est bien différent) une *corrélation* et, surtout, que le second vise, quant à lui, à expliquer cette corrélation. Publiée en même temps que celle de Voltaire, dans le numéro d'octobre du *Mercure*, une autre lettre (signée Philopolis et écrite par Charles Bonnet) montre avec éclat ce que l'on ne pouvait ou ne voulait pas voir dans l'œuvre de Rousseau [2] : « Tout ce qui résulte immédiatement des *facultés* de l'homme ne doit-il pas être dit résulter de sa *nature* ? [...] Si donc *l'état de société* découle des facultés de l'homme, il est *naturel* à l'homme. » Ce « raisonnement » (Bonnet, qui en souligne les termes-clés, insiste sur cette qualité) révèle une incompréhension radicale de l'entreprise de Rousseau, qui consiste précisément à montrer que les facultés que l'on prête à l'homme ne lui sont pas immédiatement données mais résultent de sa socialisation, et que cette socialisation elle-même, loin d'être naturelle, est inscrite dans une genèse et dans une histoire complexes, qui restent à élucider. Voltaire et Bonnet ont cette présupposition en commun : le monde humain, le monde social, est naturellement ce qu'il est. C'est ce qui conduit Bonnet à une proposition qui, sur le mode de la dénégation, témoigne d'une intuition juste de l'intention de Rousseau : « renonçons pour toujours –

1. *CC* III, n° 317.
2. *CC* III, n° 316.

l'objurgue-t-il – à la chimérique entreprise de prouver que l'homme serait mieux s'il était autrement ». Précisément : le refus d'un tel renoncement est le ressort éthique de la démarche de Rousseau, et la recherche d'un espace de possibilité pour cet « autrement » est l'objet même de sa pensée [1]. Parce qu'ils ne rapportaient pas ses thèses à la méthode qui les établit, de tels lecteurs ne pouvaient les comprendre, et parce qu'ils rejetaient la compréhension qu'ils avaient des thèses, ils étaient aveugles à la méthode. C'est en ne les disjoignant jamais que l'on pourra accéder à la cohérence qui est celle du second *Discours* [2].

L'objet du second Discours *: « les fondements réels de la société humaine »*

La réception commune du second *Discours* en fait un grand récit, une présentation de l'histoire des hommes, de leur sortie de l'état de nature au « dernier degré de l'inégalité ». De plus, Rousseau affirmant que nous ne pouvons avoir qu'une approche hypothétique des premiers temps de l'humanité, on a considéré que ce récit relevait de la fiction, voire du mythe. Une telle lecture, nous le verrons, ne permet de rendre compte ni du mode d'exposition du discours, ni de la méthode de l'enquête qu'il conduit. Mais il faut d'abord observer qu'elle occulte cette donnée essentielle : c'est pour répondre à une question que Rousseau écrit. Une question, au demeurant, qui n'est pas celle qu'avait posée l'Académie de Dijon mais la reformulation qu'il lui a substituée. Il faut

1. Voir, plus loin, ce que nous disons, à la suite d'Henri Gouhier, sur la place de la contingence dans la conception de l'histoire de R.

2. Pour satisfaire à cette exigence, nous avons fait le choix de consacrer cette présentation à la logique d'ensemble du *Discours* (sa problématique, sa méthode, son épistémologie), et de laisser à l'annotation le soin d'éclairer nombre de thèmes et de thèses essentiels de ce texte, que nous ne mentionnons pas ici.

donc commencer par identifier le problème que Rousseau se pose.

Le sujet publié par le *Mercure* demandait : « quelle est la source de l'inégalité parmi les hommes, et si elle est autorisée par la loi naturelle ? ». Deux questions distinctes donc : l'une assez indéterminée, le terme « source » pouvant recouvrir toute espèce de cause possible, l'autre, au contraire, inscrivant sur le mode de l'évidence la réponse dans le cadre du jusnaturalisme. En intitulant son discours « sur l'origine et les fondements de l'inégalité parmi les hommes », Rousseau opère plusieurs déplacements. Il écarte la présupposition jusnaturaliste et annonce ainsi, implicitement, qu'un de ses objectifs est de la mettre à l'épreuve, voire de la récuser (il redéfinira du moins largement le contenu et la portée de cette notion de « droit naturel » en exhibant les obscurités et les équivocités qu'implique communément son usage). En substituant « origine » à « source », il désigne la voie dans laquelle il faut chercher la *cause* réelle des inégalités : l'histoire empirique de l'homme, non sa prétendue nature atemporelle. Puis il distingue le registre du « fondement » de celui de l'« origine » : en effet, si le décryptage de l'histoire réelle nous en apprend beaucoup sur l'ordre des choses, il laisse entier le problème de ce qui *doit être*. Les pages de titre de l'édition originale, en mettant les deux formulations de la question en vis-à-vis, affichent ces déplacements et les intentions qui les motivent [1]. Rousseau traitera donc, dans le *Discours*, les deux questions distinctes de l'origine et du fondement. Mais il le fera en passant souvent d'un registre à l'autre, sans nécessairement en avertir son lecteur autrement que par des indices à la fois clairs et discrets, comptant sur son attention et sur son esprit de pénétration (car il ne faut jamais « faire au lecteur l'injure de tout lui dire » [2]). De fait, pour comprendre le *Discours*, il faut savoir séparer et identifier ces deux registres. Rousseau a donné la clé en choisissant son titre, au lecteur de l'utiliser.

---

1. R. substitue cependant *origine* à *source* dans la question de l'Académie.

2. *Dernière réponse de Rousseau [sur le premier* Discours*]*, *OC* III, p. 94.

Cependant Rousseau ne se contente pas de reformuler la question à sa guise : son premier geste – la Préface le met en exergue – est d'élargir de façon spectaculaire l'objet de la recherche : envisager les inégalités qui existent effectivement entre les hommes revient, affirme-t-il, à renouveler le précepte inscrit au fronton du temple de Delphes : « connais-toi toi-même », en y lisant la question : qu'est-ce que l'homme ? Cette décision audacieuse s'explique de deux façons. Son premier motif, le plus explicite, est de nature épistémique : comprendre ce que les hommes sont requiert d'expliquer comment ils sont devenus tels et, pour cela, d'une manière ou d'une autre, de séparer ce qui procède des « changements successifs de la constitution humaine » de ce qui tient à « son état primitif ». S'il doit être question de « l'homme de la nature », c'est donc pour caractériser « l'homme civil » et non l'inverse. Mais – c'est un second motif d'élargir la portée de la question – en demandant quelle est l'origine de l'inégalité, l'Académie de Dijon demandait bien plus qu'elle n'entendait. Rendre compte des inégalités, c'est rendre compte dans son ensemble de la condition de l'homme vivant en société. Parce que l'inégalité est toujours un rapport inégal, il faut considérer les modalités fondamentales de ce rapport : la conflictualité et la servitude. Des premières rivalités amoureuses et de la jalousie qu'elles suscitent, en passant par les conflits de bornages des premiers agriculteurs, par l'espèce de guerre civile qui oppose les possédants et ceux qui n'ont rien (les « surnuméraires »), jusqu'aux guerres entre États, le second *Discours* montre comment la socialisation de l'homme porte en elle le conflit. De même, il rend compte des progrès de la servitude : des premières dépendances établies dans le cadre familial, en passant par celles que crée la division du travail, jusqu'à la tyrannie qui réduit le peuple en esclavage. Le discours sur l'origine de l'inégalité est, indissociablement, un discours sur l'origine de la conflictualité et de la servitude. Trois traits, aux yeux de Rousseau, constitutifs de l'état civil.

C'est à partir de cette problématique que l'on peut saisir l'organisation du *Discours.* Ses deux parties ne sont pas les récits de deux époques successives dans l'histoire de l'humanité : l'une durant laquelle l'homme aurait vécu selon la nature, l'autre au cours de laquelle il serait devenu un être social. Si tel était le cas, on ne comprendrait pas que la genèse des passions sociales (au premier rang le désir de distinction) et l'origine du langage soient traitées dans la première. On doit plutôt lire ces parties comme deux phases d'une même enquête. Dans la première, essentiellement négative et régressive, il s'agit de « dépouiller » la notion que nous avons de la nature humaine de tout ce que nous y projetons indûment, et qui est en réalité propre à l'homme civil. C'est à une entreprise de dénaturalisation de l'homme que s'y livre Rousseau [1]. Dans la seconde phase, il s'agit de repérer les ruptures successives qui rendent compte des changements irréversibles ayant affecté sa constitution. La première démontre que les inégalités, la conflictualité, la servitude ne peuvent être imputées à sa constitution naturelle, la seconde montre comment elles sont nées dans l'état de société. Loin de minorer la signification des traits par lesquels Rousseau caractérise l'homme de la nature (le souci de sa propre conservation, la pitié envers les autres êtres sensibles, la perfectibilité de ses facultés), cette perspective permet de mieux comprendre que leur statut est, en un double sens, critique : ils sont opérateurs de connaissance et critères de jugement. D'un point de vue cognitif d'abord, ces traits ne sont pas donnés pour naturels, comme la sociabilité et la raison chez les jusnaturalistes, parce qu'ils seraient inaltérables en l'homme, mais, au contraire, parce que seule leur altération rend compte de ce que Rousseau appelle la « nature actuelle » de l'homme : cette seconde nature qui résulte de sa socialisation. Le souci de sa conservation, commun à tous les vivants, au lieu de s'exprimer comme amour de soi, se

1. Durkheim est un des premiers à avoir, contre la lecture dominante, discerné cette orientation centrale du second *Discours* : « Détermination du fait moral », recueilli in *Sociologie et Philosophie*, Paris, PUF, 1996, p. 79. Pour un développement de la thématique de la dénaturalisation : B. Bachofen, *La Condition de la liberté. Rousseau, critique des raisons politiques*, Paris, Payot, 2002, chap. I.

dénature en amour-propre. L'hostilité (qui se distingue de l'affrontement occasionnel par la volonté de supprimer l'existence de l'autre) implique que la voix de la pitié soit recouverte par les passions sociales. La perfectibilité elle-même est le signe en creux de facultés que seule la culture peut développer. L'homme de la nature est celui que l'homme social a modifié : c'est en identifiant ces modifications qu'on peut le connaître. Mais, dans la seconde partie du *Discours*, le propos passe de l'établissement des faits à leur examen en droit : c'est à l'aune des altérations qu'elle induit en l'homme que l'on peut juger la société civile.

Il faut donc inverser la perspective que l'on a souvent sur cette œuvre. Son objet n'est pas de faire l'apologie de l'homme naturel, ni le récit de sa déchéance, mais de comprendre comment l'homme est devenu ce qu'il est, d'évaluer cet état présent et de dégager les principes d'un ordre civil légitime : constituer « des notions justes pour bien juger de notre état présent », établir « les fondements réels de la société humaine ». De part en part, en ce sens, il est question dans le second *Discours* de l'homme civil. C'est de ce point de vue seulement que l'on peut comprendre la démarche suivie. La Préface s'en explique aussi. Ce que Rousseau récuse chez les jusnaturalistes, c'est de prêter à l'homme, comme des caractères naturels, des propriétés qu'ils n'ont acquises que dans le développement social : la rationalité mais aussi les passions lui sont attribuées par tous, la sociabilité et le désir de propriété par le plus grand nombre, l'hostilité par Hobbes. S'il se tourne, comme eux, vers l'idée d'état de nature, c'est pour lui donner une tout autre fonction. Il ne s'agit pas d'expliquer l'homme civil par la nature mais, au contraire, de mettre en évidence tout ce qui n'est pas explicable par elle. De là une démarche qui n'est pas globalement (même si elle peut l'être par séquence) celle d'une consécution, d'une succession de moments s'engendrant les uns les autres, mais la présentation d'une série de basculements, de ruptures, donnant au discours un rythme syncopé que rend inaudible toute tentative d'y lire un récit. Le schéma temporel qui permet de comprendre le second *Discours* n'est pas celui, linéaire, d'un développement continu vers une fin attendue (ni espérée, ni crainte), mais celui d'une marche à reculons, d'un éloignement par scansions successives. Aucune figure n'en est plus proche sans doute que celle de l'Ange de l'histoire dont parle Walter Benjamin : « son visage est tourné vers le passé », les yeux fixés sur « la tempête que nous appelons progrès »[1].

La méthode et les méthodes du second Discours *: « dépouillement » et « fondation »*

La fonction critique de la notion d'état de nature (instrument de connaissance et d'évaluation de la « nature actuelle » de l'homme civil) correspond à la méthode d'enquête suivie par le second *Discours*. Une méthode à la fois une : elle consiste de bout en bout à distinguer ce que l'homme doit à la nature de ce que la société a fait de lui, et double : méthode de réduction dans la définition de l'état de nature, elle est méthode d'induction pour rendre compte de l'institution de l'état civil.

À plusieurs reprises – dans la Préface, dans l'Exorde[2], au début puis au terme de la première partie –, Rousseau insiste sur le caractère conjectural de son entreprise. Pour comprendre l'origine des inégalités qui structurent la société civile, il faudrait connaître les étapes par lesquelles les hommes sont sortis de l'état de nature. Or cette connaissance historique nous est inaccessible parce que les témoignages qui permettraient de l'établir nous manquent et que les changements intervenus dans la constitution de l'homme ne se sont pas opérés sur le mode de la sommation (de nouvelles

1. W. Benjamin, *Sur le concept d'histoire*, § 9, trad. M. de Gandillac, in *Œuvres* III, Paris, Gallimard, 2000, p. 434. Cette rétroversion du regard n'est au demeurant, ni chez Rousseau ni chez Benjamin, de l'ordre de la nostalgie.

2. On nomme ainsi traditionnellement le moment d'ouverture d'un discours (ici, p. 63 à 67).

qualités venant s'ajouter aux caractères primitifs) mais de la dénaturation (les qualités primitives ont été essentiellement altérées, des basculements qualitatifs se sont produits). C'est la raison pour laquelle il faut « écarter tous les faits » (ceux qui se présentent à nous nous renseignent sur ce qu'est l'homme civil, en rien sur l'homme de la nature) et, à défaut d'établir ceux qui nous manquent, de conjecturer « par des raisonnements hypothétiques et conditionnels » ce qu'ils ont pu être. Ces affirmations répétées, jointes à la présentation par « tableaux » de certaines de ces conjectures, ont conduit à les traiter comme des fictions. Or, de façon non moins constante, Rousseau revendique le statut scientifique de ses hypothèses, « semblables à celles que font tous les jours nos physiciens sur la formation du Monde ». Puisque le point de départ est manquant, à partir duquel on pourrait retracer cette histoire, il faut procéder en sens inverse et, prenant pour donné l'état dans lequel se trouve l'homme civil, dégager par l'analyse, par des raisonnements sur « la nature des choses », les enchaînements qui ont pu le produire. L'emploi que fait Rousseau de cette notion de « nature des choses » est au demeurant l'objet d'une difficulté qui, se retournant, apporte un éclairage précieux sur son mode de pensée. Dans l'Exorde du *Discours*, les raisonnements hypothétiques sont présentés comme devant « éclairer la nature des choses ». La dernière page de sa première partie les évoque comme « les plus probables que l'on puisse tirer de la nature des choses ». Loin de se contredire, ces deux formulations rendent compte ensemble de la méthode suivie. La société civile est pétrie de contradictions qui la minent, ce sont elles qu'il faut expliquer. L'hypothèse de l'état de nature, en permettant de les lever par une sorte d'expérience de pensée, conduit à discerner les modifications qui ont dû les susciter. La capacité dans laquelle nous sommes, en supposant ces modifications, de reconstituer les enchaînements qu'elles ont constitués les valide *a posteriori*. C'est la puissance heuristique de ses hypothèses que Rousseau défend. Il le dit explicitement (dans le prolongement du dernier passage cité) : « les conséquences que je veux déduire des miennes [ses conjectures] ne seront point pour cela conjecturales, puisque, sur les principes que je viens d'établir, on ne saurait former aucun autre système qui ne fournisse les mêmes résultats, et dont je ne puisse tirer les mêmes conclusions ». Que ces lignes soient données en conclusion de la première phase de l'enquête donne au demeurant un mode d'emploi général du second *Discours* : sa première partie, autour de l'idée d'état de nature, a établi des principes que la seconde, en expliquant les contradictions de l'état civil, va dans un même mouvement mettre en œuvre et valider. Cette observation explique aussi que, bien que la méthode soit une, elle se mette en œuvre sous deux modalités distinctes, respectivement symbolisées par les notions de « dépouillement » et de « fondation » qui règlent l'*incipit* de chacune des deux parties.

On doit envisager l'homme de la nature, note d'emblée Rousseau, en le « dépouillant » aussi bien de « tous les dons surnaturels qu'il a pu recevoir » que « de toutes les qualités artificielles qu'il n'a pu acquérir que par de longs progrès ». Cette méthode de dépouillement qui commande la première partie du *Discours* consiste donc moins à dire ce que l'homme de la nature est que ce qu'il n'est pas. Victor Goldschmidt rappelle que depuis le XVIIe siècle, notamment chez Hobbes et chez Locke, la figuration de l'état de nature possède une fonction à la fois « étiologique », « paradigmatique » et « exégétique » par rapport à la société politique [1]. La description de l'état de nature nous apprendrait ce que l'homme est essentiellement (ses aspirations et ses dispositions universelles), ce qui lui conviendrait le mieux, et en même temps la raison pour laquelle il ne peut se passer d'institutions universellement nécessaires, telles que le droit, la propriété, l'État, les hiérarchies sociales, l'accumulation économique. Rousseau, en s'interrogeant dans le *Discours* sur ce qu'il nomme le « véritable », le « pur » ou le « premier » état de nature, pose la question de savoir ce que l'on peut véritablement faire dire à la nature. Poussant à son terme la méthode jusnaturaliste, la mettant, si l'on peut dire,

1. V. Goldschmidt, *Anthropologie et politique*, *op. cit.*, p. 180-185.

au pied du mur, il se propose de donner à voir l'homme tel qu'on peut l'imaginer sortant des mains de la nature. Or il n'y a plus grand-chose à voir : si l'on s'en tient aux strictes exigences d'une vie vivable, il se révèle que l'homme n'a nul besoin d'entretenir de liens stables avec ses semblables, n'a pas de passions distinctes de l'instinct, pas de pensée abstraite ni de langage (dont celle-ci dépend). *A fortiori*, il ne ressent aucun manque en se trouvant privé des autres acquis de la société civile. Même les déterminations positives qui lui sont reconnues (le souci de sa conservation, la pitié, la perfectibilité) ne sont que l'envers de ce dont l'analyse le dépouille. Aussi, on l'a dit, cette partie du discours avance-t-elle à reculons : Rousseau ne cesse de souligner la distance incommensurable qui sépare l'homme de la nature de l'homme civil, et de montrer que le second ne peut se comprendre comme le développement spontané de ce que serait le premier. Rien, ni de l'ordre de la finalité ni de la nécessité, ne commande le passage de l'un à l'autre.

On ne saurait pourtant borner cette entreprise à une œuvre de déconstruction : elle ne consiste pas seulement à réfuter des conceptions qui naturalisent la société mais, ce faisant, elle constitue un nouveau regard sur la multiplicité des modes d'être de l'humanité. Telle est la signification, dans le texte et le paratexte que constituent les notes de Rousseau, des fréquents renvois aux relations des explorateurs : pour reconnaître les autres hommes pour ce qu'ils sont, à commencer par ces peuples que l'on disait sauvages, il faut se défaire d'une idée de l'homme au regard de laquelle ils seraient sur le mode de l'anomalie ou du pas encore. Cette conversion du regard exige de l'observateur que, d'une certaine façon, il se retranche lui-même de la société à laquelle il appartient et, en quelque sorte, opère sur lui-même la réduction que l'enquête de Rousseau met en œuvre. On pourrait donner à partir de là un sens plus fécond que les usuelles approches psychologiques et biographiques à l'insistance de Rousseau pour vivre et se penser en marge de l'ordre social. Nul, sans doute, mieux que Claude Lévi-Strauss n'a su percevoir ce sens profond de l'usage fait par Rousseau de la notion d'état de nature, celui d'une ascèse anthropologique. C'est ce qui le conduit à le reconnaître comme « le plus ethnographe des philosophes [1] ». Cependant, si Rousseau adopte le regard de l'ethnographe, c'est avant tout pour le porter sur les « peuples policés ». L'altérité revêt alors une dimension historique et la question devient de savoir ce qui les a faits tels qu'ils sont. Mais pour cela la méthode devra être infléchie.

L'*incipit* justement célèbre de la seconde partie du *Discours* (« Le premier qui ayant enclos un terrain, s'avisa de dire, *ceci est à moi*, [...] fut le vrai fondateur de la société civile ») est porteur à la fois de sa thèse centrale et d'un tournant décisif dans sa méthode de recherche. Cette thèse, il faut d'abord le souligner, ne fait de la propriété ni l'origine ni le fondement de la société en général (elle ne peut se comprendre sans une socialisation préalable), mais discerne dans la propriété foncière la racine de l'institution juridique et politique de la société, ce qui a présidé à sa constitution comme société civile. Rousseau avait élargi à l'extrême la question qui lui était posée ; d'un geste symétrique et rigoureusement inverse, il lui donne une réponse étonnamment étroite ou plutôt acérée : l'institution de la propriété est le point de basculement de l'histoire de l'homme. Ce faisant, il achève le renversement de toutes les convictions jusnaturalistes : non content d'avoir montré que ni la vie en société ni la raison ne sont naturelles à l'homme, il affirme que la propriété foncière est la première *institution* sociale (non le début de la société, mais ce qui rend nécessaires, dans la société, la reconnaissance et la garantie par un pouvoir de droits et de statuts institués) ; alors que Hobbes et Locke s'entendaient pour faire du droit de propriété (compris de façon globale, sans faire la distinction, cruciale aux yeux de Rousseau, entre propriété des fruits et propriété des fonds) un droit antérieur à toute institution. D'une certaine façon, toute la deuxième partie de l'enquête consiste à démontrer cette thèse et à

1. Claude Lévi-Strauss, « J.-J. Rousseau, fondateur des sciences de l'homme », in *Anthropologie structurale II* , Paris, Plon, 1973, et surtout *Tristes tropiques*, Paris, Plon, 1955, rééd. 1998 (en particulier chap. XXXVIII).

déployer ses conséquences : c'est de l'appropriation de la terre que procèdent les inégalités d'institution, les guerres et les servitudes. Mais cette proposition liminaire inaugure également une nouvelle modalité de l'enquête. L'idée de fondation articule en effet le registre de l'origine (c'est un acte inaugural lourd de conséquences) et le registre du fondement (c'est sur la propriété foncière que se sont établies toutes les institutions civiles). Une double dimension que revêtira également – il faut l'observer – « l'acte par lequel un peuple est un peuple » dont parle le *Contrat social*[1]. Ce rapprochement pourrait conduire à discerner dans ces œuvres deux modes de fondation alternatifs de la société civile, suivant qu'on l'envisage sous le regard de « l'histoire de la morale » ou du « droit politique ».

Dans le second *Discours*, en tout cas, la conjugaison de ces deux registres de la fondation implique une nouvelle dimension dans la logique du changement qui commande l'ensemble de la recherche. Jusqu'ici Rousseau s'est contenté de montrer que tous les caractères propres à l'homme civil impliquent autant de ruptures, de discontinuités, avec l'état de nature. C'est désormais de changements irréversibles qu'il va être question. Cette dimension de l'irréversibilité, tout au long de cette seconde partie, va être signifiée par le concept de révolution. Une « première révolution », fruit d'une longue et graduelle évolution, est franchie avec ce qu'on a pu appeler « l'âge des cabanes » : l'habitat commun est l'objet d'une sorte inchoative de propriété, l'habitation commune de la formation de liens familiaux, forme embryonnaire de société. Mais c'est la « grande révolution » qui résulte de la conjugaison de l'agriculture et de la métallurgie, de la division du travail qu'elles impliquent, de l'appropriation de la terre qu'elles supposent, et de l'accumulation de richesses qu'elles permettent, qui retient toute l'attention de Rousseau, précisément parce qu'elle se cristallise dans la véritable institution de la propriété. Avant cette « grande

1. *Du contrat social*, I, 5, éd. présentée et annotée par B. Bernardi, Paris, GF-Flammarion, 2001.

révolution », les hommes ont connu « l'époque la plus heureuse et la plus durable » de leur histoire : déjà socialisés, doués de toutes les facultés qui actualisent la perfectibilité (le langage, l'intelligence, l'amour-propre, la morale), ils ignorent la division sociale du travail, l'accumulation et la domination politique [1]. Ils connaissent la concurrence et le conflit (ces « sauvages » ne sont pas « bons » ni paisibles par nature), mais l'état de leurs techniques et de leur organisation sociale maintient la rivalité dans le cadre d'une lutte pour l'honneur, qui ne peut pas prendre la forme de guerres au sens propre [2]. En partageant l'humanité entre ceux qui se sont approprié la terre et ses ressources et ceux qui, expropriés par cette appropriation, « devenus pauvres sans avoir rien perdu », seront comme des « surnuméraires », la propriété foncière introduit dans un même mouvement le conflit entre eux et la nécessité d'institutions pour protéger la possession des premiers et la sécurité de tous. Parce qu'elle s'est fondée sur la propriété, la société civile porte en elle l'inégalité, les conflits qu'elle engendre, et l'asservissement des uns par les autres. De là l'enchaînement des trois « révolutions » instituantes qui marquent « les progrès de l'inégalité » : la première « autorisant », par le droit de propriété, « l'état de riche et de pauvre », la seconde, par la magistrature, celui du puissant et du faible, la troisième, par le « pouvoir arbitraire », celui du maître et de l'esclave.

Que Rousseau parle, en ce lieu précis où il vient de récapituler les étapes de la formation de la société civile, de « la nécessité de ce progrès » le montre clairement : si la première

---

1. Ces thèses, élaborées en raisonnant sur un matériel ethnographique élémentaire, concordent étonnamment avec ce qu'établiront la paléoanthropologie et l'ethnologie : voir notamment les ouvrages de M. Sahlins (*Âge de pierre, âge d'abondance*) et de P. Clastres (*La Société contre l'État*).

2. Sur ce que R. entend par une guerre « véritable » (question essentielle dans sa critique de Hobbes), voir J.-J. Rousseau, *Principes du droit de la guerre, Écrits sur la paix perpétuelle*, sous la dir. de B. Bachofen et C. Spector, textes établis par B. Bernardi et G. Silvestrini, Paris, Vrin, « Textes et Commentaires », 2008.

phase de son enquête avait consisté à montrer que l'état civil ne procédait pas de l'état de nature par un développement spontané, la seconde montre que le basculement dans la société civile est aussi un basculement dans la nécessité. Son histoire n'est pas seulement celle des progrès de la domination qui soumet la volonté de certains hommes à celle d'autres hommes, elle est aussi l'histoire de leur commune soumission à un ordre des choses qui les contraint. Mais précisément, jusqu'à quel point cette nécessité est-elle nécessaire ? Ou, pour le dire autrement, l'horizon du second *Discours* est-il celui de la vision pessimiste de l'histoire qu'on lui prête souvent ? C'est en l'envisageant d'un point de vue qu'on pourrait dire épistémologique que l'on peut sans doute le mieux aborder cette question essentielle.

La logique causale dans le second Discours : *contingence, histoire et politique*

Le second *Discours* est une enquête sur l'origine et les fondements de la société civile qui s'organise autour d'une thèse radicale, en rupture avec toute l'école du droit naturel : on ne saurait trouver ni l'une ni les autres dans la nature de l'homme. Le concept de nature, chez les jusnaturalistes, renvoie à trois paradigmes qui sont, suivant les cas, amalgamés ou distingués : entendue comme essence, la nature d'un être est l'ensemble des caractères qui le définissent (l'homme est un animal raisonnable), entendue comme destination ou finalité, elle désigne ce vers quoi cet être tend spontanément (l'homme est un être sociable) ou doit tendre par devoir (il est un être moral), entendue comme nécessité, elle est ce à quoi un être est déterminé par la causalité de la nature. Chez la plupart des jusnaturalistes ces trois paradigmes sont ramenés à l'unité sous la loi divine : Dieu a donné à chaque être sa nature, à la nature les lois qui la gouvernent, aux hommes celles auxquelles ils doivent obéir. Chez certains, comme chez Diderot, cette unité est plutôt faite sous l'idée de loi de la nature [1]. La réduction rousseauiste invalide tous ces paradigmes : ramené à sa nature, prise en un sens strict et univoque, l'homme n'est qu'un animal parmi d'autres, qui agit par instinct et non pour des raisons qu'il ne peut se forger, et rien, ni dans ce qu'il est naturellement, ni dans la nature qui l'environne, ne le détermine à sortir de cet état. On ne peut rendre compte du passage à l'état civil ni par une causalité essentielle, ni par une causalité finale, ni par une causalité efficiente. Rousseau se met ainsi dans cette situation paradoxale de se donner pour tâche de penser l'historicité de l'homme (il est devenu ce qu'il est) en se privant de tous les principes explicatifs qui pourraient lui permettre de mener cette tâche à bien. De là, observe-t-on souvent, son recours réitéré à la contingence : chacune des grandes découvertes qui scandent la dénaturation de l'homme, de l'origine des langues à l'invention de la métallurgie, l'oblige à supposer « quelque circonstance extraordinaire ». De là également le constat qu'on ne peut lui prêter sans inconséquence une conception de l'histoire comme processus [2]. Mais ces constats se retournent et peuvent fournir une clé d'intelligibilité pour le second *Discours* : le recours à la contingence n'est pas une facilité, un renoncement à l'effort d'intelligibilité, il indique au contraire le sens même de la découverte. Il doit se lire comme une invalidation de la réduction de l'histoire à la nature. Plus précisément, il faut y reconnaître la récusation de tous les modèles épistémiques naturalistes (qu'ils soient essentialiste, finaliste ou mécaniste) pour penser l'historicité. Il n'est pas étonnant que des sociologues (comme Durkheim ou Namer) ou des ethnologues (comme Lévi-Strauss) aient pu voir en Rousseau, particulièrement comme auteur du second *Discours*, un « précurseur » des sciences de l'homme : en récusant les paradigmes naturalistes, il ouvre l'espace dans lequel il devient nécessaire et possible d'en inventer de neufs et de spécifiques. Mais on ne saurait en

1. Diderot, article « Droit naturel », ainsi que le *Supplément au voyage de Bougainville*.
2. B. Binoche, *La Raison sans l'histoire*, Paris, PUF, 2007, p. 29-51.

rester là, à moins de postuler que la contingence reste chez Rousseau un concept vide, désignant la double absence de la fin et de la cause. Il faut au contraire, pour comprendre la logique d'ensemble du second *Discours*, reconnaître la fonction et le statut inédits qu'il lui confère.

La fonction argumentative de l'appel à la contingence, dans la conception rousseauiste de l'histoire, a été dégagée en deux pages courtes mais lumineuses par Henri Gouhier [1]. La contingence, en un premier sens, s'oppose à la nécessité naturelle : « une humanité sans histoire n'est pas contradictoire. Relative à l'univers dans lequel nous vivons, l'histoire est une nécessité de fait ». Cette nécessité, factuelle et non naturelle, n'est pas moins contraignante puisque Rousseau l'affirme constamment : l'idée d'un retour à l'état de nature est dépourvue de sens. Mais c'est une nécessité qui n'est que rétrospective. Ce qui est fait est fait ; mais il n'en demeure pas moins qu'il aurait pu en être autrement. Or reconnaître cette factualité de l'histoire donne à la contingence un second sens : elle est, de deux façons, un opérateur d'altérité. Que ce qui est eût pu être autrement introduit en premier lieu la possibilité d'une comparaison, donc d'une évaluation, et donne sens à la distinction du droit et du fait. Reconnaître que c'est l'appropriation de la terre par les uns au détriment des autres qui a été la cause de l'institution des gouvernements, c'est rendre possible une interrogation sur leur légitimité. Mais on peut en tirer aussi cette autre conséquence que ce qui est peut devenir autre. L'histoire, parce qu'elle est contingente, n'est pas fermée. Comme le dit Gouhier, la question ouverte par Rousseau n'est pas : « état de nature ou histoire ? » mais : « cette histoire ou une autre ? ». Une question dont le lieu est précisément marqué par le second *Discours* : après avoir montré comment les trois révolutions évoquées plus haut conduisent la société « au dernier terme de l'inégalité », Rousseau forme cette alternative : « que de

1. H. Gouhier, « Nature et histoire dans la pensée de J.-J. Rousseau », in *Les Méditations métaphysiques de J.-J. Rousseau*, Paris, Vrin, 1984, p. 23-24.

nouvelles révolutions dissolvent tout à fait le gouvernement, ou le rapprochent de l'institution légitime ». Une alternative reprise et développée par le *Contrat social* qui s'ouvre sur la question même de savoir ce qui peut « rendre légitime » un état civil où règne l'inégalité[1]. La contingence permet à Rousseau d'articuler l'histoire avec le droit et la politique.

Cette compréhension de la fonction de la contingence historique dans l'économie de la pensée de Rousseau doit nous inciter à chercher à mieux comprendre aussi son statut proprement cognitif. De ce point de vue, c'est moins en termes de contingence qu'il faut penser qu'en termes de circonstances, de causes occasionnelles. On peut à cet égard prolonger une voie ouverte par Louis Althusser dans un de ses derniers textes, sans doute le plus pénétrant sur Rousseau[2]. La contingence, il faut commencer par le noter, n'est pas le hasard : il ne s'agit jamais d'effets sans causes mais, d'une part, d'effets dont les causes ne peuvent se déduire d'un état antérieur comme contenues par lui en puissance et, d'autre part, d'effets qui deviennent eux-mêmes causes d'autres effets qui les excèdent plus encore : ainsi, par exemple, les sentiments d'affection au sein de la famille résultent de l'habitude engendrée par l'habitat commun et entraînent à leur tour la formation des lignées et de leurs croisements qui sont les premières formes du lien de société. Rousseau, ce faisant, invente un usage très libre et novateur de la notion de « cause occasionnelle » qu'il reçoit de la tradition malebranchiste. Chez Malebranche, elle permettait de comprendre comment les lois de la nature (les volontés générales de Dieu) se mettaient en œuvre à la faveur de circonstances, d'occasions, qui les activaient. Chez Rousseau, les causes occasionnelles ne renvoient pas à des lois ou des principes préexistants, elles sont, si l'on peut dire, les agents d'une

1. *CS*, I, 1. Le livre II, chap. 8, revient sur cette alternative entre dissolution et régénération du lien social, selon deux modalités opposées de « révolutions ».

2. L. Althusser, « Le courant souterrain du matérialisme de la rencontre », in *Écrits philosophiques et politiques*, t. 1, Paris, Stock/Imec, 1994, p. 539-576.

précipitation qui va conduire à la constitution d'un nouvel ordre obéissant à de nouveaux principes. C'est de cette façon, en particulier, que l'on peut comprendre le sens qu'il donne à la notion de perfectibilité. Contrairement à ce que l'on pourra observer, par exemple chez Condorcet [1] ou d'une autre manière chez Auguste Comte [2], la perfectibilité de l'homme ne consiste pas, chez Rousseau, en facultés virtuellement présentes et qui attendraient d'être stimulées, mais en une indétermination ou plutôt une plasticité qui lui permet d'acquérir de nouvelles propriétés, de devenir autre qu'il n'était. Perfectibilité et dénaturation sont les deux faces d'un même concept. Non seulement la seconde révèle la première mais, d'une certaine façon, elle la constitue. Bien d'autres aspects de la pensée de Rousseau pourraient sans doute être expliqués de ce point de vue. Ainsi en est-il de la double définition que peut recevoir le concept de société civile. D'un côté la société civile est ce qui résulte de la grande révolution qui amène, par l'institution de la propriété, le basculement irréversible de l'homme dans l'état civil. De ce point de vue, elle enveloppe la loi, le gouvernement, la définition des divers états sociaux ; elle est juridiquement et politiquement constituée. Mais, d'un autre point de vue, la « grande révolution » éclaire comme après coup la signification de la « première révolution » que représentait « l'âge des cabanes », pour cela qualifiée de « société commençante » et, plus généralement, celle de tous les « progrès insensibles » qui ont commencé à faire de l'homme un être socialisé. Il y a des conditions prépolitiques de la société civile qui, parce qu'elle n'est pas intelligible sans elles, sont également constitutives du concept de société civile [3].

1. Condorcet, *Esquisse d'un tableau général des progrès de l'esprit humain*, notamment l'Avant-propos.

2. A. Comte, *Cours de philosophie positive*, 48e et 49e Leçons.

3. Il est intéressant de voir que, lorsque le cadre de la société politique est dissous, une sorte de société peut subsister. Voir B. Bernardi, « Rousseau et l'Europe : sur l'idée de société civile européenne », *in* J.-J. Rousseau, *Principes du droit de la guerre, Écrits sur la paix perpétuelle, op. cit.*

Est ainsi mise au jour une forme de causalité que l'on pourrait qualifier de rétrospective : ce sont les effets qui en découlent qui font de circonstances contingentes des causes déterminantes. De ce point de vue, il y a constamment plus dans l'effet que dans la cause (ce qu'interdit le modèle de la causalité mécanique) sans pour autant qu'il soit nécessaire de supposer que soit à l'œuvre dans l'histoire une quelconque finalité (comme le supposera Kant [1]). Ce qui se produit sur le mode de la contingence, une fois le fait accompli, se manifeste comme générateur d'une nécessité. La nécessité, pourrait-on dire, est de la contingence sédimentée. De là découlera la substitution de la notion de « principes du droit politique » à celle de « droit naturel » pour penser les fondements d'une justice sociale et politique. Les questions de la justice et de la légitimité ne peuvent se penser dans le cadre abstrait d'une nature uniforme, obéissant à des lois immuables, mais dans celui de circonstances historiques, le politique n'étant qu'une des modalités contingentes de l'historicité. Ce qui n'enlève rien, bien au contraire, à la nécessité de penser les fondements rationnels et universels de cette configuration circonstancielle. Plus l'homme s'écarte de l'état de nature, plus les effets nécessaires deviennent nombreux, puissants, irréversibles. Et cette nécessité garde, de la contingence dont elle provient, d'être ouverte, en droit et en fait, sur autre chose qu'elle-même. Le second *Discours* peut ainsi être lu comme une tentative pour constituer une logique spécifique de la causalité historique bien distincte de l'histoire comme processus telle que l'a élaborée la philosophie de Hegel : l'histoire est à la fois et contradictoirement, parce que contingente, ce qui fait entrer les hommes dans des chaînes de contraintes qui s'exercent sur eux comme une nécessité, et ce qui laisse ouvert l'espace, précaire et de nouveau contingent, de leur liberté de jugement et d'action. Parce que « la volonté parle encore, quand la nature se tait », les hommes sont irrémédiablement destinés à assumer leur

1. Notamment dans son *Idée d'une histoire universelle d'un point de vue cosmopolitique.*

condition politique, comme relevant de leur responsabilité : ce sera la grande thèse du *Contrat social.*

Le *Discours sur l'origine et les fondements de l'inégalité parmi les hommes* est d'une richesse qu'aucune interprétation ne saurait prétendre épuiser. En invitant à mesurer l'ampleur de sa problématique, la force des thèses qu'il soutient, la rigueur de la méthode qu'il se donne et la profonde nouveauté de son mode de pensée, nous avons voulu aider à mieux en comprendre l'envergure philosophique. C'est par là, nous semble-t-il, que ce texte écrit il y a plus de deux cent cinquante ans nous est le plus évidemment contemporain.

Blaise BACHOFEN et Bruno BERNARDI.

NOTE SUR CETTE ÉDITION

Le texte est celui de l'édition de 1755, parue à Amsterdam, chez Marc-Michel Rey. L'orthographe est modernisée mais la ponctuation et la typographie (italique, majuscules, etc.) ont été respectées. On a cependant corrigé les coquilles subsistantes dans l'édition originale et opéré les modifications que Rousseau a ensuite portées sur deux exemplaires du *Discours* : l'un offert, en 1767, à Richard Davenport (aujourd'hui conservé à la Pierpont Morgan Library, New York), l'autre (aujourd'hui perdu) ayant servi de base à l'édition originale des *Œuvres complètes* (Moultou et DuPeyrou, Genève, éd. in 4°, vol. 1, 1782).

Les informations sur l'établissement du texte sont en notes de bas de page, appel : [a], [b], [c]...

Les notes de Rousseau se trouvent à la suite du *Discours*, appel : (*I), (*II)... (*XIX).

Les notes explicatives des éditeurs sont renvoyées en fin de volume, appel : [1], [2], [3]...

Il retourne chez ſes Egaux.
Voyez la Note 13 p. 259.

Frontispice de l'édition originale de 1755
(voir note XVI p. 194)

DISCOURS
SUR L'ORIGINE
ET LES
FONDEMENTS DE L'INÉGALITÉ
PARMI LES HOMMES [1]

PAR

JEAN-JACQUES ROUSSEAU

citoyen de Genève.

Non in depravatis, sed in his quae bene secundum naturam se habent, considerandum est quid sit naturale.

Aristot. *Politic*. L. 1 [a] [2].

a. Correction de l'édition de 1782. 1755 : L. 2.

À LA RÉPUBLIQUE DE GENÈVE.

MAGNIFIQUES, TRÈS HONORÉS, ET SOUVERAINS SEIGNEURS [3],

Convaincu qu'il n'appartient qu'au Citoyen vertueux de rendre à sa Patrie des honneurs qu'elle puisse avouer, il y a trente ans que je travaille à mériter de vous offrir un hommage public ; et cette heureuse occasion suppléant en partie à ce que mes efforts n'ont pu faire, j'ai cru qu'il me serait permis de consulter ici le zèle qui m'anime, plus que le droit qui devrait m'autoriser. Ayant eu le bonheur de naître parmi vous, comment pourrais-je méditer sur l'égalité que la nature a mise entre les hommes et sur l'inégalité qu'ils ont instituée, sans penser à la profonde sagesse avec laquelle l'une et l'autre, heureusement combinées dans cet État, concourent de la manière la plus approchante de la loi naturelle et la plus favorable à la société, au maintien de l'ordre public et au bonheur des particuliers [4] ? En recherchant les meilleures maximes que le bon sens puisse dicter sur la constitution d'un gouvernement, j'ai été si frappé de les voir toutes en exécution dans le vôtre que même sans être né dans vos murs, j'aurais cru ne pouvoir me dispenser d'offrir ce tableau de la société humaine, à celui de tous les peuples qui me paraît en posséder les plus grands avantages, et en avoir le mieux prévenu les abus.

Si j'avais eu à choisir le lieu de ma naissance[5], j'aurais choisi une société d'une grandeur bornée par l'étendue des facultés humaines, c'est-à-dire par la possibilité d'être bien gouvernée, et où chacun suffisant à son emploi, nul n'eût été contraint de commettre à d'autres les fonctions dont il était chargé : un État où tous les particuliers se connaissant entre eux, les manœuvres obscures du vice ni la modestie de la vertu n'eussent pu se dérober aux regards et au jugement du Public, et où cette douce habitude de se voir et de se connaître, fît de l'amour de la Patrie l'amour des Citoyens plutôt que celui de la terre[6].

J'aurais voulu naître dans un pays où le Souverain et le Peuple[a] ne pussent avoir qu'un seul et même intérêt, afin que tous les mouvements de la machine ne tendissent jamais qu'au bonheur commun ; ce qui ne pouvant se faire à moins que le Peuple et le Souverain ne soient une même personne, il s'ensuit que j'aurais voulu naître sous un gouvernement démocratique, sagement tempéré[7].

J'aurais voulu vivre et mourir libre, c'est-à-dire tellement soumis aux lois que ni moi ni personne n'en pût secouer l'honorable joug ; Ce joug salutaire et doux, que les têtes les plus fières portent d'autant plus docilement qu'elles sont faites pour n'en porter aucun autre.

J'aurais donc voulu que personne dans l'État n'eût pu se dire au-dessus de la loi, et que Personne au-dehors n'en pût imposer que l'État fût obligé de reconnaître. Car quelle que puisse être la constitution d'un

a. *OC* III omet la majuscule à Peuple.

gouvernement, s'il s'y trouve un seul homme qui ne soit pas soumis à la loi, tous les autres sont nécessairement à la discrétion de celui-là (*I) ; Et s'il y a un Chef national, et un autre Chef étranger, quelque partage d'autorité qu'ils puissent faire, il est impossible que l'un et l'autre soient bien obéis et que l'État soit bien gouverné.

Je n'aurais point voulu habiter une République de nouvelle institution, quelques bonnes lois qu'elle pût avoir ; de peur que le gouvernement autrement constitué peut-être qu'il ne faudrait pour le moment, ne convenant pas aux nouveaux Citoyens, ou les Citoyens au nouveau gouvernement, l'État ne fût sujet à être ébranlé et détruit presque dès sa naissance. Car il en est de la liberté comme de ces aliments solides et succulents, ou de ces vins généreux, propres à nourrir et fortifier les tempéraments robustes qui en ont l'habitude, mais qui accablent, ruinent et enivrent les faibles et délicats qui n'y sont point faits. Les Peuples une fois accoutumés à des Maîtres, ne sont plus en état de s'en passer. S'ils tentent de secouer le joug, ils s'éloignent d'autant plus de la liberté ; que prenant pour elle une licence effrénée qui lui est opposée, leurs révolutions les livrent presque toujours à des séducteurs qui ne font qu'aggraver leurs chaînes. Le Peuple Romain lui-même, ce modèle de tous les Peuples libres, ne fut point en état de se gouverner en sortant de l'oppression des Tarquins. Avili par l'esclavage et les travaux ignominieux qu'ils lui avaient imposés, ce n'était d'abord qu'une stupide Populace qu'il fallut ménager et gouverner avec la plus grande sagesse ; afin que s'accoutumant peu à peu à respirer l'air salutaire de la liberté, ces âmes énervées ou plutôt abruties sous la tyrannie, acquissent par degrés cette sévérité de mœurs et cette fierté de courage qui en firent enfin le plus respectable de tous les Peuples. J'aurais donc cherché pour ma Patrie une heureuse et tranquille République dont l'ancienneté se perdît en quelque sorte dans la nuit des temps ; qui n'eût éprouvé que des atteintes propres à manifester et affermir dans ses habitants le courage et l'amour de la Patrie, et où les Citoyens accoutumés de longue main à une sage indépendance, fussent, non seulement libres, mais dignes de l'être.

J'aurais voulu me choisir une Patrie, détournée par une heureuse impuissance du féroce amour des Conquêtes, et garantie par une position encore plus heureuse de la crainte de devenir elle-même la conquête d'un autre État : Une Ville libre placée entre plusieurs Peuples dont aucun n'eût intérêt à l'envahir, et dont chacun eût intérêt d'empêcher les autres de l'envahir eux-mêmes : Une République, en un mot, qui ne tentât point l'ambition de ses voisins et qui pût raisonnablement compter sur leur secours au besoin. Il s'ensuit que, dans une position si heureuse, elle n'aurait eu rien à craindre que d'elle-même, et que si ses Citoyens s'étaient exercés aux armes, c'eût été plutôt pour entretenir chez eux cette ardeur guerrière et cette fierté de courage qui sied si bien à la liberté et qui en nourrit le goût, que par la nécessité de pourvoir à leur propre défense.

J'aurais cherché un Pays où le droit de législation fût commun à tous les Citoyens ; car qui peut mieux savoir qu'eux sous quelles conditions il leur convient de vivre ensemble dans une même société ? Mais je n'aurais pas approuvé des Plébiscites semblables à ceux des Romains où les Chefs de l'État et les plus intéressés à sa conservation étaient exclus des délibérations dont souvent dépendait son salut, et où par une absurde inconséquence les Magistrats étaient privés des droits dont jouissaient les simples Citoyens.

Au contraire, j'aurais désiré que pour arrêter les projets intéressés et mal conçus, et les innovations dangereuses qui perdirent enfin les Athéniens, chacun n'eût pas le pouvoir de proposer de nouvelles Lois à sa fantaisie ; que ce droit appartînt aux seuls Magistrats ; qu'ils en usassent même avec tant de circonspection, que le Peuple de son côté fût si réservé à donner son consentement à ces Lois, et que la promulgation ne pût s'en faire qu'avec tant de solennité, qu'avant que la constitution fût ébranlée on eût le temps de se convaincre que c'est surtout la grande antiquité des Lois qui les rend saintes et vénérables, que le Peuple méprise bientôt celles qu'il voit changer tous les jours, et qu'en s'accoutumant à négliger les anciens usages sous prétexte de faire mieux, on introduit souvent de grands maux pour en corriger de moindres.

J'aurais fui surtout, comme nécessairement mal gouvernée, une République où le Peuple, croyant pouvoir se passer de ses Magistrats ou ne leur laisser qu'une autorité précaire, aurait imprudemment gardé l'administration des affaires Civiles et l'exécution de ses propres Lois ; telle dut être la grossière constitution des premiers gouvernements sortant immédiatement de l'état de Nature, et tel fut encore un des Vices qui perdirent la République d'Athènes.

Mais j'aurais choisi celle où les particuliers se contentant de donner la sanction aux Lois, et de décider en Corps et sur le rapport des Chefs, les plus importantes affaires publiques, établiraient des tribunaux respectés, en distingueraient avec soin les divers départements ; éliraient d'année en année les plus capables et les plus intègres de leurs Concitoyens pour administrer la Justice et gouverner l'État ; et où la Vertu des Magistrats portant ainsi témoignage de la sagesse du Peuple, les uns et les autres s'honoreraient mutuellement [8]. De sorte que si jamais de funestes malentendus venaient à troubler la concorde publique, ces temps même [a] d'aveuglement et d'erreurs fussent marqués par des témoignages de modération, d'estime réciproque, et d'un commun respect pour les Lois ; présages et garants d'une réconciliation sincère et perpétuelle.

Tels sont, MAGNIFIQUES, TRÈS HONORÉS, ET SOUVERAINS SEIGNEURS, les avantages que j'aurais recherchés dans la patrie que je me serais choisie. Que si la Providence y avait ajouté de plus une situation charmante, un Climat tempéré, un pays fertile, et l'aspect le plus délicieux qui soit sous le Ciel, je n'aurais désiré pour combler mon bonheur que de jouir de tous ces biens dans le sein de cette heureuse Patrie, vivant paisiblement dans une douce société avec mes Concitoyens, exerçant envers eux, et à leur exemple, l'humanité, l'amitié et toutes les vertus, et laissant après moi l'honorable mémoire d'un homme de bien, et d'un honnête et vertueux Patriote.

Si, moins heureux ou trop tard sage, je m'étais vu réduit à finir en d'autres Climats une infirme et languissante carrière, regrettant inutilement le repos et la Paix dont une jeunesse imprudente m'aurait privé ; j'aurais du moins nourri dans mon âme ces mêmes sentiments dont je n'aurais pu faire usage dans mon pays, et pénétré d'une affection tendre et désintéressée pour mes Concitoyens éloignés, je leur aurais adressé du fond de mon cœur à peu près le discours suivant [9].

---

a. Correction de 1782. 1755 : « mêmes ».

Mes chers Concitoyens ou plutôt mes frères, puisque les liens du sang ainsi que les Lois nous unissent presque tous, il m'est doux de ne pouvoir penser à vous, sans penser en même temps à tous les biens dont vous jouissez et dont nul de vous peut-être ne sent mieux le prix que moi qui les ai perdus. Plus je réfléchis sur votre situation Politique et Civile, et moins je puis imaginer que la nature des choses humaines puisse en comporter une meilleure. Dans tous les autres Gouvernements, quand il est question d'assurer le plus grand bien de l'État, tout se borne toujours à des projets en idées, et tout au plus à de simples possibilités. Pour vous, votre bonheur est tout fait, il ne faut qu'en jouir, et vous n'avez plus besoin pour devenir parfaitement heureux, que de savoir vous contenter de l'être. Votre Souveraineté acquise ou recouvrée à la pointe de l'épée, et conservée durant deux siècles à force de valeur et de sagesse, est enfin pleinement et universellement reconnue. Des Traités honorables fixent vos limites, assurent vos droits, et affermissent votre repos [10]. Votre constitution est excellente, dictée par la plus sublime raison, et garantie par des Puissances amies et respectables [11] ; votre État est tranquille, vous n'avez ni guerres ni conquérants à craindre ; vous n'avez point d'autres maîtres que de sages lois que vous avez faites, administrées par des Magistrats intègres qui sont de votre choix ; vous n'êtes ni assez riches pour vous énerver par la mollesse et perdre dans de vaines délices le goût du vrai bonheur et des solides vertus, ni assez pauvres pour avoir besoin de plus de secours étrangers que ne vous en procure votre industrie ; et cette liberté précieuse qu'on ne maintient chez les grandes Nations qu'avec des Impôts exorbitants, ne vous coûte presque rien à conserver.

Puisse durer toujours pour le bonheur de ses Citoyens et l'exemple des Peuples une République si sagement et si heureusement constituée ! Voilà le seul vœu qui vous reste à faire, et le seul soin qui vous reste à prendre. C'est à vous seuls désormais, non à faire votre bonheur, vos Ancêtres vous en ont évité la peine, mais à le rendre durable par la sagesse d'en bien user [12]. C'est de votre union perpétuelle, de votre obéissance aux lois ; de votre respect pour leurs Ministres que dépend votre conservation. S'il reste parmi vous le moindre germe d'aigreur ou de défiance, hâtez-vous de le détruire comme un levain funeste d'où résulteraient tôt ou tard vos malheurs et la ruine de l'État : Je vous conjure de rentrer tous au fond de votre Cœur et de consulter la voix secrète de votre conscience. Quelqu'un parmi vous connaît-il dans l'univers un Corps plus intègre, plus éclairé, plus respectable que celui de votre Magistrature ? Tous ses membres ne vous donnent-ils pas l'exemple de la modération, de la simplicité de mœurs, du respect pour les lois et de la plus sincère réconciliation : rendez donc sans réserve à de si sages Chefs cette salutaire confiance que la raison doit à la vertu ; songez qu'ils sont de votre choix, qu'ils le justifient, et que les honneurs dus à ceux que vous avez constitués en dignité retombent nécessairement sur vous-mêmes. Nul de vous n'est assez peu éclairé pour ignorer qu'où cessent la rigueur [a] des lois et l'autorité de leurs défenseurs, il ne peut y avoir ni sûreté ni liberté pour personne. De quoi s'agit-il donc entre vous que de faire de bon cœur et avec une juste confiance ce que vous seriez toujours obligés de faire par un véritable intérêt, par devoir, et pour la raison ? Qu'une coupable

a. Correction de 1782. 1755 : « vigueur ».

et funeste indifférence pour le maintient de la constitution, ne vous fasse jamais négliger au besoin les sages avis des plus éclairés et des plus zélés d'entre vous. Mais que l'équité, la modération, la plus respectueuse fermeté, continuent de régler toutes vos démarches et de montrer en vous à tout l'univers l'exemple d'un Peuple fier et modeste, aussi jaloux de sa gloire que de sa liberté. Gardez-vous, surtout, et ce sera mon dernier Conseil, d'écouter jamais des interprétations sinistres et des discours envenimés dont les motifs secrets sont souvent plus dangereux que les actions qui en sont l'objet. Toute une maison s'éveille et se tient en alarmes aux premiers cris d'un bon et fidèle Gardien qui n'aboie jamais qu'à l'approche des Voleurs ; mais on hait l'importunité de ces animaux bruyants qui troublent sans cesse le repos public, et dont les avertissements continuels et déplacés ne se font pas même écouter au moment qu'ils sont nécessaires [13].

Et vous MAGNIFIQUES ET TRÈS HONORÉS SEIGNEURS ; vous dignes et respectables Magistrats d'un Peuple libre ; permettez-moi de vous offrir en particulier mes hommages et mes devoirs [14]. S'il y a dans le monde un rang propre à illustrer ceux qui l'occupent, c'est sans doute celui que donnent les talents et la vertu, celui dont vous vous êtes rendus dignes, et auquel vos Concitoyens vous ont élevés. Leur propre mérite ajoute encore au vôtre un nouvel éclat, et choisis par des hommes capables d'en gouverner d'autres, pour les gouverner eux-mêmes, je vous trouve autant au-dessus des autres Magistrats, qu'un Peuple libre, et surtout celui que vous avez l'honneur de conduire, est par ses lumières et par sa raison au-dessus de la populace des autres États.

Qu'il me soit permis de citer un exemple dont il devrait rester de meilleures traces, et qui sera toujours présent à mon Cœur. Je ne me rappelle point sans la plus douce émotion la mémoire du vertueux Citoyen de qui j'ai reçu le jour, et qui souvent entretint mon enfance du respect qui vous était dû. Je le vois encore vivant du travail de ses mains, et nourrissant son âme des Vérités les plus sublimes. Je vois Tacite, Plutarque et Grotius, mêlés devant lui avec les instruments de son métier. Je vois à ses côtés un fils chéri recevant avec trop peu de fruit les tendres instructions du meilleur des Pères. Mais si les égarements d'une folle jeunesse me firent oublier durant un temps de si sages leçons, j'ai le bonheur d'éprouver enfin que quelque penchant qu'on ait vers le vice, il est difficile qu'une éducation dont le cœur se mêle reste perdue pour toujours [15].

Tels sont, MAGNIFIQUES ET TRÈS HONORÉS SEIGNEURS, les Citoyens et même les simples habitants nés dans l'État que vous gouvernez [16] ; tels sont ces hommes instruits et sensés dont, sous le nom d'Ouvriers et de Peuple, on a chez les autres Nations des idées si basses et si fausses. Mon Père, je l'avoue avec joie, n'était point distingué parmi ses concitoyens ; il n'était que ce qu'ils sont tous, et tel qu'il était, il n'y a point de Pays où sa société n'eût été recherchée, cultivée, et même avec fruit, par les plus honnêtes gens. Il ne m'appartient pas, et grâce au Ciel, il n'est pas nécessaire de vous parler des égards que peuvent attendre de vous des hommes de cette trempe, vos égaux par l'éducation, ainsi que par les droits de la nature et de la naissance ; vos inférieurs par leur volonté, par la préférence qu'ils devaient à votre mérite, qu'ils lui ont accordée, et pour laquelle vous leur devez à votre tour une sorte de reconnaissance. J'apprends avec une vive satisfaction de combien de douceur et de condescendance vous tempérez avec eux la gravité convenable aux ministres des Lois, combien vous leur rendez en estime et en attentions ce qu'ils vous doivent d'obéissance et de respects ; conduite pleine de justice et de sagesse, propre à éloigner de plus en plus la mémoire des événements malheureux qu'il faut oublier pour ne les revoir jamais : conduite d'autant plus judicieuse que ce Peuple équitable et généreux se fait un plaisir de son devoir, qu'il aime naturellement à vous honorer, et que les plus ardents à soutenir leurs droits, sont les plus portés à respecter les vôtres.

Il ne doit pas être étonnant que les Chefs d'une Société Civile en aiment la gloire et le bonheur, mais il l'est trop pour le repos des hommes que ceux qui se regardent comme les Magistrats, ou plutôt comme les maîtres d'une Patrie plus sainte et plus sublime, témoignent quelque amour pour la Patrie terrestre qui les nourrit. Qu'il m'est doux de pouvoir faire en notre faveur une exception si rare, et placer au rang de nos meilleurs Citoyens, ces zélés dépositaires des dogmes sacrés autorisés par les lois, ces vénérables Pasteurs des âmes, dont la vive et douce éloquence porte d'autant mieux dans les Cœurs les maximes de l'Évangile qu'ils commencent toujours par les pratiquer eux-mêmes ! Tout le monde sait avec quel succès le grand art de la Chaire est cultivé à Genève ; Mais, trop accoutumés à voir dire d'une manière et faire d'une autre, peu de Gens savent jusqu'à quel point l'esprit du Christianisme, la sainteté des mœurs, la sévérité pour soi-même et la douceur pour autrui, règnent dans le Corps de nos Ministres. Peut-être appartient-il à la seule Ville de Genève de montrer l'exemple édifiant d'une aussi parfaite union entre une Société de Théologiens et de

Gens de Lettres. C'est en grande partie sur leur sagesse et leur modération reconnues, c'est sur leur zèle pour la prospérité de l'État que je fonde l'espoir de son éternelle tranquillité ; et je remarque avec un plaisir mêlé d'étonnement et de respect combien ils ont d'horreur pour les affreuses maximes de ces hommes sacrés et barbares dont l'Histoire fournit plus d'un exemple, et qui, pour soutenir les prétendus droits de Dieu, c'est-à-dire leurs intérêts, étaient d'autant moins avares du sang humain qu'ils se flattaient que le leur serait toujours respecté [17].

Pourrais-je oublier cette précieuse moitié de la République qui fait le bonheur de l'autre, et dont la douceur et la sagesse y maintiennent la paix et les bonnes mœurs ? Aimables et vertueuses Citoyennes, le sort de votre sexe sera toujours de gouverner le nôtre. Heureux ! quand votre chaste pouvoir, exercé seulement dans l'union conjugale, ne se fait sentir que pour la gloire de l'État et le bonheur public. C'est ainsi que les femmes commandaient à Sparte, et c'est ainsi que vous méritez de commander à Genève. Quel homme barbare pourrait résister à la voix de l'honneur et de la raison dans la bouche d'une tendre épouse ; et qui ne mépriserait un vain luxe, en voyant votre simple et modeste parure, qui par l'éclat qu'elle tient de vous semble être la plus favorable à la beauté ? C'est à vous [a] de maintenir toujours par votre aimable et innocent empire et par votre esprit insinuant l'amour des lois dans l'État et la Concorde parmi les Citoyens ; de réunir par d'heureux mariages les familles divisées ; et surtout de corriger par la persuasive douceur de vos leçons et par

---

a. 1755 : « C'est donc à vous ». La correction est donnée dans les *errata*.

les grâces modestes de votre entretien, les travers que nos jeunes Gens vont prendre en d'autres pays, d'où, au lieu de tant de choses utiles dont ils pourraient profiter, ils ne rapportent, avec un ton puéril et des airs ridicules pris parmi des femmes perdues, que de l'admiration de je ne sais quelles prétendues grandeurs, frivoles dédommagements de la servitude, qui ne vaudront jamais l'auguste liberté. Soyez donc toujours ce que vous êtes, les chastes gardiennes des mœurs et les doux liens de la paix, et continuez de faire valoir, en toute occasion, les droits du Cœur et de la Nature au profit du devoir et de la vertu [18].

Je me flatte de n'être point démenti par l'événement, en fondant sur de tels garants l'espoir du bonheur commun des Citoyens et de la gloire de la République. J'avoue qu'avec tous ces avantages, elle ne brillera pas de cet éclat dont la plupart des yeux sont éblouis, et dont le puéril et funeste goût est le plus mortel ennemi du bonheur et de la liberté. Qu'une jeunesse dissolue aille chercher ailleurs des plaisirs faciles et de longs repentirs. Que les prétendus gens de goût admirent en d'autres lieux la grandeur des Palais, la beauté des équipages, les superbes ameublements, la pompe des spectacles, et tous les raffinements de la mollesse et du luxe. À Genève, on ne trouvera que des hommes, mais pourtant un tel spectacle a bien son prix, et ceux qui le rechercheront vaudront bien les admirateurs du reste.

Daignez MAGNIFIQUES, TRÈS HONORÉS ET SOUVERAINS SEIGNEURS [19], recevoir tous avec la même bonté les respectueux témoignages de l'intérêt que je prends à votre prospérité commune. Si j'étais assez malheureux pour être coupable de quelque transport indiscret dans cette vive effusion de mon Cœur, je vous supplie de le pardonner à la tendre affection d'un vrai Patriote, et au zèle ardent et légitime d'un homme qui n'envisage point de plus grand bonheur pour lui-même que de vous voir tous heureux.

Je suis avec le plus profond respect

MAGNIFIQUES, TRÈS HONORÉS,
ET SOUVERAINS SEIGNEURS,

Votre très humble et très obéissant
serviteur et concitoyen.
JEAN-JACQUES ROUSSEAU.

À Chamberi ; le 12. Juin 1754

PRÉFACE[20]

La plus utile et la moins avancée de toutes les connaissances humaines me paraît être celle de l'homme (*II), et j'ose dire que la seule inscription du Temple de Delphes contenait un Précepte plus important et plus difficile que tous les gros Livres des Moralistes[a] [21]. Aussi je regarde le sujet de ce Discours comme une des questions les plus intéressantes que la Philosophie puisse proposer, et malheureusement pour nous comme une des plus épineuses que les Philosophes puissent résoudre[22]. Car comment connaître la source de l'inégalité parmi les hommes, si l'on ne commence par les connaître eux-mêmes ? et comment l'homme viendrait-il à bout de se voir tel que l'a formé la Nature, à travers tous les changements que la succession des temps et des choses a dû produire dans sa constitution originelle, et de démêler ce qu'il tient de son propre fonds d'avec ce que les circonstances et ses progrès ont ajouté ou changé à son État primitif ? semblable à la statue de Glaucus que le temps, la mer et les orages avaient tellement défigurée qu'elle ressemblait

a. BPU de Neuchâtel, Ms. R 30, f° 17 v° : « S'il est vrai que l'inscription du Temple de Delphes fut une des plus utiles leçons de la sagesse humaine, s'il est vrai qu'il importe tant à l'homme de se connaître ; on ne peut nier que le sujet de ce discours soit une des questions les plus importantes que la philosophie puisse [...]. »

moins à un Dieu qu'à une Bête féroce, l'âme humaine altérée au sein de la société par mille causes sans cesse renaissantes, par l'acquisition d'une multitude de connaissances et d'erreurs, par les changements arrivés à la constitution des Corps, et par le choc continuel des passions, a, pour ainsi dire, changé d'apparence au point d'être presque méconnaissable ; et l'on n'y trouve[a] plus, au lieu d'un être agissant toujours par des Principes certains et invariables, au lieu de cette Céleste et majestueuse simplicité dont son Auteur l'avait empreinte, que le difforme contraste de la passion qui croit raisonner et de l'entendement en délire[23].

Ce qu'il y a de plus cruel encore, c'est que tous les progrès de l'Espèce humaine l'éloignant sans cesse de son état primitif, plus nous accumulons de nouvelles connaissances, et plus nous nous ôtons les moyens d'acquérir la plus importante de toutes, et que c'est en un sens à force d'étudier l'homme que nous nous sommes mis hors d'état de le connaître[24].

Il est aisé de voir que c'est dans ces changements successifs de la constitution humaine qu'il faut chercher la première origine des différences qui distinguent les hommes, lesquels d'un commun aveu sont naturellement aussi égaux entre eux que l'étaient les animaux de chaque espèce, avant que diverses causes Physiques eussent introduit dans quelques-unes les variétés que nous y remarquons. En effet, il n'est pas concevable que ces premiers changements, par quelque moyen qu'ils soient arrivés, aient altéré tout à la fois et de la même manière tous les Individus de l'espèce ; mais les uns s'étant perfectionnés ou détériorés, et ayant acquis diverses qualités bonnes ou mauvaises qui n'étaient

a. Correction de l'édition 1782. 1755 : « retrouve ».

point inhérentes à leur Nature, les autres restèrent plus longtemps dans leur État originel ; et telle fut parmi les hommes la première source de l'inégalité, qu'il est plus aisé de démontrer ainsi en général, que d'en assigner avec précision les véritables causes.

Que mes Lecteurs ne s'imaginent donc pas que j'ose me flatter d'avoir vu ce qui me paraît si difficile à voir. J'ai commencé quelques raisonnements ; J'ai hasardé quelques conjectures[25], moins dans l'espoir de résoudre la question que dans l'intention de l'éclaircir et de la réduire à son véritable état[26]. D'autres pourront aisément aller plus loin dans la même route, sans qu'il soit facile à personne d'arriver au terme. Car ce n'est pas une légère entreprise de démêler ce qu'il y a d'originaire et d'artificiel dans la Nature actuelle de l'homme[27], et de bien connaître un État qui n'existe plus, qui n'a peut-être point existé, qui probablement n'existera jamais, et dont il est pourtant nécessaire d'avoir des Notions justes pour bien juger de notre état présent. Il faudrait même plus de Philosophie qu'on ne pense à celui qui entreprendrait de déterminer exactement les précautions à prendre pour faire sur ce sujet de solides observations ; et une bonne solution du problème suivant ne me paraîtrait pas indigne des Aristotes et des Plines de notre siècle : *Quelles expériences seraient nécessaires pour parvenir à connaître l'homme naturel ; et quels sont les moyens de faire ces expériences au sein de la société ?* Loin d'entreprendre de résoudre ce Problème, je crois en avoir assez médité le Sujet, pour oser répondre d'avance que les plus grands Philosophes ne seront pas trop bons pour diriger ces expériences, ni les plus puissants souverains pour les faire ; concours auquel il n'est guère raisonnable de s'attendre surtout avec la persévérance ou plutôt la succession de lumières et de bonne volonté nécessaire de part et d'autre pour arriver au succès [28].

Ces recherches si difficiles à faire, et auxquelles on a si peu songé jusqu'ici, sont pourtant les seuls moyens qui nous restent de lever une multitude de difficultés qui nous dérobent la connaissance des fondements réels de la société humaine. C'est cette ignorance de la nature de l'homme qui jette tant d'incertitude et d'obscurité sur la véritable définition du droit naturel : car l'idée du droit, dit M. Burlamaqui, et plus encore celle du droit naturel, sont manifestement des idées relatives à la Nature de l'homme. C'est donc de cette Nature même de l'homme, continue-t-il, de sa constitution et de son État qu'il faut déduire les principes de cette science [29].

Ce n'est point sans surprise et sans scandale qu'on remarque le peu d'accord qui règne sur cette importante matière entre les divers Auteurs qui en ont traité. Parmi les plus graves Écrivains à peine en trouve-t-on deux qui soient du même avis sur ce point. Sans parler des Anciens Philosophes qui semblent avoir pris à tâche de se contredire entre eux sur les principes les plus fondamentaux, les Jurisconsultes Romains assujettissent indifféremment l'homme et tous les autres animaux à la même Loi naturelle, parce qu'ils considèrent plutôt sous ce nom la Loi que la Nature s'impose à elle-même que celle qu'elle prescrit ; ou plutôt, à cause de l'acception particulière selon laquelle ces Jurisconsultes entendent le mot de Loi qu'ils semblent n'avoir pris en cette occasion que pour l'expression des rapports généraux établis par la nature entre tous les êtres animés, pour leur commune conservation. Les Modernes ne reconnaissant sous le nom de Loi qu'une règle prescrite à un être moral, c'est-à-dire intelligent, libre, et considéré dans ses rapports avec d'autres êtres, bornent conséquemment au seul animal doué de raison, c'est-à-dire à l'homme, la compétence de la Loi naturelle ; mais définissant cette Loi chacun à sa mode, ils l'établissent tous sur des principes si métaphysiques qu'il y a même parmi nous, bien peu de gens en état de comprendre ces principes, loin de pouvoir les trouver d'eux-mêmes. De sorte que toutes les définitions de ces savants hommes, d'ailleurs en perpétuelle contradiction entre elles, s'accordent seulement en ceci, qu'il est impossible d'entendre la Loi de Nature et par conséquent d'y obéir, sans être un très grand raisonneur et un profond Métaphysicien. Ce qui signifie précisément que les hommes ont dû employer pour l'établissement de la société, des lumières qui ne se développent qu'avec beaucoup de peine et pour fort peu de gens dans le sein de la société même [30].

Connaissant si peu la Nature et s'accordant si mal sur le sens du mot *Loi*, il serait bien difficile de convenir d'une bonne définition de la Loi naturelle. Aussi toutes celles qu'on trouve dans les Livres, outre le défaut de n'être point uniformes, ont-elles encore celui d'être tirées de plusieurs Connaissances que les hommes n'ont point naturellement, et des avantages dont ils ne peuvent concevoir l'idée qu'après être sortis de l'État de Nature. On commence par rechercher les règles dont, pour l'utilité commune, il serait à propos que les hommes convinssent entre eux ; et puis on donne le nom de Loi naturelle à la collection de ces règles, sans autre preuve que le bien qu'on trouve qui résulterait de leur pratique universelle. Voilà assurément une manière très commode de composer des définitions, et d'expliquer la nature des choses par des convenances presque arbitraires [31].

Mais tant que nous ne connaîtrons point l'homme naturel, c'est en vain que nous voudrons déterminer la Loi qu'il a reçue ou celle qui convient le mieux à sa constitution. Tout ce que nous pouvons voir très clairement au sujet de cette Loi, c'est que non seulement pour qu'elle soit loi il faut que la volonté de celui qu'elle oblige puisse s'y soumettre avec connaissance ; Mais qu'il faut encore pour qu'elle soit naturelle qu'elle parle immédiatement par la voix de la Nature [32].

Laissant donc tous les livres scientifiques qui ne nous apprennent qu'à voir les hommes tels qu'ils se sont faits, et méditant sur les premières et plus simples opérations de l'Âme humaine, j'y crois apercevoir deux principes antérieurs à la raison, dont l'un nous intéresse ardemment à notre bien-être et à la conservation de nous-mêmes, et l'autre nous inspire une répugnance naturelle à voir périr ou souffrir tout être sensible et principalement nos semblables. C'est du concours et de la combinaison que notre esprit est en état de faire de ces deux Principes, sans qu'il soit nécessaire d'y faire entrer celui de la sociabilité, que me paraissent découler toutes les règles du droit naturel [33] ; règles que la raison est ensuite forcée de rétablir sur d'autres fondements, quand par ses développements successifs elle est venue à bout d'étouffer la Nature [34].

De cette manière, on n'est point obligé de faire de l'homme un Philosophe avant que d'en faire un homme ; ses devoirs envers autrui ne lui sont pas uniquement dictés par les tardives leçons de la Sagesse ; et tant qu'il ne résistera point à l'impulsion intérieure de la commisération, il ne fera jamais du mal à un autre homme ni même à aucun être sensible, excepté dans le cas légitime où sa conservation se trouvant intéressée, il est obligé de se donner la préférence à lui-même. Par ce moyen, on termine aussi les anciennes disputes sur la participation des animaux à la Loi naturelle : Car il est clair que, dépourvus de lumières et de liberté, ils ne peuvent reconnaître cette Loi ; mais tenant en quelque chose à notre nature par la sensibilité dont ils sont doués, on jugera qu'ils doivent aussi participer au droit naturel, et que l'homme est assujetti envers eux à quelque espèce de devoirs. Il semble, en effet, que si je suis obligé de ne faire aucun mal à mon semblable, c'est moins parce qu'il est un être raisonnable que parce qu'il est un être sensible ; qualité qui, étant commune à la bête et à l'homme, doit au moins donner à l'une le droit de n'être point maltraitée inutilement par l'autre [35].

Cette même étude de l'homme originel, de ses vrais besoins, et des principes fondamentaux de ses devoirs, est encore le seul bon moyen qu'on puisse employer pour lever ces foules de difficultés qui se présentent sur l'origine de l'inégalité morale, sur les vrais fondements du Corps politique, sur les droits réciproques de ses membres, et sur mille autres questions semblables, aussi importantes que mal éclaircies [36].

En considérant la société humaine d'un regard tranquille et désintéressé, elle ne semble montrer d'abord que la violence des hommes puissants et l'oppression des faibles ; l'esprit se révolte contre la dureté des uns ; on est porté à déplorer l'aveuglement des autres ; et comme rien n'est moins stable parmi les hommes que ces relations extérieures que le hasard produit plus souvent que la sagesse, et qu'on appelle faiblesse ou puissance, richesse ou pauvreté, les établissements humains paraissent au premier coup d'œil fondés sur des monceaux de Sable mouvant ; ce n'est qu'en les examinant de près, ce n'est qu'après avoir écarté la poussière et le sable qui environnent l'Édifice, qu'on aperçoit la base inébranlable sur laquelle il est élevé, et qu'on apprend à en respecter les fondements. Or sans l'étude sérieuse de l'homme, de ses facultés naturelles, et de leurs développements successifs, on ne viendra jamais à bout de faire ces distinctions, et de séparer dans l'actuelle constitution des choses, ce qu'a fait la volonté divine d'avec ce que l'art humain a prétendu faire. Les recherches Politiques et morales auxquelles donne lieu l'importante question que j'examine, sont donc utiles de toutes manières, et l'histoire hypothétique des gouvernements, est pour l'homme une leçon instructive à tous égards. En considérant ce que nous serions devenus, abandonnés à nous-mêmes, nous devons apprendre à bénir celui dont la main bienfaisante, corrigeant nos institutions et leur donnant une assiette inébranlable, a prévenu les désordres qui devraient en résulter, et fait naître notre bonheur des moyens qui semblaient devoir combler notre misère [37].

Quem te Deus esse
Jussit, et humana qua parte locatus es in re,
Disce [38].

AVERTISSEMENT SUR LES NOTES

J'ai ajouté quelques notes à cet ouvrage selon ma coutume paresseuse de travailler à bâtons rompus. Ces notes s'écartent quelquefois assez du sujet pour n'être pas bonnes à lire avec le texte. Je les ai donc rejetées à la fin du Discours, *dans lequel j'ai tâché de suivre de mon mieux le plus droit chemin. Ceux qui auront le courage de recommencer, pourront s'amuser la seconde fois à battre les buissons, et tenter de parcourir les notes ; il n'y aura pas de mal que les autres ne les lisent point du tout.*

QUESTION

Proposée par l'Académie de Dijon.

Quelle est l'origine de l'inégalité parmi les hommes, et si elle est autorisée par la Loi naturelle.

DISCOURS
SUR L'ORIGINE,
ET LES
FONDEMENTS DE L'INÉGALITÉ
PARMI LES HOMMES.

C'est de l'homme que j'ai à parler, et la question que j'examine m'apprend que je vais parler à des hommes [39], car on n'en propose point de semblables quand on craint d'honorer la vérité. Je défendrai donc avec confiance la cause de l'humanité devant les sages qui m'y invitent, et je ne serai pas mécontent de moi-même si je me rends digne de mon sujet et de mes juges [a].

Je conçois dans l'Espèce humaine deux sortes d'inégalité ; l'une que j'appelle naturelle ou Physique, parce qu'elle est établie par la Nature, et qui consiste dans la différence des âges, de la santé, des forces du

a. Ce premier alinéa est une troisième rédaction. La première est perdue. La version intermédiaire a été restituée par Leigh, *CC* III, n° 253, p. 48-49 : « La question que j'examine m'apprend que j'ai à parler de l'homme et que c'est à des hommes que je vais parler. Car il n'y a pas moins de courage à la proposer qu'à la résoudre et ceux qui osent inviter les autres à méditer sur de pareilles matières ne s'honorent pas moins que ceux qui l'osent soutenir. Je défendrai donc avec confiance la cause de l'humanité devant les Sages qui m'y invitent ; et je ne serai pas mécontent de moi-même si je me rends digne de mon sujet et de mes Juges. »

Corps, et des qualités de l'Esprit, ou de l'Âme ; L'autre qu'on peut appeler inégalité morale, ou politique, parce qu'elle dépend d'une sorte de convention, et qu'elle est établie, ou du moins autorisée par le consentement des Hommes. Celle-ci consiste dans les différents Privilèges, dont quelques-uns jouissent, au préjudice des autres, comme d'être plus riches, plus honorés, plus Puissants qu'eux, ou même de s'en faire obéir [40].

On ne peut pas demander quelle est la source de l'inégalité Naturelle, parce que la réponse se trouverait énoncée dans la simple définition du mot : On peut encore moins chercher, s'il n'y aurait point quelque liaison essentielle entre les deux inégalités ; car ce serait demander, en d'autres termes, si ceux qui commandent valent nécessairement mieux, que ceux qui obéissent, et si la force du Corps ou de l'Esprit, la sagesse ou la vertu, se trouvent toujours dans les mêmes individus, en proportion de la Puissance, ou de la Richesse : Question bonne peut-être à agiter entre des Esclaves entendus de leurs maîtres, mais qui ne convient pas à des Hommes raisonnables et libres, qui cherchent la vérité.

De quoi s'agit-il donc précisément dans ce Discours ? De marquer dans le progrès des choses, le moment où le Droit succédant à la Violence, la Nature fut soumise à la Loi ; d'expliquer par quel enchaînement de prodiges le fort put se résoudre à servir le faible, et le peuple à acheter un repos en idée, au prix d'une félicité réelle [41].

Les Philosophes qui ont examiné les fondements de la société ont tous senti la nécessité de remonter jusqu'à l'état de Nature, mais aucun d'eux n'y est arrivé. Les uns n'ont point balancé à supposer à l'Homme dans cet état, la notion du Juste et de l'Injuste, sans se soucier de montrer qu'il dût avoir cette notion, ni même qu'elle lui fût utile : D'autres ont parlé du Droit Naturel que chacun a de conserver ce qui lui appartient, sans expliquer ce qu'ils entendaient par appartenir ; D'autres donnant d'abord au plus fort l'autorité sur le plus faible, ont aussitôt fait naître le Gouvernement, sans songer au temps qui dut s'écouler avant que le sens des mots d'autorité et de gouvernement pût exister parmi les Hommes : Enfin tous, parlant sans cesse de besoin, d'avidité, d'oppression, de désirs, et d'orgueil, ont transporté à l'état de Nature des idées qu'ils avaient prises dans la Société ; Ils parlaient de l'Homme Sauvage, et ils peignaient l'Homme Civil [42]. Il n'est pas même venu dans l'esprit de la plupart des nôtres de douter que l'État de Nature eût existé, tandis qu'il est évident, par la lecture des Livres Sacrés, que le premier Homme ayant reçu immédiatement de Dieu des lumières et des Préceptes, n'était point lui-même dans cet état, et qu'en ajoutant aux Écrits de Moïse la foi que leur doit tout Philosophe Chrétien, il faut nier que, même avant le Déluge, les Hommes se soient jamais trouvés dans le pur état de Nature, à moins qu'ils n'y soient retombés par quelque Événement extraordinaire : Paradoxe fort embarrassant à défendre, et tout à fait impossible à prouver [43].

Commençons donc par écarter tous les faits, car ils ne touchent point à la question. Il ne faut pas prendre les Recherches dans lesquelles on peut entrer sur ce Sujet, pour des vérités historiques, mais seulement pour des raisonnements hypothétiques et conditionnels ; plus propres à éclaircir la Nature des choses, qu'à en montrer la véritable origine[a], et semblables à ceux que font tous les jours nos Physiciens sur la formation du Monde. La Religion nous ordonne de croire que Dieu lui-même ayant tiré les Hommes de l'état de Nature, immédiatement après la création[b], ils sont inégaux parce qu'il a voulu qu'ils le fussent ; mais elle ne nous défend pas de former des conjectures tirées de la seule nature de l'homme et des Êtres qui l'environnent, sur ce qu'aurait pu devenir le Genre humain, s'il fût resté abandonné à lui-même. Voilà ce qu'on me demande, et ce que je me propose d'examiner dans ce Discours[44]. Mon sujet intéressant l'homme en général, je tâcherai de prendre un langage qui convienne à toutes les Nations, ou plutôt, oubliant les temps et les Lieux, pour ne songer qu'aux Hommes à qui je parle, je me supposerai dans le Lycée d'Athènes, répétant les Leçons de mes Maîtres, ayant les Platons et les Xénocrates pour Juges[45], et le Genre humain pour Auditeur.

Ô Homme, de quelque Contrée que tu sois, quelles que soient tes opinions, écoute ; voici ton histoire telle que j'ai cru la lire, non dans les Livres de tes semblables qui sont menteurs, mais dans la Nature qui ne ment jamais. Tout ce qui sera d'elle sera vrai : Il n'y aura de faux que ce que j'y aurai mêlé du mien sans le vouloir. Les temps dont je vais parler sont bien éloignés : Combien tu as changé de ce que tu étais ! C'est pour ainsi dire la vie de ton espèce que je te vais décrire d'après les qualités que tu as reçues, que ton éducation et tes habitudes ont pu dépraver, mais qu'elles n'ont pu détruire. Il y a, je le sens, un âge auquel l'homme indi-

---

a. Correction de l'éd. de 1782. 1755 : « à montrer ».

b. L'incise *immédiatement après la création* est un ajout de l'éd. de 1782.

viduel voudrait s'arrêter ; Tu chercheras l'âge auquel tu désirerais que ton Espèce se fût arrêtée. Mécontent de ton état présent, par des raisons qui annoncent à ta Postérité malheureuse de plus grands mécontentements encore, peut-être voudrais-tu pouvoir rétrograder ; Et ce sentiment doit faire l'Éloge de tes premiers aïeux, la critique de tes contemporains, et l'effroi de ceux, qui auront le malheur de vivre après toi [46].

PREMIÈRE PARTIE.

Quelque important qu'il soit, pour bien juger de l'état naturel de l'Homme, de le considérer dès son origine, et de l'examiner, pour ainsi dire, dans le premier Embryon de l'espèce ; je ne suivrai point son organisation à travers ses développements successifs : Je ne m'arrêterai pas à rechercher dans le Système animal ce qu'il put être au commencement, pour devenir enfin ce qu'il est ; Je n'examinerai pas, si, comme le pense Aristote, ses ongles allongés ne furent point d'abord des griffes crochues ; s'il n'était point velu comme un ours, et si marchant à quatre pieds (*III), ses regards dirigés vers la Terre, et bornés à un horizon de quelques pas, ne marquaient point à la fois le caractère, et les limites de ses idées. Je ne pourrais former sur ce sujet que des conjectures vagues, et presque imaginaires : L'Anatomie comparée a fait encore trop peu de progrès, les observations des Naturalistes sont encore trop incertaines, pour qu'on puisse établir sur de pareils fondements la base d'un raisonnement solide ; ainsi, sans avoir recours aux connaissances surnaturelles que nous avons sur ce point, et sans avoir égard aux changements qui ont dû survenir dans la conformation, tant intérieure qu'extérieure, de l'homme, à mesure qu'il appliquait ses membres à de nouveaux usages, et qu'il se nourrissait de nouveaux aliments, je le supposerai conformé de tous temps, comme je le vois aujourd'hui, marchant à deux pieds, se servant de ses mains comme nous faisons des nôtres, portant ses regards sur toute la Nature, et mesurant des yeux la vaste étendue du Ciel[47].

En dépouillant cet Être, ainsi constitué, de tous les dons surnaturels qu'il a pu recevoir, et de toutes les facultés artificielles qu'il n'a pu acquérir que par de longs progrès ; En le considérant, en un mot, tel qu'il a dû sortir des mains de la Nature, je vois un animal moins fort que les uns, moins agile que les autres, mais à tout prendre, organisé le plus avantageusement de tous : Je le vois se rassasiant sous un chêne, se désaltérant au premier Ruisseau, trouvant son lit au pied du même arbre qui lui a fourni son repas, et voilà ses besoins satisfaits.

La Terre abandonnée à sa fertilité naturelle (*IV), et couverte de forêts immenses que la Cognée ne mutila jamais, offre à chaque pas des Magasins et des retraites aux animaux de toute espèce[48]. Les Hommes dispersés parmi eux, observent, imitent leur industrie, et s'élèvent ainsi jusqu'à l'instinct des Bêtes, avec cet avantage que chaque espèce n'a que le sien propre, et que l'homme n'en ayant peut-être aucun qui lui appartienne, se les approprie tous[49], se nourrit également de la plupart des aliments divers (*V) que les autres animaux se partagent, et trouve par conséquent sa subsistance plus aisément que ne peut faire aucun d'eux.

Accoutumés dès l'enfance aux intempéries de l'air, et à la rigueur des saisons, exercés à la fatigue, et forcés de défendre nus et sans armes leur vie et leur Proie contre les autres Bêtes féroces, ou de leur échapper à la course, les Hommes se forment un tempérament robuste et presque inaltérable ; Les enfants, apportant au monde l'excellente constitution de leurs Pères, et la fortifiant par les mêmes exercices qui l'ont produite, acquièrent ainsi toute la vigueur dont l'espèce humaine est capable. La nature en use précisément avec eux comme la Loi de Sparte avec les Enfants des Citoyens [50] ; Elle rend forts, et robustes ceux qui sont bien constitués et fait périr tous les autres ; différente en cela de nos sociétés, où l'État, en rendant les enfants onéreux aux Pères, les tue indistinctement avant leur naissance [51].

Le corps de l'homme étant le seul instrument qu'il connaisse, il l'emploie à divers usages, dont, par le défaut d'exercice, les nôtres sont incapables, et c'est notre industrie qui nous ôte la force et l'agilité que la nécessité l'oblige d'acquérir. S'il avait eu une hache, son poignet romprait-il de si fortes branches ? S'il avait eu une fronde, lancerait-il de la main une pierre avec tant de raideur ? S'il avait eu une échelle, grimperait-il si légèrement sur un arbre ? S'il avait eu un Cheval, serait-il si vite à la Course ? Laissez à l'homme civilisé le temps de rassembler toutes ses machines autour de lui, on ne peut douter qu'il ne surmonte facilement l'homme Sauvage ; mais si vous voulez voir un combat plus inégal encore, mettez-les nus et désarmés vis-à-vis l'un de l'autre, et vous reconnaîtrez bientôt quel est l'avantage d'avoir sans cesse toutes ses forces à sa disposition, d'être toujours prêt à tout événement, et de se porter, pour ainsi dire, toujours tout entier avec soi [52] (*VI).

Hobbes prétend que l'homme est naturellement intrépide, et ne cherche qu'à attaquer, et combattre. Un Philosophe illustre [53] pense au contraire, et Cumberland et Pufendorf l'assurent aussi [54], que rien n'est si timide que l'homme dans l'état de Nature, et qu'il est toujours tremblant, et prêt à fuir au moindre bruit qui le frappe, au moindre mouvement qu'il aperçoit [55]. Cela peut être ainsi pour les objets qu'il ne connaît pas, et je ne doute point qu'il ne soit effrayé par tous les nouveaux Spectacles qui s'offrent à lui, toutes les fois qu'il ne peut distinguer le bien et le mal Physiques qu'il en doit attendre, ni comparer ses forces avec les dangers qu'il a à courir ; circonstances rares dans l'état de Nature, où toutes choses marchent d'une manière si uniforme, et où la face de la Terre n'est point sujette à ces changements brusques et continuels, qu'y causent les passions, et l'inconstance des Peuples réunis. Mais l'homme Sauvage vivant dispersé parmi les animaux, et se trouvant de bonne heure dans le cas de se mesurer avec eux, il en fait bientôt la comparaison, et sentant qu'il les surpasse plus en adresse, qu'ils ne le surpassent en force, il apprend à ne les plus craindre. Mettez un ours ou un loup aux prises avec un Sauvage robuste, agile, courageux comme ils sont tous, armé de pierres, et d'un bon bâton, et vous verrez que le péril sera tout au moins réciproque, et qu'après plusieurs expériences pareilles, les Bêtes féroces qui n'aiment point à s'attaquer l'une à l'autre, s'attaqueront peu volontiers à l'homme, qu'elles auront trouvé tout aussi féroce qu'elles. À l'égard des animaux qui ont réellement plus de force qu'il n'a d'adresse, il est vis-à-vis d'eux dans le cas des autres espèces plus faibles, qui ne laissent pas de subsister ; avec cet avantage pour l'homme, que non moins dispos qu'eux à la course, et trouvant sur les arbres un refuge presque assuré ; il a partout le prendre et le laisser dans la rencontre [56], et le choix de la fuite ou du combat. Ajoutons qu'il ne paraît pas qu'aucun animal fasse naturellement la guerre à l'homme, hors le cas de sa propre défense ou d'une extrême faim, ni témoigne contre lui de ces violentes antipathies qui semblent annoncer qu'une espèce est destinée par la Nature à servir de pâture à l'autre[57].

D'autres ennemis plus redoutables, et dont l'homme n'a pas les mêmes moyens de se défendre, sont les infirmités naturelles, l'enfance, la vieillesse et les maladies de toute espèce ; Tristes signes de notre faiblesse, dont les deux premiers sont communs à tous les animaux, et dont le dernier appartient principalement à l'homme vivant en Société. J'observe même, au sujet de l'Enfance, que la Mère portant partout son enfant avec elle, a beaucoup plus de facilité à le nourrir que n'ont les femelles de plusieurs animaux, qui sont forcées d'aller et venir sans cesse avec beaucoup de fatigue, d'un côté pour chercher leur pâture, et de l'autre pour allaiter ou nourrir leurs petits. Il est vrai que si la femme vient à périr, l'enfant risque fort de périr avec elle ; mais ce danger est commun à cent autres espèces, dont les petits ne sont de longtemps en état d'aller chercher eux-mêmes leur nourriture ; et si l'enfance est plus longue parmi nous, la vie étant plus longue aussi, tout est encore à peu près égal en ce point°, (*VII) quoiqu'il y ait sur la durée du premier âge, et sur le nombre des petits (*VIII), d'autres règles, qui ne sont pas de mon Sujet. Chez les Vieillards, qui agissent et transpirent peu, le besoin d'aliments diminue avec la faculté d'y pourvoir ; et comme la vie Sauvage éloigne d'eux la goutte et les rhumatismes, et que la vieillesse est de tous les maux celui que les secours humains peuvent le moins soulager, ils s'éteignent enfin, sans qu'on s'aperçoive qu'ils cessent d'être, et presque sans s'en apercevoir eux-mêmes[58].

Voilà sans doute les raisons pourquoi les Nègres et les Sauvages se mettent si peu en peine des bêtes féroces qu'ils peuvent rencontrer dans les bois. Les Caraïbes de Venezuela[59] vivent entre autres, à cet égard, dans la plus profonde sécurité et sans le moindre inconvénient. Quoiqu'ils soient presque nus, dit François Corréal[60], ils ne laissent pas de s'exposer hardiment dans les bois, armés seulement de la flèche et de l'arc ; mais on n'a jamais ouï dire qu'aucun d'eux ait été dévoré des bêtes[a].

À l'égard des maladies, je ne répéterai point les vaines et fausses déclamations que font contre la Médecine la plupart des gens en santé ; mais je demanderai s'il y a quelque observation solide de laquelle on puisse conclure que dans les Pays, où cet art est le plus négligé, la vie moyenne de l'homme soit plus courte que dans ceux où il est cultivé avec le plus de soin ; Et comment cela pourrait-il être, si nous nous donnons plus de maux que la Médecine ne peut nous fournir de Remèdes ! L'extrême inégalité dans la manière de vivre, l'excès d'oisiveté dans les uns, l'excès de travail dans les autres, la facilité d'irriter et de satisfaire nos appétits et notre sensualité, les aliments trop recherchés des riches, qui les nourrissent de sucs échauffants et les accablent d'indigestions, la mauvaise nourriture des Pauvres, dont ils manquent même le plus souvent, et dont le défaut les porte à surcharger avidement leur estomac dans l'occasion, les veilles, les excès de toute espèce, les transports immodérés de toutes les Passions, les fatigues, et l'épuisement d'Esprit, les chagrins, et les peines sans nombre qu'on éprouve dans tous les états, et dont les âmes sont perpétuellement rongées. Voilà les funestes garants que la plupart de nos maux sont notre propre ouvrage, et que nous les aurions presque

a. Paragraphe ajouté par l'édition de 1782.

tous évités, en conservant la manière de vivre simple, uniforme, et solitaire qui nous était prescrite par la Nature. Si elle nous a destinés à être sains, j'ose presque assurer, que l'état de réflexion est un état contre Nature, et que l'homme qui médite est un animal dépravé [61]. Quand on songe à la bonne constitution des Sauvages, au moins de ceux que nous n'avons pas perdus avec nos liqueurs fortes, quand on sait qu'ils ne connaissent presque d'autres maladies que les blessures et la vieillesse, on est très porté à croire qu'on ferait aisément l'histoire des maladies humaines en suivant celle des Sociétés civiles. C'est au moins l'avis de Platon, qui juge, sur certains Remèdes employés ou approuvés par Podalyre et Macaon au siège de Troie, que diverses maladies, que ces remèdes devaient exciter, n'étaient point encore alors connues parmi les hommes [62] ; et Celse [63] rapporte que la diète, aujourd'hui si nécessaire, ne fut inventée que par Hippocrate [a] [64].

Avec si peu de sources de maux, l'homme dans l'état de Nature n'a donc guère besoin de remèdes, moins encore de Médecins ; l'espèce humaine n'est point non plus à cet égard de pire condition que toutes les autres, et il est aisé de savoir des Chasseurs si dans leurs courses ils trouvent beaucoup d'animaux infirmes. Plusieurs en trouvent-ils qui ont reçu des blessures considérables très bien cicatrisées, qui ont eu des os et même des membres rompus et repris sans autre Chirurgien que le temps, sans autre régime que leur vie ordinaire, et qui n'en sont pas moins parfaitement guéris, pour n'avoir point été tourmentés d'incisions, empoisonnés de Drogues, ni exténués de jeûnes. Enfin, quelque utile

a. La fin de phrase renvoyant à Celse est un ajout de 1782.

que puisse être parmi nous la médecine bien administrée, il est toujours certain que si le sauvage malade abandonné à lui-même n'a rien à espérer que de la Nature, en revanche il n'a rien à craindre que de son mal, ce qui rend souvent sa situation préférable à la nôtre.

Gardons-nous donc de confondre l'homme Sauvage avec les hommes, que nous avons sous les yeux. La Nature traite tous les animaux abandonnés à ses soins avec une prédilection, qui semble montrer combien elle est jalouse de ce droit. Le Cheval, le Chat, le Taureau, l'Âne même ont la plupart une taille plus haute, tous une constitution plus robuste, plus de vigueur, de force, et de courage dans les forêts que dans nos maisons ; ils perdent la moitié de ces avantages en devenant Domestiques, et l'on dirait que tous nos soins à bien traiter, et nourrir ces animaux n'aboutissent qu'à les abâtardir. Il en est ainsi de l'homme même : En devenant sociable et Esclave, il devient faible, craintif, rampant, et sa manière de vivre molle et efféminée achève d'énerver à la fois sa force et son courage. Ajoutons qu'entre les conditions Sauvage et Domestique la différence d'homme à homme doit être plus grande encore que celle de bête à bête ; car l'animal, et l'homme ayant été traités également par la Nature, toutes les commodités que l'homme se donne de plus qu'aux animaux qu'il apprivoise, sont autant de causes particulières qui le font dégénérer plus sensiblement.

Ce n'est donc pas un si grand malheur à ces premiers hommes, ni surtout un si grand obstacle à leur conservation, que la nudité, le défaut d'habitation, et la privation de toutes ces inutilités, que nous croyons si nécessaires [65]. S'ils n'ont pas la peau velue, ils n'en ont aucun besoin dans les Pays chauds, et ils savent bientôt dans les Pays froids, s'approprier celles des Bêtes qu'ils ont vaincues ; s'ils n'ont que deux pieds pour courir, ils ont deux bras pour pourvoir à leur défense et à leurs besoins ; Leurs Enfants marchent peut-être tard et avec peine, mais les Mères les portent avec facilité ; avantage qui manque aux autres espèces, où la mère étant poursuivie, se voit contrainte d'abandonner ses petits, ou de régler son pas sur le leur [a]. Enfin, à moins de supposer ces concours singuliers et fortuits de circonstances, dont je parlerai dans la suite, et qui pouvaient fort bien ne jamais arriver, il est clair en tout état de cause, que le premier qui se fit des habits ou un Logement se donna en cela des choses peu nécessaires, puisqu'il s'en était passé jusqu'alors, et qu'on ne voit pas pourquoi il n'eût pu supporter homme fait, un genre de vie qu'il supportait dès son enfance [66].

Seul, oisif, et toujours voisin du danger, l'homme Sauvage doit aimer à dormir, et avoir le sommeil léger comme les animaux, qui pensant peu, dorment, pour ainsi dire, tout le temps qu'ils ne pensent point. Sa propre conservation faisant presque son unique soin, ses facultés les plus exercées doivent être celles, qui ont pour objet principal l'attaque et la défense, soit pour subjuguer sa proie, soit pour se garantir d'être celle d'un autre animal : Au contraire, les organes qui ne

---

a. L'éd. de 1782 ajoute cette unique note de bas de page (toutes ses autres corrections sont insérées dans le texte) :
Il peut y avoir à ceci quelques exceptions. Celle, par exemple, de cet animal de la province de Nicaraga qui ressemble à un Renard, qui a les pieds comme les mains d'un homme, et qui, selon Corréal, a sous le ventre un sac où la mère met ses petits lorsqu'elle est obligée de fuir. C'est sans doute le même animal qu'on appelle Tlaquatzin au Mexique, et à la femelle duquel Laët donne un semblable sac pour le même usage.

se perfectionnent que par la mollesse et la sensualité, doivent rester dans un état de grossièreté, qui exclut en lui toute espèce de délicatesse ; et ses sens se trouvant partagés sur ce point, il aura le toucher et le goût d'une rudesse extrême ; la vue, l'ouïe et l'odorat de la plus grande subtilité[67] : Tel est l'état animal en général, et c'est aussi, selon le rapport des Voyageurs, celui de la plupart des Peuples Sauvages. Ainsi il ne faut point s'étonner, que les Hottentots du Cap de Bonne-Espérance découvrent, à la simple vue des Vaisseaux en haute mer d'aussi loin que les Hollandais avec des Lunettes[68], ni que les sauvages de l'Amérique sentissent les Espagnols à la piste, comme auraient pu faire les meilleurs Chiens, ni que toutes ces Nations Barbares[69] supportent sans peine leur nudité, aiguisent leur goût à force de Piment, et boivent des Liqueurs Européennes comme de l'eau.

Je n'ai considéré jusqu'ici que l'Homme Physique ; Tâchons de le regarder maintenant par le côté Métaphysique et Moral[70].

Je ne vois dans tout animal qu'une machine ingénieuse, à qui la nature a donné des sens pour se remonter elle-même, et pour se garantir, jusqu'à un certain point, de tout ce qui tend à la détruire, ou à la déranger. J'aperçois précisément les mêmes choses dans la machine humaine, avec cette différence que la Nature seule fait tout dans les opérations de la Bête, au lieu que l'homme concourt aux siennes, en qualité d'agent libre. L'un choisit ou rejette par instinct, et l'autre par un acte de liberté ; ce qui fait que la Bête ne peut s'écarter de la Règle qui lui est prescrite, même quand il lui serait avantageux de le faire, et que l'homme s'en écarte souvent à son préjudice. C'est ainsi qu'un Pigeon mourrait de faim près d'un bassin rempli des meilleures viandes, et un Chat sur des tas de fruits, ou de grain, quoique l'un et l'autre pût très bien se nourrir de l'aliment qu'il dédaigne, s'il s'était avisé d'en essayer. C'est ainsi que les hommes dissolus se livrent à des excès, qui leur causent la fièvre et la mort ; parce que l'Esprit déprave les sens, et que la volonté parle encore, quand la Nature se tait.

Tout animal a des idées puisqu'il a des sens, il combine même ses idées jusqu'à un certain point, et l'homme ne diffère à cet égard de la Bête que du plus au moins : Quelques Philosophes ont même avancé qu'il y a plus de différence de tel homme à tel homme que de tel homme à telle bête ; Ce n'est donc pas tant l'entendement qui fait parmi les animaux la distinction spécifique de l'homme que sa qualité d'agent libre. La Nature commande à tout animal, et la Bête obéit. L'homme éprouve la même impression, mais il se reconnaît libre d'acquiescer, ou de résister ; et c'est surtout dans la conscience de cette liberté que se montre la spiritualité de son âme : car la Physique explique en quelque manière le mécanisme des sens et la formation des idées ; mais dans la puissance de vouloir ou plutôt de choisir, et dans le sentiment de cette puissance on ne trouve que des actes purement spirituels, dont on n'explique rien par les Lois de la Mécanique[71].

Mais, quand les difficultés qui environnent toutes ces questions, laisseraient quelque lieu de disputer sur cette différence de l'homme et de l'animal, il y a une autre qualité très spécifique qui les distingue, et sur laquelle il ne peut y avoir de contestation, c'est la faculté de se perfectionner ; faculté qui, à l'aide des circonstances, développe successivement toutes les autres, et réside parmi nous tant dans l'espèce que dans l'individu, au lieu qu'un animal est, au bout de quelques mois, ce qu'il sera toute sa vie, et son espèce, au bout de mille ans, ce qu'elle était la première année de ces mille ans. Pourquoi l'homme seul est-il sujet à devenir imbécile ? N'est-ce point qu'il retourne ainsi dans son état primitif, et que, tandis que la Bête, qui n'a rien acquis et qui n'a rien non plus à perdre, reste toujours avec son instinct, l'homme reperdant par la vieillesse ou d'autres accidents, tout ce que sa *perfectibilité* lui avait fait acquérir, retombe ainsi plus bas que la Bête même ? Il serait triste pour nous d'être forcés de convenir, que cette faculté distinctive, et presque illimitée, est la source de tous les malheurs de l'homme ; que c'est elle qui le tire, à force de temps, de cette condition originaire, dans laquelle il coulerait des jours tranquilles et innocents ; que c'est elle, qui faisant éclore avec les siècles ses lumières et ses erreurs, ses vices et ses vertus, le rend à la longue le tyran de lui-même, et de la Nature (*IX). Il serait affreux d'être obligés de louer comme un être bienfaisant celui qui le premier suggéra à l'habitant des Rives de l'Orénoque l'usage de ces Ais qu'il applique sur les tempes de ses Enfants, et qui leur assurent du moins une partie de leur imbécillité, et de leur bonheur originel [72].

L'homme Sauvage, livré par la Nature au seul instinct, ou plutôt dédommagé de celui qui lui manque peut-être, par des facultés capables d'y suppléer d'abord, et de l'élever ensuite fort au-dessus de celle-là, commencera donc par les fonctions purement animales : (*X) apercevoir et sentir sera son premier état, qui lui sera commun avec tous les animaux. Vouloir et ne pas vouloir, désirer et craindre, seront les premières, et presque les seules opérations de son âme, jusqu'à ce que de nouvelles circonstances y causent de nouveaux développements [73].

Quoi qu'en disent les Moralistes, l'entendement humain doit beaucoup aux Passions, qui, d'un commun aveu, lui doivent beaucoup aussi : C'est par leur activité que notre raison se perfectionne ; Nous ne cherchons à connaître, que parce que nous désirons de jouir, et il n'est pas possible de concevoir pourquoi celui qui n'aurait ni désirs ni craintes se donnerait la peine de raisonner. Les Passions, à leur tour, tirent leur origine de nos besoins, et leur progrès de nos connaissances ; car on ne peut désirer ou craindre les choses, que sur les idées qu'on en peut avoir, ou par la simple impulsion de la Nature ; et l'homme Sauvage, privé de toute sorte de lumières, n'éprouve que les Passions de cette dernière espèce ; Ses désirs ne passent pas ses besoins Physiques ; (*XI) Les seuls biens, qu'il connaisse dans l'Univers, sont la nourriture, une femelle et le repos ; les seuls maux qu'il craigne, sont la douleur, et la faim ; Je dis la douleur, et non la mort ; car jamais l'animal ne saura ce que c'est que mourir, et la connaissance de la mort, et de ses terreurs, est une des premières acquisitions que l'homme ait faites, en s'éloignant de la condition animale.

Il me serait aisé, si cela m'était nécessaire, d'appuyer ce sentiment par les faits, et de faire voir que chez toutes les Nations du monde, les progrès de l'Esprit se sont précisément proportionnés aux besoins, que les Peuples avaient reçus de la Nature, ou auxquels les circonstances les avaient assujettis, et par conséquent aux passions, qui les portaient à pourvoir à ces besoins. Je montrerais en Égypte les arts naissants, et s'étendant avec les débordements du Nil ; Je suivrais leur progrès chez les Grecs, où l'on les vit germer, croître, et s'élever jusqu'aux Cieux parmi les Sables, et les Rochers de l'Attique, sans pouvoir prendre racine sur les bords fertiles de l'Eurotas ; Je remarquerais qu'en général les Peuples du Nord sont plus industrieux que ceux du Midi, parce qu'ils peuvent moins se passer de l'être, comme si la Nature voulait ainsi égaliser les choses, en donnant aux Esprits la fertilité qu'elle refuse à la Terre [74].

Mais sans recourir aux témoignages incertains de l'Histoire, qui ne voit que tout semble éloigner de l'homme Sauvage la tentation et les moyens de cesser de l'être ? Son imagination ne lui peint rien ; son cœur ne lui demande rien. Ses modiques besoins se trouvent si aisément sous sa main, et il est si loin du degré de connaissances nécessaires pour désirer d'en acquérir de plus grandes, qu'il ne peut avoir ni prévoyance, ni curiosité. Le spectacle de la Nature lui devient indifférent, à force de lui devenir familier. C'est toujours le même ordre, ce sont toujours les mêmes révolutions ; il n'a pas l'esprit de s'étonner des plus grandes merveilles ; et ce n'est pas chez lui qu'il faut chercher la Philosophie dont l'homme a besoin, pour savoir observer une fois ce qu'il a vu tous les jours. Son âme, que rien n'agite, se livre au seul sentiment de son existence actuelle, sans aucune idée de l'avenir, quelque prochain qu'il puisse être, et ses projets bornés comme ses vues, s'étendent à peine jusqu'à la fin de la journée. Tel est encore aujourd'hui le degré de prévoyance du Caraïbe : Il vend le matin son lit de coton, et vient pleurer le soir pour le racheter, faute d'avoir prévu qu'il en aurait besoin pour la nuit prochaine.

Plus on médite sur ce sujet, plus la distance des pures sensations aux plus simples connaissances s'agrandit à nos regards [75] ; et il est impossible de concevoir comment un homme aurait pu par ses seules forces, sans le secours de la communication, et sans l'aiguillon de la nécessité, franchir un si grand intervalle. Combien de siècles se sont peut-être écoulés avant que les hommes aient été à portée de voir d'autre feu que celui du Ciel ? Combien ne leur a-t-il pas fallu de différents hasards pour apprendre les usages les plus communs de cet élément ? Combien de fois ne l'ont-ils pas laissé éteindre, avant que d'avoir acquis l'art de le reproduire ? Et combien de fois peut-être chacun de ces secrets n'est-il pas mort avec celui qui l'avait découvert ? Que dirons-nous de l'agriculture, art qui demande tant de travail et de prévoyance ; qui tient à d'autres arts, qui très évidemment n'est praticable que dans une société au moins commencée, et qui ne nous sert pas tant à tirer de la Terre des aliments qu'elle fournirait bien sans cela qu'à la forcer aux préférences, qui sont le plus de notre goût ? Mais supposons que les hommes eussent tellement multiplié, que les productions naturelles n'eussent plus suffi pour les nourrir ; supposition qui, pour le dire en passant, montrerait un grand avantage pour l'Espèce humaine dans cette manière de vivre ; Supposons que sans forges, et sans Ateliers, les instruments du Labourage fussent tombés du Ciel entre les mains des Sauvages ; que ces hommes eussent vaincu la haine mortelle qu'ils ont tous pour un travail continu ; qu'ils eussent appris à prévoir de si loin leurs besoins, qu'ils eussent deviné comment il faut cultiver la Terre, semer les grains, et planter les arbres ; qu'ils eussent trouvé l'art de moudre le Blé, et de mettre le raisin en fermentation ; toutes choses qu'il leur a fallu faire enseigner par les Dieux, faute de concevoir comment ils les auraient apprises d'eux-mêmes ; quel serait après cela, l'homme assez insensé pour se tourmenter à la culture d'un Champ qui sera dépouillé par le premier venu, homme, ou bête indifféremment, à qui cette moisson conviendra ; et comment chacun pourra-t-il se résoudre à passer sa vie à un travail pénible, dont il est d'autant plus sûr de ne pas recueillir le prix, qu'il lui sera plus nécessaire ? En un mot, comment cette situation pourra-t-elle porter les hommes à cultiver la Terre, tant qu'elle ne sera point partagée entre eux, c'est-à-dire tant que l'état de Nature ne sera point anéanti [76] ?

Quand nous voudrions supposer un homme Sauvage aussi habile dans l'art de penser que nous le font nos Philosophes ; quand nous en ferions, à leur exemple, un Philosophe lui-même, découvrant seul les plus sublimes vérités, se faisant, par des suites de raisonnements très abstraits, des maximes de justice et de raison tirées de l'amour de l'ordre en général, ou de la volonté connue de son Créateur ; en un mot, quand nous lui supposerions dans l'Esprit autant d'intelligence, et de lumières qu'il doit avoir, et qu'on lui trouve en effet de pesanteur et de stupidité, quelle utilité retirerait l'espèce de toute cette Métaphysique, qui ne pourrait se communiquer et qui périrait avec l'individu qui l'aurait inventée ? Quel progrès pourrait faire le Genre humain épars dans les Bois parmi les Animaux ? Et jusqu'à quel point pourraient se perfectionner, et s'éclairer mutuellement des hommes qui, n'ayant ni Domicile fixe ni aucun besoin l'un de l'autre, se rencontreraient, peut-être à peine deux fois en leur vie, sans se connaître, et sans se parler [77] ?

Qu'on songe de combien d'idées nous sommes redevables à l'usage de la parole ; Combien la Grammaire exerce, et facilite les opérations de l'Esprit ; et qu'on pense aux peines inconcevables, et au temps infini qu'a dû coûter la première invention des Langues ; qu'on joigne ces réflexions aux précédentes, et l'on jugera combien il eût fallu de milliers de Siècles, pour développer successivement dans l'Esprit humain les Opérations, dont il était capable [78].

Qu'il me soit permis de considérer un instant les embarras de l'origine des Langues [79]. Je pourrais me contenter de citer ou de répéter ici les recherches que M. l'Abbé de Condillac a faites sur cette matière, qui toutes confirment pleinement mon sentiment, et qui, peut-être, m'en ont donné la première idée [80]. Mais la manière dont ce Philosophe résout les difficultés qu'il se fait à lui-même sur l'origine des signes institués, montrant qu'il a supposé ce que je mets en question, savoir une sorte de société déjà établie entre les inventeurs du langage, je crois en renvoyant à ses réflexions devoir y joindre les miennes pour exposer les mêmes difficultés dans le jour qui convient à mon sujet. La première qui se présente est d'imaginer comment elles purent devenir nécessaires ; car les Hommes n'ayant nulle correspondance entre eux, ni aucun besoin d'en avoir, on ne conçoit ni la nécessité de cette invention, ni sa possibilité, si elle ne fut pas indispensable. Je dirais bien, comme beaucoup d'autres, que les Langues sont nées dans le commerce domestique des Pères, des Mères, et des Enfants : mais outre que cela ne résoudrait point les objections, ce serait commettre la faute de ceux qui raisonnant sur l'État de Nature, y transportent les idées prises dans la Société, voient toujours la famille rassemblée dans une même habitation, et ses membres gardant entre eux une union aussi intime et aussi permanente que parmi nous, où tant d'intérêts communs les réunissent ; au lieu que dans cet état primitif, n'ayant ni Maison, ni Cabanes, ni propriété d'aucune espèce, chacun se logeait au hasard, et souvent pour une seule nuit ; les mâles, et les femelles s'unissaient fortuitement selon la rencontre, l'occasion, et le désir, sans que la parole fût un interprète fort nécessaire des choses qu'ils avaient à se dire : ils se quittaient avec la même facilité (*XII) ; La mère allaitait d'abord ses Enfants pour son propre besoin ; puis l'habitude les lui ayant rendus chers, elle les nourrissait ensuite pour le leur ; sitôt qu'ils avaient la force de chercher leur pâture, ils ne tardaient pas à quitter la Mère elle-même ; Et comme il n'y avait presque point d'autre moyen de se retrouver que de ne se pas perdre de vue [a], ils en étaient bientôt au point de ne pas même se reconnaître les uns les autres [81]. Remarquez encore que l'Enfant ayant tous ses besoins à expliquer, et par conséquent plus de choses à dire à la Mère, que la Mère à l'Enfant, c'est lui qui doit faire les plus grands frais de l'invention, et que la langue qu'il emploie doit être en grande partie son propre ouvrage ; ce qui multiplie autant les Langues qu'il y a d'individus pour les parler, à quoi contribue encore la vie errante, et vagabonde qui ne laisse à aucun idiome le temps de prendre de la consistance ; car de dire que la Mère dicte à l'Enfant les mots dont il devra se servir pour lui demander telle, ou telle chose, cela montre bien comment on enseigne des Langues déjà formées, mais cela n'apprend point comment elles se forment.

Supposons cette première difficulté vaincue : Franchissons pour un moment l'espace immense qui dut se trouver entre le pur état de Nature et le besoin des Langues ; et cherchons, en les supposant nécessaires, (*XIII) comment elles purent commencer à s'établir [82]. Nouvelle difficulté pire encore que la précédente ; car si les Hommes ont eu besoin de la parole pour apprendre à penser, ils ont eu bien plus besoin encore

a. Correction de 1782. 1755 : « ne pas se perdre ».

de savoir penser pour trouver l'art de la parole [83] ; et quand on comprendrait comment les sons de la voix ont été pris pour les interprètes conventionnels de nos idées, il resterait toujours à savoir quels ont pu être les interprètes mêmes de cette convention pour les idées qui, n'ayant point un objet sensible, ne pouvaient s'indiquer ni par le geste, ni par la voix, de sorte qu'à peine peut-on former des conjectures supportables sur la naissance de cet Art de communiquer ses pensées, et d'établir un commerce entre les Esprits : Art sublime qui est déjà si loin de son Origine, mais que le Philosophe voit encore à une si prodigieuse distance de sa perfection, qu'il n'y a point d'homme assez hardi, pour assurer qu'il y arriverait jamais, quand les révolutions que le temps amène nécessairement seraient suspendues en sa faveur, que les préjugés sortiraient des académies ou se tairaient devant elles, et qu'elles pourraient s'occuper de cet objet épineux, durant des siècles entiers sans interruption [84].

Le premier langage de l'homme, le langage le plus universel, le plus énergique, et le seul dont il eut besoin, avant qu'il fallût persuader des hommes assemblés, est le cri de la Nature. Comme ce cri n'était arraché que par une sorte d'instinct dans les occasions pressantes, pour implorer du secours dans les grands dangers, ou du soulagement dans les maux violents, il n'était pas d'un grand usage dans le cours ordinaire de la vie, où règnent des sentiments plus modérés. Quand les idées des hommes commencèrent à s'étendre et à se multiplier, et qu'il s'établit entre eux une communication plus étroite, ils cherchèrent des signes plus nombreux et un langage plus étendu : Ils multiplièrent les inflexions de la voix, et y joignirent les gestes, qui, par leur Nature, sont plus expressifs, et dont le sens dépend moins d'une détermination antérieure. Ils exprimaient donc les objets visibles et mobiles par des gestes, et ceux qui frappent l'ouïe, par des sons imitatifs : mais comme le geste n'indique guère que les objets présents, ou faciles à décrire, et les actions visibles ; qu'il n'est pas d'un usage universel, puisque l'obscurité, ou l'interposition d'un corps le rendent inutile, et qu'il exige l'attention plutôt qu'il ne l'excite ; on s'avisa enfin de lui substituer les articulations de la voix, qui, sans avoir le même rapport avec certaines idées, sont plus propres à les représenter toutes, comme signes institués ; substitution qui ne put se faire que d'un commun consentement, et d'une manière assez difficile à pratiquer pour des hommes dont les organes grossiers n'avaient encore aucun exercice, et plus difficile encore à concevoir en elle-même, puisque cet accord unanime dut être motivé, et que la parole paraît avoir été fort nécessaire, pour établir l'usage de la parole.

On doit juger que les premiers mots, dont les hommes firent usage, eurent dans leur Esprit une signification beaucoup plus étendue que n'ont ceux qu'on emploie dans les Langues déjà formées, et qu'ignorant la Division du Discours en ses parties constitutives, ils donnèrent d'abord à chaque mot le sens d'une proposition entière. Quand ils commencèrent à distinguer le sujet d'avec l'attribut, et le verbe d'avec le nom, ce qui ne fut pas un médiocre effort de génie, les substantifs ne furent d'abord qu'autant de noms propres, le présent de l'infinitif fut le seul temps des verbes[a], et à l'égard des adjectifs la notion ne s'en dut développer que fort difficilement, parce que tout adjectif est un

a. Correction de 1782. 1655 : « l'infinitif ».

mot abstrait, et que les abstractions sont des Opérations pénibles et peu naturelles.

Chaque objet reçut d'abord un nom particulier, sans égard aux genres, et aux Espèces, que ces premiers Instituteurs n'étaient pas en état de distinguer ; et tous les individus se présentèrent isolés à leur esprit, comme ils le sont dans le tableau de la Nature. Si un Chêne s'appelait A, un autre Chêne s'appelait B ; car la première idée qu'on tire de deux choses, c'est qu'elles ne sont pas la même ; et il faut souvent beaucoup de temps pour observer ce qu'elles ont de commun [a] : de sorte que plus les connaissances étaient bornées, et plus le Dictionnaire devint étendu. L'embarras de toute cette Nomenclature ne put être levé facilement : car pour ranger les êtres sous des dénominations communes, et génériques, il en fallait connaître les propriétés et les différences ; il fallait des observations, et des définitions, c'est-à-dire, de l'Histoire Naturelle et de la Métaphysique, beaucoup plus que les hommes de ce temps-là n'en pouvaient avoir.

D'ailleurs, les idées générales ne peuvent s'introduire dans l'Esprit qu'à l'aide des mots, et l'entendement ne les saisit que par des propositions. C'est une des raisons pourquoi les animaux ne sauraient se former de telles idées, ni jamais acquérir la perfectibilité qui en dépend. Quand un Singe va sans hésiter d'une noix à l'autre, pense-t-on qu'il ait l'idée générale de cette sorte de fruit, et qu'il compare son archétype à ces deux individus ? Non sans doute ; mais la vue de l'une de ces noix rappelle à sa mémoire les sensations qu'il a reçues de l'autre, et ses yeux modifiés d'une certaine manière, annoncent à son goût la modification qu'il va recevoir.

a. « car la première idée... de commun » : addition de 1782.

Toute idée générale est purement intellectuelle ; pour peu que l'imagination s'en mêle, l'idée devient aussitôt particulière. Essayez de vous tracer l'image d'un arbre en général, jamais vous n'en viendrez à bout, malgré vous il faudra le voir petit ou grand, rare ou touffu, clair ou foncé, et s'il dépendait de vous de n'y voir que ce qui se trouve en tout arbre, cette image ne ressemblerait plus à un arbre. Les êtres purement abstraits se voient de même, ou ne se conçoivent que par le discours. La définition seule du Triangle vous en donne la véritable idée : Sitôt que vous en figurez un dans votre esprit, c'est un tel Triangle et non pas un autre, et vous ne pouvez éviter d'en rendre les lignes sensibles ou le plan coloré. Il faut donc énoncer des propositions, il faut donc parler pour avoir des idées générales ; car sitôt que l'imagination s'arrête, l'esprit ne marche plus qu'à l'aide du discours. Si donc les premiers Inventeurs n'ont pu donner des noms qu'aux idées qu'ils avaient déjà, il s'ensuit que les premiers substantifs n'ont pu jamais être que des noms propres.

Mais lorsque, par des moyens que je ne conçois pas, nos nouveaux Grammairiens commencèrent à étendre leurs idées et à généraliser leurs mots, l'ignorance des Inventeurs dut assujettir cette méthode à des bornes fort étroites ; et comme ils avaient d'abord trop multiplié les noms des individus faute de connaître les genres et les espèces, ils firent ensuite trop peu d'espèces et de genres faute d'avoir considéré les Êtres par toutes leurs différences. Pour pousser les divisions assez loin, il eût fallu plus d'expérience et de lumière qu'ils n'en pouvaient avoir, et plus de recherches et de travail qu'ils n'y en voulaient employer. Or si, même aujourd'hui, l'on découvre chaque jour de nouvelles espèces qui avaient échappé jusqu'ici à toutes nos observations, qu'on pense combien il dut s'en dérober à des hommes qui ne jugeaient des choses que sur le premier aspect ! Quant aux Classes primitives et aux notions les plus générales, il est superflu d'ajouter qu'elles durent leur échapper encore : Comment, par exemple, auraient-ils imaginé ou entendu les mots de matière, d'esprit, de substance, de mode, de figure, de mouvement, puisque nos Philosophes qui s'en servent depuis si longtemps, ont bien de la peine à les entendre eux-mêmes, et que les idées qu'on attache à ces mots étant purement Métaphysiques, ils n'en trouvaient aucun modèle dans la Nature ?

Je m'arrête à ces premiers pas, et je supplie mes Juges de suspendre ici leur Lecture ; pour considérer, sur l'invention des seuls substantifs Physiques, c'est-à-dire, sur la partie de la Langue la plus facile à trouver, le chemin qui lui reste à faire, pour exprimer toutes les pensées des hommes, pour prendre une forme constante, pouvoir être parlée en public, et influer sur la Société : Je les supplie de réfléchir à ce qu'il a fallu de temps et de connaissances pour trouver les nombres (*XIV), les mots abstraits, les Aoristes [85], et tous les temps des Verbes, les particules, la Syntaxe, lier les Propositions, les raisonnements, et former toute la Logique du Discours. Quant à moi, effrayé des difficultés qui se multiplient, et convaincu de l'impossibilité presque démontrée que les Langues aient pu naître et s'établir par des moyens purement humains, je laisse à qui voudra l'entreprendre la discussion de ce difficile Problème, lequel a été le plus nécessaire, de la Société déjà liée, à l'institution des Langues, ou des Langues déjà inventées, à l'établissement de la Société.

Quoi qu'il en soit de ces origines, on voit du moins, au peu de soin qu'a pris la Nature de rapprocher les

Hommes par des besoins mutuels, et de leur faciliter l'usage de la parole, combien elle a peu préparé leur Sociabilité, et combien elle a peu mis du sien dans tout ce qu'ils ont fait, pour en établir les liens [86]. En effet, il est impossible d'imaginer pourquoi dans cet état primitif un homme aurait plutôt besoin d'un autre homme qu'un singe ou un Loup de son semblable, ni, ce besoin supposé, quel motif pourrait engager l'autre à y pourvoir, ni même, en ce dernier cas, comment ils pourraient convenir entre eux des conditions. Je sais qu'on nous répète sans cesse que rien n'eût été si misérable que l'homme dans cet état ; et s'il est vrai, comme je crois l'avoir prouvé, qu'il n'eût pu qu'après bien des Siècles avoir le désir et l'occasion d'en sortir, ce serait un Procès à faire à la Nature, et non à celui qu'elle aurait ainsi constitué. Mais, si j'entends bien ce terme de *misérable*, c'est un mot qui n'a aucun sens, ou qui ne signifie qu'une privation douloureuse et la souffrance du Corps ou de l'âme : Or je voudrais bien qu'on m'expliquât quel peut être le genre de misère d'un être libre, dont le cœur est en paix, et le corps en santé [87]. Je demande laquelle, de la vie Civile ou naturelle, est la plus sujette à devenir insupportable à ceux qui en jouissent ? Nous ne voyons presque autour de nous que des Gens qui se plaignent de leur existence ; plusieurs même qui s'en privent autant qu'il est en eux, et la réunion des Lois divine et humaine suffit à peine pour arrêter ce désordre : Je demande si jamais on a ouï dire qu'un Sauvage en liberté ait seulement songé à se plaindre de la vie et à se donner la mort ? Qu'on juge donc avec moins d'orgueil de quel côté est la véritable misère. Rien au contraire n'eût été si misérable que l'homme Sauvage, ébloui par des lumières, tourmenté par des Passions, et raisonnant sur un état différent du sien. Ce fut par une Providence très sage, que les facultés qu'il avait en puissance ne devaient se développer qu'avec les occasions de les exercer, afin qu'elles ne lui fussent ni superflues et à charge avant le temps, ni tardives, et inutiles au besoin. Il avait dans le seul instinct tout ce qu'il fallait pour vivre dans l'état de Nature, il n'a dans une raison cultivée que ce qu'il lui faut pour vivre en société [88].

Il paraît d'abord que les hommes dans cet état n'ayant entre eux aucune sorte de relation morale, ni de devoirs connus, ne pouvaient être ni bons ni méchants, et n'avaient ni vices ni vertus, à moins que, prenant ces mots dans un sens physique, on n'appelle vices dans l'individu les qualités qui peuvent nuire à sa propre conservation, et vertus celles qui peuvent y contribuer ; auquel cas, il faudrait appeler le plus vertueux celui qui résisterait le moins aux simples impulsions de la Nature : Mais sans nous écarter du sens ordinaire, il est à propos de suspendre le jugement, que nous pourrions porter sur une telle situation, et de nous défier de nos Préjugés, jusqu'à ce que, la Balance à la main, on ait examiné s'il y a plus de vertus que de vices parmi les hommes civilisés, ou si leurs vertus sont plus avantageuses que leurs vices ne sont funestes, ou si le progrès de leurs connaissances est un dédommagement suffisant des maux qu'ils se font mutuellement, à mesure qu'ils s'instruisent du bien qu'ils devraient se faire, ou s'ils ne seraient pas, à tout prendre, dans une situation plus heureuse de n'avoir ni mal à craindre ni bien à espérer de personne, que de s'être soumis à une dépendance universelle, et de s'obliger à tout recevoir de ceux qui ne s'obligent à leur rien donner [89].

N'allons pas surtout conclure avec Hobbes que pour n'avoir aucune idée de la bonté, l'homme soit naturellement méchant, qu'il soit vicieux parce qu'il ne connaît pas la vertu, qu'il refuse toujours à ses semblables des services qu'il ne croit pas leur devoir, ni qu'en vertu du droit qu'il s'attribue avec raison aux choses dont il a besoin, il s'imagine follement être le seul propriétaire de tout l'Univers [90]. Hobbes a très bien vu le défaut de toutes les définitions modernes du droit Naturel : mais les conséquences qu'il tire de la sienne montrent qu'il la prend dans un sens, qui n'est pas moins faux. En raisonnant sur les principes qu'il établit, cet Auteur devait dire que l'état de Nature étant celui où le soin de notre conservation est le moins préjudiciable à celle d'autrui, cet état était par conséquent le plus propre à la Paix, et le plus convenable au Genre humain. Il dit précisément le contraire, pour avoir fait entrer mal à propos dans le soin de la conservation de l'homme Sauvage, le besoin de satisfaire une multitude de passions qui sont l'ouvrage de la Société, et qui ont rendu les Lois nécessaires. Le méchant, dit-il, est un Enfant robuste ; il reste à savoir si l'Homme Sauvage est un Enfant robuste ; Quand on le lui accorderait, qu'en conclurait-il ? Que si, quand il est robuste, cet homme était aussi dépendant des autres que quand il est faible, il n'y a sorte d'excès auxquels il ne se portât, qu'il ne battît sa Mère lorsqu'elle tarderait trop à lui donner la mamelle, qu'il n'étranglât un de ses jeunes frères lorsqu'il en serait incommodé, qu'il ne mordît la jambe à l'autre lorsqu'il en serait heurté ou troublé ; mais ce sont deux suppositions contradictoires dans l'état de Nature qu'être robuste et dépendant ; L'Homme est faible quand il est dépendant, et il est émancipé avant que d'être robuste [91]. Hobbes n'a pas vu que la même cause qui empêche les Sauvages d'user de leur raison, comme le prétendent nos Jurisconsultes, les empêche en même temps d'abuser de leurs facultés, comme il le prétend lui-même ; de sorte qu'on pourrait dire que les Sauvages ne sont pas méchants précisément, parce qu'ils ne savent pas ce que c'est qu'être bons ; car ce n'est ni le développement des lumières, ni le frein de la Loi, mais le calme des passions, et l'ignorance du vice qui les empêche de mal faire ; *tanto plus in illis proficit vitiorum ignoratio, quam in his cognitio virtutis*[92]. Il y a d'ailleurs un autre Principe que Hobbes n'a point aperçu[93] et qui, ayant été donné à l'homme pour adoucir, en certaines circonstances, la férocité de son amour-propre, ou le désir de se conserver avant la naissance de cet amour (*XV), tempère l'ardeur qu'il a pour son bien-être par une répugnance innée à voir souffrir son semblable[94]. Je ne crois pas avoir aucune contradiction à craindre, en accordant à l'homme la seule vertu Naturelle, qu'ait été forcé de reconnaître le Détracteur le plus outré des vertus humaines. Je parle de la Pitié, disposition convenable à des êtres aussi faibles, et sujets à autant de maux que nous le sommes ; vertu d'autant plus universelle et d'autant plus utile à l'homme qu'elle précède en lui l'usage de toute réflexion, et si Naturelle que les Bêtes mêmes en donnent quelquefois des signes sensibles. Sans parler de la tendresse des Mères pour leurs petits, et des périls qu'elles bravent pour les en garantir, on observe tous les jours la répugnance qu'ont les Chevaux à fouler aux pieds un corps vivant ; Un animal ne passe point sans inquiétude auprès d'un animal mort de son Espèce ; Il y en a même qui leur donnent une sorte de sépulture ; Et les tristes mugissements du Bétail entrant dans une Boucherie, annoncent l'impression qu'il reçoit de l'horrible spectacle qui le frappe[95]. On voit avec plaisir l'auteur de la *Fable des Abeilles*, forcé de reconnaître l'homme pour un Être compatissant et sensible, sortir dans l'exemple qu'il en donne, de son style froid et subtil, pour nous offrir la pathétique image d'un homme enfermé qui aperçoit au-dehors une Bête féroce arrachant un Enfant du sein de sa Mère, brisant sous sa dent meurtrière les faibles membres, et déchirant de ses ongles les entrailles palpitantes de cet Enfant. Quelle affreuse agitation n'éprouve point ce témoin d'un événement auquel il ne prend aucun intérêt personnel ? Quelles angoisses ne souffre-t-il pas à cette vue, de ne pouvoir porter aucun secours à la Mère évanouie, ni à l'Enfant expirant [96] ?

Tel est le pur mouvement de la Nature, antérieur à toute réflexion : telle est la force de la pitié naturelle, que les mœurs les plus dépravées ont encore peine à détruire, puisqu'on voit tous les jours dans nos spectacles s'attendrir et pleurer aux malheurs d'un infortuné, tel, qui, s'il était à la place du Tyran, aggraverait encore les tourments de son ennemi ; semblable au sanguinaire Sylla [a], si sensible aux maux qu'il n'avait point causés, ou à cet Alexandre de Phères qui n'osait assister à la représentation d'aucune tragédie, de peur qu'on ne le vît gémir avec Andromaque et Priam, tandis qu'il écoutait sans émotion les cris de tant de citoyens qu'on égorgeait tous les jours par ses ordres [97].

Molissima corde
Humano generi dare se Natura fatetur,
Quae lacrymas dedit [98].

Mandeville a bien senti qu'avec toute leur morale les hommes n'eussent jamais été que des monstres, si la

a. Ce passage (de « semblable au sanguinaire Sylla... » aux vers de Juvénal) est une addition de l'éd. de 1782.

Nature ne leur eût donné la pitié à l'appui de la raison : mais il n'a pas vu que de cette seule qualité découlent toutes les vertus sociales qu'il veut disputer aux hommes. En effet, qu'est-ce que la Générosité, la Clémence, l'Humanité, sinon la Pitié appliquée aux faibles, aux coupables, ou à l'espèce humaine en général ? La Bienveillance et l'amitié même sont, à le bien prendre, des productions d'une pitié constante, fixée sur un objet particulier : car désirer que quelqu'un ne souffre point, qu'est-ce autre chose, que désirer qu'il soit heureux [99] ? Quand il serait vrai que la commisération ne serait qu'un sentiment qui nous met à la place de celui qui souffre, sentiment obscur et vif dans l'homme Sauvage, développé, mais faible dans l'homme Civil, qu'importerait cette idée à la vérité de ce que je dis, sinon de lui donner plus de force ? En effet, la commisération sera d'autant plus énergique que l'animal Spectateur s'identifiera plus intimement avec l'animal souffrant : Or il est évident que cette identification a dû être infiniment plus étroite dans l'état de Nature que dans l'état de raisonnement [100]. C'est la raison qui engendre l'amour-propre ; et c'est la réflexion qui le fortifie ; C'est elle qui replie l'homme sur lui-même ; c'est elle qui le sépare de tout ce qui le gêne et l'afflige : C'est la Philosophie qui l'isole ; c'est par elle qu'il dit en secret, à l'aspect d'un homme souffrant, péris si tu veux, je suis en sûreté. Il n'y a plus que les dangers de la société entière qui troublent le sommeil tranquille du Philosophe, et qui l'arrachent de son lit. On peut impunément égorger son semblable sous sa fenêtre ; il n'a qu'à mettre ses mains sur ses oreilles et s'argumenter un peu pour empêcher la Nature qui se révolte en lui de l'identifier avec celui qu'on assassine. L'homme Sauvage n'a point cet admirable talent ; et faute de sagesse et de raison, on le voit toujours se livrer étourdiment au premier sentiment de l'Humanité. Dans les Émeutes, dans les querelles des Rues, la Populace s'assemble, l'homme prudent s'éloigne : c'est la Canaille, ce sont les femmes des Halles, qui séparent les combattants, et qui empêchent les honnêtes gens de s'entr'égorger [101].

Il est donc certain que la pitié est un sentiment naturel, qui modérant dans chaque individu l'activité de l'amour de soi-même, concourt à la conservation mutuelle de toute l'espèce [102]. C'est elle, qui nous porte sans réflexion au secours de ceux que nous voyons souffrir : c'est elle qui, dans l'état de Nature, tient lieu de Lois, de mœurs, et de vertu, avec cet avantage que nul n'est tenté de désobéir à sa douce voix : C'est elle qui détournera tout Sauvage robuste d'enlever à un faible enfant, ou à un vieillard infirme, sa subsistance acquise avec peine, si lui-même espère pouvoir trouver la sienne ailleurs : C'est elle qui, au lieu de cette maxime sublime de justice raisonnée : *Fais à autrui comme tu veux qu'on te fasse*, inspire à tous les Hommes cette autre maxime de bonté naturelle bien moins parfaite, mais plus utile peut-être que la précédente. *Fais ton bien avec le moindre mal d'autrui qu'il est possible.* C'est en un mot dans ce sentiment Naturel, plutôt que dans des arguments subtils, qu'il faut chercher la cause de la répugnance que tout homme éprouverait à mal faire, même indépendamment des maximes de l'éducation. Quoiqu'il puisse appartenir à Socrate, et aux Esprits de sa trempe, d'acquérir de la vertu par raison, il y a longtemps que le Genre humain ne serait plus, si sa conservation n'eût dépendu que des raisonnements de ceux qui le composent [103].

Avec des passions si peu actives, et un frein si salutaire, les hommes plutôt farouches que méchants, et plus attentifs à se garantir du mal qu'ils pouvaient recevoir que tentés d'en faire à autrui, n'étaient pas sujets à des démêlés fort dangereux : Comme ils n'avaient entre eux aucune espèce de commerce, qu'ils ne connaissaient par conséquent ni la vanité, ni la considération, ni l'estime, ni le mépris ; qu'ils n'avaient pas la moindre notion du tien et du mien, ni aucune véritable idée de la justice ; qu'ils regardaient les violences qu'ils pouvaient essuyer comme un mal facile à réparer, et non comme une injure qu'il faut punir, et qu'ils ne songeaient pas même à la vengeance si ce n'est peut-être machinalement et sur-le-champ, comme le chien qui mord la pierre qu'on lui jette ; leurs disputes eussent eu rarement des suites sanglantes, si elles n'eussent point eu de sujet plus sensible que la Pâture : mais j'en vois un plus dangereux, dont il me reste à parler[104].

Parmi les passions qui agitent le cœur de l'homme, il en est une ardente, impétueuse, qui rend un sexe nécessaire à l'autre, passion terrible qui brave tous les dangers, renverse tous les obstacles, et qui dans ses fureurs semble propre à détruire le Genre humain qu'elle est destinée à conserver. Que deviendront les hommes en proie à cette rage effrénée et brutale, sans pudeur, sans retenue, et se disputant chaque jour leurs amours au prix de leur sang[105] ?

Il faut convenir d'abord que plus les passions sont violentes, plus les Lois sont nécessaires pour les contenir : mais outre que les désordres, et les crimes que celles-ci causent tous les jours parmi nous montrent assez l'insuffisance des Lois à cet égard, il serait encore bon d'examiner si ces désordres ne sont point nés avec les Lois mêmes ; car alors, quand elles seraient capables de les réprimer, ce serait bien le moins qu'on en dût exiger que d'arrêter un mal qui n'existerait point sans elles.

Commençons par distinguer le moral du Physique dans le sentiment de l'amour. Le Physique est ce désir général qui porte un sexe à s'unir à l'autre ; Le moral est ce qui détermine ce désir et le fixe sur un seul objet exclusivement, ou qui du moins lui donne pour cet objet préféré un plus grand degré d'énergie. Or il est facile de voir que le moral de l'amour est un sentiment factice ; né de l'usage de la société, et célébré par les femmes avec beaucoup d'habileté et de soin pour établir leur empire, et rendre dominant le sexe qui devrait obéir. Ce sentiment étant fondé sur certaines notions du mérite ou de la beauté qu'un Sauvage n'est point en état d'avoir, et sur des comparaisons qu'il n'est point en état de faire, doit être presque nul pour lui : Car comme son esprit n'a pu se former des idées abstraites de régularité et de proportion, son cœur n'est point non plus susceptible des sentiments d'admiration, et d'amour, qui, même sans qu'on s'en aperçoive, naissent de l'application de ces idées ; il écoute uniquement le tempérament qu'il a reçu de la Nature, et non le dégoût [a] qu'il n'a pu acquérir, et toute femme est bonne pour lui [106].

Bornés au seul Physique de l'amour, et assez heureux pour ignorer ces préférences qui en irritent le sentiment et en augmentent les difficultés, les hommes doivent sentir moins fréquemment et moins vivement les ardeurs du tempérament et par conséquent avoir entre eux des disputes plus rares, et moins cruelles. L'imagi-

a. « Dégoût » : correction de 1782. 1755 : « goût ».

nation, qui fait tant de ravages parmi nous, ne parle point à des cœurs Sauvages ; chacun attend paisiblement l'impulsion de la Nature, s'y livre sans choix, avec plus de plaisir que de fureur, et le besoin satisfait, tout le désir est éteint [107].

C'est donc une chose incontestable que l'amour même, ainsi que toutes les autres passions, n'a acquis que dans la société cette ardeur impétueuse qui le rend si souvent funeste aux hommes, et il est d'autant plus ridicule de représenter les Sauvages comme s'entr'égorgeant sans cesse pour assouvir leur brutalité, que cette opinion est directement contraire à l'expérience, et que les Caraïbes, celui de tous les Peuples existants qui jusqu'ici s'est écarté le moins de l'état de Nature, sont précisément les plus paisibles dans leurs amours, et les moins sujets à la jalousie, quoique vivant sous un Climat brûlant qui semble toujours donner à ces passions une plus grande activité [108].

À l'égard des inductions qu'on pourrait tirer dans plusieurs espèces d'animaux, des combats des Mâles qui ensanglantent en tout temps nos basses-cours ou qui font retentir au Printemps nos forêts de leurs cris en se disputant la femelle, il faut commencer par exclure toutes les espèces où la Nature a manifestement établi dans la puissance relative des Sexes d'autres rapports que parmi nous : Ainsi les combats des Coqs ne forment point une induction pour l'espèce humaine. Dans les espèces où la Proportion est mieux observée, ces combats ne peuvent avoir pour causes que la rareté des femelles eu égard au nombre des Mâles, ou les intervalles exclusifs durant lesquels la femelle refuse constamment l'approche du mâle, ce qui revient à la première cause ; car si chaque femelle ne souffre le mâle que durant deux mois de l'année, c'est à cet égard comme si le nombre des femelles était moindre des cinq sixièmes : Or aucun de ces deux cas n'est applicable à l'espèce humaine où le nombre des femelles surpasse généralement celui des mâles, et où l'on n'a jamais observé que même parmi les Sauvages les femelles aient, comme celles des autres espèces, des temps de chaleur et d'exclusion. De plus parmi plusieurs de ces animaux, toute l'espèce entrant à la fois en effervescence, il vient un moment terrible d'ardeur commune, de tumulte, de désordre, et de combat : moment qui n'a point lieu parmi l'espèce humaine où l'amour n'est jamais périodique [109]. On ne peut donc pas conclure des combats de certains animaux pour la possession des femelles que la même chose arriverait à l'homme dans l'état de Nature ; et quand même on pourrait tirer cette conclusion, comme ces dissensions ne détruisent point les autres espèces, on doit penser au moins qu'elles ne seraient pas plus funestes à la nôtre, et il est très apparent qu'elles y causeraient encore moins de ravages [a] qu'elles ne font dans la Société, surtout dans les Pays où les Mœurs étant encore comptées pour quelque chose, la jalousie des Amants et la vengeance des Époux causent chaque jour des Duels, des Meurtres, et pis encore ; où le devoir d'une éternelle fidélité ne sert qu'à faire des adultères, et où les Lois mêmes de la continence et de l'honneur étendent nécessairement la débauche, et multiplient les avortements [110].

Concluons qu'errant dans les forêts sans industrie, sans parole, sans domicile, sans guerre, et sans liaison [b], sans nul besoin de ses semblables, comme sans nul désir

---

a. Correction de l'éd. de 1782. 1755 : « ravage » au singulier.
b. Correction de l'éd. de 1782. 1755 : « liaisons » au pluriel.

de leur nuire, peut-être même sans jamais en reconnaître aucun individuellement, l'homme Sauvage sujet à peu de passions, et se suffisant à lui-même, n'avait que les sentiments et les lumières propres à cet état, qu'il ne sentait que ses vrais besoins, ne regardait que ce qu'il croyait avoir intérêt de voir, et que son intelligence ne faisait pas plus de progrès que sa vanité. Si par hasard il faisait quelque découverte, il pouvait d'autant moins la communiquer qu'il ne reconnaissait pas même ses Enfants. L'art périssait avec l'inventeur ; Il n'y avait ni éducation ni progrès, les générations se multipliaient inutilement ; et chacune partant toujours du même point, les Siècles s'écoulaient dans toute la grossièreté des premiers âges, l'espèce était déjà vieille, et l'homme restait toujours enfant [111].

Si je me suis étendu si longtemps sur la supposition de cette condition primitive, c'est qu'ayant d'anciennes erreurs et des préjugés invétérés à détruire, j'ai cru devoir creuser jusqu'à la racine, et montrer dans le tableau du véritable état de Nature combien l'inégalité, même naturelle, est loin d'avoir dans cet état autant de réalité et d'influence que le prétendent nos Écrivains [112].

En effet, il est aisé de voir qu'entre les différences qui distinguent les hommes, plusieurs passent pour naturelles qui sont uniquement l'ouvrage de l'habitude et des divers genres de vie que les hommes adoptent dans la Société. Ainsi un tempérament robuste ou délicat, la force ou la faiblesse qui en dépendent, viennent souvent plus de la manière dure ou efféminée dont on a été élevé que de la constitution primitive des corps. Il en est de même des forces de l'Esprit, et non seulement l'éducation met de la différence entre les Esprits cultivés, et ceux qui ne le sont pas, mais elle augmente celle qui se trouve entre les premiers à proportion de la culture ; car qu'un Géant et un Nain marchent sur la même route, chaque pas qu'ils feront l'un et l'autre donnera un nouvel avantage au Géant. Or si l'on compare la diversité prodigieuse d'éducations et de genres de vie qui règne dans les différents ordres de l'état civil, avec la simplicité et l'uniformité de la vie animale et sauvage, où tous se nourrissent des mêmes aliments, vivent de la même manière, et font exactement les mêmes choses, on comprendra combien la différence d'homme à homme doit être moindre dans l'état de Nature que dans celui de société, et combien l'inégalité naturelle doit augmenter dans l'espèce humaine par l'inégalité d'institution.

Mais quand la Nature affecterait dans la distribution de ses dons autant de préférences qu'on le prétend, quel avantage les plus favorisés en tireraient-ils, au préjudice des autres, dans un état de choses qui n'admettrait presque aucune sorte de relation entre eux ? Là où il n'y a point d'amour, de quoi servira la beauté ? Que sert [a] l'esprit à des gens qui ne parlent point, et la ruse à ceux qui n'ont point d'affaires ? J'entends toujours répéter que les plus forts opprimeront les faibles ; mais qu'on m'explique ce qu'on veut dire par ce mot d'oppression. Les uns domineront avec violence, les autres gémiront asservis à tous leurs caprices : voilà précisément ce que j'observe parmi nous, mais je ne vois pas comment cela pourrait se dire des hommes Sauvages, à qui l'on aurait même bien de la peine à faire entendre ce que c'est que servitude et domination. Un homme pourra bien s'emparer des fruits qu'un autre a cueillis, du gibier qu'il a tué, de l'antre qui lui

a. Correction de l'éd. de 1782. 1755 : « sera ».

servait d'asile ; mais comment viendra-t-il jamais à bout de s'en faire obéir, et quelles pourront être les chaînes de la dépendance parmi des hommes qui ne possèdent rien ? Si l'on me chasse d'un arbre, j'en suis quitte pour aller à un autre. Si l'on me tourmente dans un lieu, qui m'empêchera de passer ailleurs ? Se trouve-t-il un homme d'une force assez supérieure à la mienne, et, de plus, assez dépravé, assez paresseux, et assez féroce pour me contraindre à pourvoir à sa subsistance pendant qu'il demeure oisif ? Il faut qu'il se résolve à ne pas me perdre de vue un seul instant, à me tenir lié avec un très grand soin durant son sommeil, de peur que je ne m'échappe ou que je ne le tue : c'est-à-dire qu'il est obligé de s'exposer volontairement à une peine beaucoup plus grande que celle qu'il veut éviter, et que celle qu'il me donne à moi-même. Après tout cela, sa vigilance se relâche-t-elle un moment ? Un bruit imprévu lui fait-il détourner la tête ? Je fais vingt pas dans la forêt, mes fers sont brisés, et il ne me revoit de sa vie.

Sans prolonger inutilement ces détails, chacun doit voir que, les liens de la servitude n'étant formés que de la dépendance mutuelle des hommes et des besoins réciproques qui les unissent, il est impossible d'asservir un homme sans l'avoir mis auparavant dans le cas de ne pouvoir se passer d'un autre ; situation qui n'existant pas dans l'état de Nature, y laisse chacun libre du joug et rend vaine la loi du plus fort [113].

Après avoir prouvé que l'inégalité est à peine sensible dans l'état de Nature, et que son influence y est presque nulle, il me reste à montrer son origine, et ses progrès dans les développements successifs de l'Esprit humain. Après avoir montré que la *perfectibilité*, les vertus sociales et les autres facultés que l'homme

Naturel avait reçues en puissance ne pouvaient jamais se développer d'elles-mêmes, qu'elles avaient besoin pour cela du concours fortuit de plusieurs causes étrangères qui pouvaient ne jamais naître, et sans lesquelles il fût demeuré éternellement dans sa constitution primitive[a] ; il me reste à considérer et à rapprocher les différents hasards qui ont pu perfectionner la raison humaine, en détériorant l'espèce, rendre un être méchant en le rendant sociable, et d'un terme si éloigné amener enfin l'homme et le monde au point où nous les voyons[114].

J'avoue que les événements que j'ai à décrire ayant pu arriver de plusieurs manières, je ne puis me déterminer sur le choix que par des conjectures ; mais outre que ces conjectures deviennent des raisons, quand elles sont les plus probables qu'on puisse tirer de la nature des choses et les seuls moyens qu'on puisse avoir de découvrir la vérité, les conséquences que je veux déduire des miennes ne seront point pour cela conjecturales, puisque, sur les principes que je viens d'établir, on ne saurait former aucun autre système qui ne me fournisse les mêmes résultats, et dont je ne puisse tirer les mêmes conclusions.

Ceci me dispensera d'étendre mes réflexions sur la manière dont le laps de temps compense le peu de vraisemblance des événements ; sur la puissance surprenante des causes très légères lorsqu'elles agissent sans relâche ; sur l'impossibilité où l'on est d'un côté de détruire certaines hypothèses, si de l'autre on se trouve hors d'état de leur donner le degré de certitude des faits ; sur ce que deux faits étant donnés comme réels à lier par une suite de faits intermédiaires, inconnus ou

a. Correction de l'éd. de 1782. 1755 : « condition primitive ».

regardés comme tels, c'est à l'histoire, quand on l'a, de donner les faits qui les lient ; c'est à la Philosophie à son défaut, de déterminer les faits semblables qui peuvent les lier ; Enfin sur ce qu'en matière d'événements la similitude réduit les faits à un beaucoup plus petit nombre de classes différentes qu'on ne se l'imagine. Il me suffit d'offrir ces objets à la considération de mes Juges : il me suffit d'avoir fait en sorte que les Lecteurs vulgaires n'eussent pas besoin de les considérer [115].

SECONDE PARTIE

Le premier qui, ayant enclos un terrain, s'avisa de dire, *ceci est à moi*, et trouva des gens assez simples pour le croire, fut le vrai fondateur de la société civile [116]. Que de crimes, de guerres, de meurtres, que de misères et d'horreurs n'eût point épargnés au genre humain celui qui, arrachant les pieux ou comblant le fossé, eût crié à ses semblables : Gardez-vous d'écouter cet imposteur ; vous êtes perdus, si vous oubliez que les fruits sont à tous, et que la terre n'est à personne [117] : Mais il y a grande apparence, qu'alors les choses en étaient déjà venues au point de ne pouvoir plus durer comme elles étaient ; car cette idée de propriété, dépendant de beaucoup d'idées antérieures qui n'ont pu naître que successivement, ne se forma pas tout d'un coup dans l'esprit humain : Il fallut faire bien des progrès, acquérir bien de l'industrie et des lumières, les transmettre et les augmenter d'âge en âge, avant que d'arriver à ce dernier terme de l'état de Nature. Reprenons donc les choses de plus haut et tâchons de rassembler sous un seul point de vue cette lente succession d'événements et de connaissances, dans leur ordre le plus naturel [118].

Le premier sentiment de l'homme fut celui de son existence, son premier soin celui de sa conservation. Les productions de la terre lui fournissaient tous les secours nécessaires, l'instinct le porta à en faire usage. La faim, d'autres appétits lui faisant éprouver tour à tour diverses manières d'exister, il y en eut une qui l'invita à perpétuer son espèce ; et ce penchant aveugle, dépourvu de tout sentiment du cœur, ne produisait qu'un acte purement animal. Le besoin satisfait, les deux sexes ne se reconnaissaient plus, et l'enfant même n'était plus rien à la Mère sitôt qu'il pouvait se passer d'elle.

Telle fut la condition de l'homme naissant ; telle fut la vie d'un animal borné d'abord aux pures sensations, et profitant à peine des dons que lui offrait la Nature, loin de songer à lui rien arracher ; mais il se présenta bientôt des difficultés ; il fallut apprendre à les vaincre : la hauteur des arbres qui l'empêchait d'atteindre à leurs fruits, la concurrence des animaux qui cherchaient à s'en nourrir, la férocité de ceux qui en voulaient à sa propre vie, tout l'obligea de s'appliquer aux exercices du corps ; il fallut se rendre agile, vite à la course, vigoureux au combat. Les armes naturelles qui sont les branches d'arbre et les pierres, se trouvèrent bientôt sous sa main. Il apprit à surmonter les obstacles de la Nature, à combattre au besoin les autres animaux, à disputer sa subsistance aux hommes mêmes, ou à se dédommager de ce qu'il fallait céder au plus fort.

À mesure que le Genre-humain s'étendit, les peines se multiplièrent avec les hommes. La différence des terrains, des Climats, des saisons, put les forcer à en mettre dans leurs manières de vivre [119]. Des années stériles, des hivers longs et rudes, des étés brûlants qui consument tout, exigèrent d'eux une nouvelle industrie. Le long de la mer, et des rivières ils inventèrent la ligne et le hameçon, et devinrent pêcheurs et

Ichtyophages[120]. Dans les forêts ils se firent des arcs et des flèches, et devinrent Chasseurs et Guerriers[121]. Dans les pays froids ils se couvrirent des peaux des bêtes qu'ils avaient tuées ; Le tonnerre, un Volcan, ou quelque heureux hasard, leur fit connaître le feu, nouvelle ressource contre la rigueur de l'hiver : Ils apprirent à conserver cet élément, puis à le reproduire, et enfin à en préparer les viandes qu'auparavant ils dévoraient crues.

Cette application réitérée des êtres divers à lui-même, et des uns aux autres[a], dut naturellement engendrer dans l'esprit de l'homme les perceptions de certains rapports[122]. Ces relations que nous exprimons par les mots de grand, de petit, de fort, de faible, de vite, de lent, de peureux, de hardi, et d'autres idées pareilles, comparées au besoin, et presque sans y songer, produisirent enfin chez lui quelque sorte de réflexion, ou plutôt une prudence machinale qui lui indiquait les précautions les plus nécessaires à sa sûreté.

Les nouvelles lumières qui résultèrent de ce développement, augmentèrent sa supériorité sur les autres animaux, en la lui faisant connaître. Il s'exerça à leur dresser des pièges, il leur donna le change en mille manières, et quoique plusieurs le surpassassent en force au combat, ou en vitesse à la course ; de ceux qui pouvaient lui servir ou lui nuire, il devint avec le temps le maître des uns, et le fléau des autres. C'est ainsi que le premier regard qu'il porta sur lui-même y produisit le premier mouvement d'orgueil ; c'est ainsi que sachant encore à peine distinguer les rangs, et se contemplant

---

a. « Des uns aux autres », correction de l'éd. de 1782 ; 1755 : « les uns... »

au premier par son espèce, il se préparait de loin à y prétendre par son individu.

Quoique ses semblables ne fussent pas pour lui ce qu'ils sont pour nous, et qu'il n'eût guère plus de commerce avec eux qu'avec les autres animaux, ils ne furent pas oubliés dans ses observations. Les conformités que le temps put lui faire apercevoir entre eux, sa femelle et lui-même, le firent juger de celles qu'il n'apercevait pas, et voyant qu'ils se conduisaient tous, comme il aurait fait en de pareilles circonstances, il conclut que leur manière de penser et de sentir était entièrement conforme à la sienne, et cette importante vérité, bien établie dans son esprit, lui fit suivre, par un pressentiment aussi sûr et plus prompt que la Dialectique, les meilleures règles de conduite que pour son avantage et sa sûreté il lui convînt de garder avec eux [123].

Instruit par l'expérience que l'amour du bien-être est le seul mobile des actions humaines, il se trouva en état de distinguer les occasions rares où l'intérêt commun devait le faire compter sur l'assistance de ses semblables, et celles plus rares encore où la concurrence devait le faire défier d'eux [124]. Dans le premier cas il s'unissait avec eux en troupeau, ou tout au plus par quelque sorte d'association libre qui n'obligeait personne, et qui ne durait qu'autant que le besoin passager qui l'avait formée. Dans le second chacun cherchait à prendre ses avantages, soit à force, s'il croyait le pouvoir ; soit par adresse et subtilité s'il se sentait le plus faible.

Voilà comment les hommes purent insensiblement acquérir quelque idée grossière des engagements mutuels, et de l'avantage de les remplir, mais seulement autant que pouvait l'exiger l'intérêt présent et sensible ; car la prévoyance n'était rien pour eux, et loin de s'occuper d'un avenir éloigné, ils ne songeaient pas même au lendemain. S'agissait-il de prendre un Cerf, chacun sentait bien qu'il devait pour cela garder fidèlement son poste ; mais si un lièvre venait à passer à la portée de l'un d'eux, il ne faut pas douter qu'il ne le poursuivît sans scrupule, et qu'ayant atteint sa proie il ne se souciât fort peu de faire manquer la leur à ses Compagnons.

Il est aisé de comprendre qu'un pareil commerce n'exigeait pas un langage beaucoup plus raffiné, que celui des Corneilles ou des Singes, qui s'attroupent à peu près de même. Des cris inarticulés, beaucoup de gestes, et quelques bruits imitatifs, durent composer pendant longtemps la Langue universelle, à quoi joignant dans chaque Contrée quelques sons articulés et conventionnels dont, comme je l'ai déjà dit, il n'est pas trop facile d'expliquer l'institution, on eut des langues particulières, mais grossières, imparfaites, et telles à peu près qu'en ont encore aujourd'hui diverses Nations sauvages [125]. Je parcours comme un trait des multitudes de Siècles, forcé par le temps qui s'écoule, par l'abondance des choses que j'ai à dire, et par le progrès presque insensible des commencements ; car plus les événements étaient lents à se succéder, plus ils sont prompts à décrire.

Ces premiers progrès mirent enfin l'homme à portée d'en faire de plus rapides. Plus l'esprit s'éclairait, et plus l'industrie se perfectionna. Bientôt cessant de s'endormir sous le premier arbre, ou de se retirer dans des Cavernes, on trouva quelques sortes de haches de pierres dures, et tranchantes, qui servirent à couper du bois, creuser la terre, et faire des huttes de branchages, qu'on s'avisa ensuite d'enduire d'argile et de boue. Ce fut là l'époque d'une première révolution qui forma l'établissement et la distinction des familles, et qui introduisit une sorte de propriété [126] ; d'où peut-être naquirent déjà bien des querelles et des Combats. Cependant comme les plus forts furent vraisemblablement les premiers à se faire des logements qu'ils se sentaient capables de défendre, il est à croire que les faibles trouvèrent plus court et plus sûr de les imiter que de tenter de les déloger ; et quant à ceux qui avaient déjà des Cabanes, chacun dut peu chercher à s'approprier celle de son voisin, moins parce qu'elle ne lui appartenait pas, que parce qu'elle lui était inutile, et qu'il ne pouvait s'en emparer, sans s'exposer à un combat très vif avec la famille qui l'occupait.

Les premiers développements du cœur furent l'effet d'une situation nouvelle qui réunissait dans une habitation commune les maris et les Femmes, les Pères et les Enfants ; l'habitude de vivre ensemble fit naître les plus doux sentiments qui soient connus des hommes, l'amour conjugal, et l'amour Paternel. Chaque famille devint une petite Société d'autant mieux unie que l'attachement réciproque et la liberté en étaient les seuls liens ; et ce fut alors que s'établit la première différence dans la manière de vivre des deux Sexes, qui jusqu'ici n'en avaient eu qu'une. Les femmes devinrent plus sédentaires et s'accoutumèrent à garder la Cabane et les Enfants, tandis que l'homme allait chercher la subsistance commune. Les deux Sexes commencèrent aussi par une vie un peu plus molle à perdre quelque chose de leur férocité et de leur vigueur : mais si chacun séparément devint moins propre à combattre les bêtes sauvages, en revanche il fut plus aisé de s'assembler pour leur résister en commun [127].

Dans ce nouvel état, avec une vie simple et solitaire, des besoins très bornés, et les instruments qu'ils avaient inventés pour y pourvoir, les hommes jouissant d'un fort grand loisir l'employèrent à se procurer plusieurs sortes de commodités inconnues à leurs Pères ; et ce fut là le premier joug qu'ils s'imposèrent sans y songer, et la première source de maux qu'ils préparèrent à leurs Descendants ; car outre qu'ils continuèrent ainsi à s'amollir le corps et l'esprit, ces commodités ayant par l'habitude perdu presque tout leur agrément, et étant en même temps dégénérées en de vrais besoins, la privation en devint beaucoup plus cruelle que la possession n'en était douce, et l'on était malheureux de les perdre, sans être heureux de les posséder.

On entrevoit un peu mieux ici comment l'usage de la parole s'établit ou se perfectionne insensiblement dans le sein de chaque famille, et l'on peut conjecturer encore comment diverses causes particulières purent étendre le langage, et en accélérer le progrès en le rendant plus nécessaire. De grandes inondations ou des tremblements de terre environnèrent d'eaux ou de précipices des Cantons habités ; des révolutions du Globe détachèrent et coupèrent en Îles des portions du Continent. On conçoit qu'entre des hommes ainsi rapprochés, et forcés de vivre ensemble, il dut se former un Idiome commun plutôt qu'entre ceux qui erraient librement dans les forêts de la Terre ferme. Ainsi il est très possible qu'après leurs premiers essais de Navigation, des Insulaires aient porté parmi nous l'usage de la parole ; et il est au moins très vraisemblable que la Société et les langues ont pris naissance dans les Îles et s'y sont perfectionnées avant que d'être connues dans le Continent [128].

Tout commence à changer de face. Les hommes errants jusqu'ici dans les Bois, ayant pris une assiette plus fixe, se rapprochent lentement, se réunissent en diverses troupes, et forment enfin dans chaque contrée une Nation particulière, unie de mœurs et de caractères, non par des Règlements et des Lois, mais par le même genre de vie et d'aliments, et par l'influence commune du Climat[129]. Un voisinage permanent ne peut manquer d'engendrer enfin quelque liaison entre diverses familles. De jeunes gens de différents sexes habitent des Cabanes voisines, le commerce passager que demande la Nature en amène bientôt un autre non moins doux et plus permanent par la fréquentation mutuelle. On s'accoutume à considérer différents objets, et à faire des comparaisons ; on acquiert insensiblement des idées de mérite et de beauté qui produisent des sentiments de préférence. À force de se voir, on ne peut plus se passer de se voir encore. Un sentiment tendre et doux s'insinue dans l'âme, et par la moindre opposition devient une fureur impétueuse : la jalousie s'éveille avec l'amour ; la Discorde triomphe et la plus douce des passions reçoit des sacrifices de sang humain[130].

À mesure que les idées et les sentiments se succèdent, que l'esprit et le cœur s'exercent, le Genre-humain continue à s'apprivoiser, les liaisons s'étendent et les liens se resserrent. On s'accoutuma à s'assembler devant les Cabanes ou autour d'un grand Arbre : le chant et la danse, vrais enfants de l'amour et du loisir, devinrent l'amusement ou plutôt l'occupation des hommes et des femmes oisifs et attroupés. Chacun commença à regarder les autres et à vouloir être regardé soi-même, et l'estime publique eut un prix. Celui qui chantait ou dansait le mieux ; le plus beau, le plus fort, le plus adroit ou le plus éloquent devint le plus considéré, et ce fut là le premier pas vers l'inégalité, et vers le vice en même temps : de ces premières préférences naquirent d'un côté la vanité et le mépris, de l'autre la honte et l'envie ; et la fermentation causée par ces nouveaux levains produisit enfin des composés funestes au bonheur et à l'innocence.

Sitôt que les hommes eurent commencé à s'apprécier mutuellement et que l'idée de la considération fut formée dans leur esprit, chacun prétendit y avoir droit ; et il ne fut plus possible d'en manquer impunément pour personne. De là sortirent les premiers devoirs de la civilité, même parmi les Sauvages, et de là tout tort volontaire devint un outrage, parce qu'avec le mal qui résultait de l'injure, l'offensé y voyait le mépris de sa personne souvent plus insupportable que le mal même. C'est ainsi que chacun punissant le mépris qu'on lui avait témoigné d'une manière proportionnée au cas qu'il faisait de lui-même, les vengeances devinrent terribles, et les hommes sanguinaires et cruels. Voilà précisément le degré où étaient parvenus la plupart des Peuples Sauvages qui nous sont connus ; et c'est faute d'avoir suffisamment distingué les idées, et remarqué combien ces Peuples étaient déjà loin du premier état de Nature, que plusieurs se sont hâtés de conclure que l'homme est naturellement cruel et qu'il a besoin de police pour l'adoucir, tandis que rien n'est si doux que lui dans son état primitif, lorsque placé par la nature à des distances égales de la stupidité des brutes et des lumières funestes de l'homme civil, et borné également par l'instinct et par la raison à se garantir du mal qui le menace, il est retenu par la pitié Naturelle de faire lui-même du mal à personne, sans y être porté par rien, même après en avoir reçu. Car, selon l'axiome du sage Locke, *il ne saurait y avoir d'injure, où il n'y a point de propriété*[131].

Mais il faut remarquer que la Société commencée et les relations déjà établies entre les hommes exigeaient en eux des qualités différentes de celles qu'ils tenaient de leur constitution primitive ; que la moralité commençant à s'introduire dans les actions humaines, et chacun avant les Lois étant seul juge et vengeur des offenses qu'il avait reçues, la bonté convenable au pur état de Nature n'était plus celle qui convenait à la Société naissante ; qu'il fallait que les punitions devinssent plus sévères à mesure que les occasions d'offenser devenaient plus fréquentes, et que c'était à la terreur des vengeances de tenir lieu du frein des Lois. Ainsi quoique les hommes fussent devenus moins endurants, et que la pitié naturelle eût déjà souffert quelque altération, cette période du développement des facultés humaines, tenant un juste milieu entre l'indolence de l'état primitif et la pétulante activité de notre amour-propre, dut être l'époque la plus heureuse et la plus durable. Plus on y réfléchit, plus on trouve que cet état était le moins sujet aux révolutions, le meilleur à l'homme (*XVI), et qu'il n'en a dû sortir que par quelque funeste hasard qui pour l'utilité commune eût dû ne jamais arriver. L'exemple des sauvages qu'on a presque tous trouvés à ce point semble confirmer que le Genre-humain était fait pour y rester toujours, que cet état est la véritable jeunesse du Monde, et que tous les progrès ultérieurs ont été en apparence autant de pas vers la perfection de l'individu, et en effet vers la décrépitude de l'espèce [132].

Tant que les hommes se contentèrent de leurs cabanes rustiques, tant qu'ils se bornèrent à coudre leurs habits de peaux avec des épines ou des arêtes, à se parer de plumes et de coquillages, à se peindre le corps de diverses couleurs, à perfectionner ou embellir leurs arcs et leurs flèches, à tailler avec des pierres tranchantes quelques Canots de pêcheurs ou quelques grossiers instruments de Musique ; En un mot tant qu'ils ne s'appliquèrent qu'à des ouvrages qu'un seul pouvait faire, et qu'à des arts qui n'avaient pas besoin du concours de plusieurs mains, ils vécurent libres, sains, bons et heureux autant qu'ils pouvaient l'être par leur Nature, et continuèrent à jouir entre eux des douceurs d'un commerce indépendant : mais dès l'instant qu'un homme eut besoin du secours d'un autre ; dès qu'on s'aperçut qu'il était utile à un seul d'avoir des provisions pour deux, l'égalité disparut, la propriété s'introduisit, le travail devint nécessaire et les vastes forêts se changèrent en des Campagnes riantes qu'il fallut arroser de la sueur des hommes, et dans lesquelles on vit bientôt l'esclavage et la misère germer et croître avec les moissons [133].

La Métallurgie et l'agriculture furent les deux arts dont l'invention produisit cette grande révolution. Pour le Poète, c'est l'or et l'argent, mais pour le Philosophe ce sont le fer et le blé qui ont civilisé les hommes et perdu le Genre-humain ; aussi l'un et l'autre étaient-ils inconnus aux sauvages de l'Amérique qui pour cela sont toujours demeurés tels ; les autres Peuples semblent même être restés Barbares tant qu'ils ont pratiqué l'un de ces Arts sans l'autre ; et l'une des meilleures raisons peut-être pourquoi l'Europe a été, sinon plus tôt, du moins plus constamment, et mieux policée que les autres parties du monde, c'est qu'elle est à la fois la plus abondante en fer et la plus fertile en blé.

Il est très difficile de conjecturer comment les hommes sont parvenus à connaître et employer le fer : car il n'est pas croyable qu'ils aient imaginé d'eux-mêmes de tirer la matière de la mine et de lui donner les préparations nécessaires pour la mettre en fusion avant que de savoir ce qui en résulterait. D'un autre côté on peut d'autant moins attribuer cette découverte à quelque incendie accidentel que les mines ne se forment que dans des lieux arides et dénués d'arbres et de plantes, de sorte qu'on dirait que la Nature avait pris des précautions pour nous dérober ce fatal secret [134]. Il ne reste donc que la circonstance extraordinaire de quelque Volcan qui, vomissant des matières métalliques en fusion, aura donné aux observateurs l'idée d'imiter cette opération de la Nature ; encore faut-il leur supposer bien du courage et de la prévoyance pour entreprendre un travail aussi pénible et envisager d'aussi loin les avantages qu'ils en pouvaient retirer ; ce qui ne convient guère qu'à des esprits déjà plus exercés que ceux-ci ne le devaient être.

Quant à l'agriculture, le principe en fut connu longtemps avant que la pratique en fût établie, et il n'est guère possible que les hommes sans cesse occupés à tirer leur subsistance des arbres et des plantes n'eussent assez promptement l'idée des voies que la Nature emploie pour la génération des Végétaux ; mais leur industrie [135] ne se tourna probablement que fort tard de ce côté-là, soit parce que les arbres, qui avec la chasse et la pêche fournissaient à leur nourriture, n'avaient pas besoin de leurs soins, soit faute de connaître l'usage du blé, soit faute d'instruments pour le cultiver, soit faute de prévoyance pour le besoin à venir, soit enfin faute de moyens pour empêcher les autres de s'approprier le fruit de leur travail. Devenus plus industrieux, on peut croire qu'avec des pierres aiguës, et des bâtons pointus ils commencèrent par cultiver quelques légumes ou racines autour de leurs

Cabanes, longtemps avant de savoir préparer le blé, et d'avoir les instruments nécessaires pour la culture en grand, sans compter que, pour se livrer à cette occupation et ensemencer des terres, il faut se résoudre à perdre d'abord quelque chose pour gagner beaucoup dans la suite ; précaution fort éloignée du tour d'esprit de l'homme qui, comme je l'ai dit, a bien de la peine à songer le matin à ses besoins du soir.

L'invention des autres arts fut donc nécessaire pour forcer le Genre-humain de s'appliquer à celui de l'agriculture. Dès qu'il fallut des hommes pour fondre et forger le fer, il fallut d'autres hommes pour nourrir ceux-là. Plus le nombre des ouvriers vint à se multiplier, moins il y eut de mains employées à fournir à la subsistance commune, sans qu'il y eût moins de bouches pour la consommer ; et comme il fallut aux uns des denrées en échange de leur fer, les autres trouvèrent enfin le secret d'employer le fer à la multiplication des denrées. De là naquirent d'un côté le labourage et l'agriculture, et de l'autre l'art de travailler les Métaux et d'en multiplier les usages.

De la culture des terres s'ensuivit nécessairement leur partage ; et de la propriété une fois reconnue les premières règles de justice : car pour rendre à chacun le sien, il faut que chacun puisse avoir quelque chose ; de plus les hommes commençant à porter leurs vues dans l'avenir et se voyant tous quelques biens à perdre, il n'y en avait aucun qui n'eût à craindre pour soi la représaille des torts qu'il pouvait faire à autrui. Cette origine est d'autant plus naturelle qu'il est impossible de concevoir l'idée de la propriété naissante d'ailleurs que de la main-d'œuvre ; car on ne voit pas ce que, pour s'approprier les choses qu'il n'a point faites, l'homme y peut mettre de plus que son travail. C'est le seul travail qui donnant droit au Cultivateur sur le produit de la terre qu'il a labourée, lui en donne par conséquent sur le fond, au moins jusqu'à la récolte, et ainsi d'année en année, ce qui faisant une possession continue, se transforme aisément en propriété. Lorsque les Anciens, dit Grotius, ont donné à Cérès l'épithète de législatrice, et à une fête célébrée en son honneur le nom de Thesmophories ; ils ont fait entendre par là que le partage des terres a produit une nouvelle sorte de droit [136]. C'est-à-dire le droit de propriété différent de celui qui résulte de la Loi naturelle [137].

Les choses en cet état eussent pu demeurer égales, si les talents eussent été égaux, et que, par exemple, l'emploi du fer et la consommation des denrées eussent toujours fait une balance exacte ; mais la proportion que rien ne maintenait fut bientôt rompue ; le plus fort faisait plus d'ouvrage ; le plus adroit tirait meilleur parti du sien ; le plus ingénieux trouvait des moyens d'abréger le travail ; le laboureur avait plus besoin de fer, ou le forgeron plus besoin de blé, et en travaillant également, l'un gagnait beaucoup tandis que l'autre avait peine à vivre. C'est ainsi que l'inégalité naturelle se déploie insensiblement avec celle de combinaison et que les différences des hommes, développées par celles des circonstances, se rendent plus sensibles, plus permanentes dans leurs effets, et commencent à influer dans la même proportion sur le sort des particuliers [138].

Les choses étant parvenues à ce point, il est facile d'imaginer le reste. Je ne m'arrêterai pas à décrire l'invention successive des autres arts, le progrès des langues, l'épreuve et l'emploi des talents, l'inégalité des fortunes, l'usage ou l'abus des Richesses, ni tous les détails qui suivent ceux-ci, et que chacun peut aisément suppléer. Je me bornerai seulement à jeter un coup d'œil sur le Genre-humain placé dans ce nouvel ordre de choses[139].

Voilà donc toutes nos facultés développées, la mémoire et l'imagination en jeu, l'amour-propre intéressé, la raison rendue active et l'esprit arrivé presque au terme de la perfection, dont il est susceptible. Voilà toutes les qualités naturelles mises en action, le rang et le sort de chaque homme établi, non seulement sur la quantité des biens et le pouvoir de servir ou de nuire, mais sur l'esprit, la beauté, la force ou l'adresse, sur le mérite ou les talents, et ces qualités étant les seules qui pouvaient attirer de la considération, il fallut bientôt les avoir ou les affecter ; Il fallut pour son avantage se montrer autre que ce qu'on était en effet. Être et paraître devinrent deux choses tout à fait différentes, et de cette distinction sortirent le faste imposant, la ruse trompeuse, et tous les vices qui en sont le cortège. D'un autre côté, de libre et indépendant qu'était auparavant l'homme, le voilà par une multitude de nouveaux besoins assujetti, pour ainsi dire, à toute la Nature, et surtout à ses semblables dont il devient l'esclave en un sens, même en devenant leur maître ; riche, il a besoin de leurs services ; pauvre, il a besoin de leur secours, et la médiocrité ne le met point en état de se passer d'eux. Il faut donc qu'il cherche sans cesse à les intéresser à son sort, et à leur faire trouver en effet ou en apparence leur profit à travailler pour le sien : ce qui le rend fourbe et artificieux avec les uns, impérieux et dur avec les autres, et le met dans la nécessité d'abuser tous ceux dont il a besoin, quand il ne peut s'en faire craindre, et qu'il ne trouve pas son intérêt à les servir utilement. Enfin l'ambition dévorante, l'ardeur d'élever sa fortune relative, moins par un véritable besoin que pour se mettre au-dessus des autres, inspirent [a] à tous les hommes un noir penchant à se nuire mutuellement, une jalousie secrète d'autant plus dangereuse que, pour faire son coup plus en sûreté, elle prend souvent le masque de la bienveillance ; en un mot, concurrence et rivalité d'une part, de l'autre opposition d'intérêts [b], et toujours le désir caché de faire son profit aux dépens d'autrui ; Tous ces maux sont le premier effet de la propriété et le cortège inséparable de l'inégalité naissante [140].

Avant qu'on eût inventé les signes représentatifs des richesses, elles ne pouvaient guère consister qu'en terres et en bestiaux, les seuls biens réels que les hommes puissent posséder. Or quand les héritages se furent accrus en nombre et en étendue au point de couvrir le sol entier et de se toucher tous, les uns ne purent plus s'agrandir qu'aux dépens des autres, et les surnuméraires que la faiblesse ou l'indolence avaient empêchés d'en acquérir à leur tour, devenus pauvres sans avoir rien perdu, parce que, tout changeant autour d'eux, eux seuls n'avaient point changé, furent obligés de recevoir ou de ravir leur subsistance de la main des riches, et de là commencèrent à naître, selon les divers caractères des uns et des autres, la domination et la servitude, ou la violence et les rapines. Les riches de leur côté connurent à peine le plaisir de dominer, qu'ils dédaignèrent bientôt tous les autres, et se servant de leurs anciens Esclaves pour en soumettre de nouveaux, ils ne songèrent qu'à subjuguer et asservir leurs voisins ; semblables à ces loups affamés qui ayant une fois

a. Correction de l'éd. de 1782. 1755 : « inspire » au singulier.
b. Correction de l'éd. de 1782. 1755 : « intérêt » au singulier.

goûté de la chair humaine rebutent toute autre nourriture, et ne veulent plus que dévorer des hommes [141].

C'est ainsi que les plus puissants ou les plus misérables, se faisant de leur force ou de leurs besoins une sorte de droit au bien d'autrui, équivalent, selon eux, à celui de propriété, l'égalité rompue fut suivie du plus affreux désordre : c'est ainsi que les usurpations des riches, les Brigandages des Pauvres, les passions effrénées de tous étouffant la pitié naturelle, et la voix encore faible de la justice, rendirent les hommes avares, ambitieux et méchants. Il s'élevait entre le droit du plus fort et le droit du premier occupant un conflit perpétuel qui ne se terminait que par des combats et des meurtres (*XVII). La Société naissante fit place au plus horrible état de guerre : Le Genre-humain avili et désolé ne pouvant plus retourner sur ses pas, ni renoncer aux acquisitions malheureuses qu'il avait faites et ne travaillant qu'à sa honte, par l'abus des facultés qui l'honorent, se mit lui-même à la veille de sa ruine [142].

Attonitus novitate mali, divesque miserque,
Effugere optat opes, et quæ modo voverat, odit [143].

Il n'est pas possible que les hommes n'aient fait enfin des réflexions sur une situation aussi misérable, et sur les calamités dont ils étaient accablés. Les riches surtout durent bientôt sentir combien leur était désavantageuse une guerre perpétuelle dont ils faisaient seuls tous les frais, et dans laquelle le risque de la vie était commun, et celui des biens, particulier. D'ailleurs, quelque couleur qu'ils pussent donner à leurs usurpations, ils sentaient assez qu'elles n'étaient établies que sur un droit précaire et abusif, et que n'ayant été acquises que par la force, la force pouvait les leur ôter sans qu'ils eussent raison de s'en plaindre. Ceux mêmes, que la seule industrie avait enrichis, ne pouvaient guère fonder leur propriété sur de meilleurs titres. Ils avaient beau dire : c'est moi qui ai bâti ce mur ; j'ai gagné ce terrain par mon travail. Qui vous a donné les alignements, leur pouvait-on répondre ; et en vertu de quoi prétendez-vous être payé à nos dépens d'un travail que nous ne vous avons point imposé ? Ignorez-vous qu'une multitude de vos frères périt, ou souffre du besoin de ce que vous avez de trop, et qu'il vous fallait un consentement exprès et unanime du Genre-humain pour vous approprier sur la subsistance commune tout ce qui allait au-delà de la vôtre ? Destitué de raisons valables pour se justifier, et de forces suffisantes pour se défendre ; écrasant facilement un particulier, mais écrasé lui-même par des troupes de bandits ; seul contre tous, et ne pouvant à cause des jalousies mutuelles s'unir avec ses égaux contre des ennemis unis par l'espoir commun du pillage, le riche, pressé par la nécessité, conçut enfin le projet le plus réfléchi qui soit jamais entré dans l'esprit humain ; ce fut d'employer en sa faveur les forces mêmes de ceux qui l'attaquaient, de faire ses défenseurs de ses adversaires, de leur inspirer d'autres maximes, et de leur donner d'autres institutions qui lui fussent aussi favorables que le Droit naturel lui était contraire [144].

Dans cette vue, après avoir exposé à ses voisins l'horreur d'une situation qui les armait tous les uns contre les autres, qui leur rendait leurs possessions aussi onéreuses que leurs besoins, et où nul ne trouvait sa sûreté ni dans la pauvreté ni dans la richesse, il inventa aisément des raisons spécieuses pour les amener à son but. « Unissons-nous », leur dit-il, « pour garantir de l'oppression les faibles, contenir les ambitieux, et assurer à chacun la possession de ce qui lui appartient :

Instituons des règlements de Justice et de paix auxquels tous soient obligés de se conformer, qui ne fassent acception de personne, et qui réparent en quelque sorte les caprices de la fortune en soumettant également le puissant et le faible à des devoirs mutuels. En un mot, au lieu de tourner nos forces contre nous-mêmes, rassemblons-les en un pouvoir suprême qui nous gouverne selon de sages Lois, qui protège et défende tous les membres de l'association, repousse les ennemis communs et nous maintienne dans une concorde éternelle. »

Il en fallut beaucoup moins que l'équivalent de ce Discours pour entraîner des hommes grossiers, faciles à séduire, qui d'ailleurs avaient trop d'affaires à démêler entre eux pour pouvoir se passer d'arbitres, et trop d'avarice et d'ambition, pour pouvoir longtemps se passer de Maîtres. Tous coururent au-devant de leurs fers croyant assurer leur liberté ; car avec assez de raison pour sentir les avantages d'un établissement politique, ils n'avaient pas assez d'expérience pour en prévoir les dangers ; les plus capables de pressentir les abus étaient précisément ceux qui comptaient d'en profiter, et les sages mêmes virent qu'il fallait se résoudre à sacrifier une partie de leur liberté à la conservation de l'autre, comme un blessé se fait couper le bras pour sauver le reste du Corps [145].

Telle fut, ou dut être, l'origine de la Société et des Lois, qui donnèrent de nouvelles entraves au faible et de nouvelles forces au riche (*XVIII), détruisirent sans retour la liberté naturelle, fixèrent pour jamais la Loi de la propriété et de l'inégalité, d'une adroite usurpation firent un droit irrévocable, et pour le profit de quelques ambitieux assujettirent désormais tout le Genre-humain au travail, à la servitude et à la misère [146]. On voit aisément comment l'établissement d'une seule Société rendit indispensable celui de toutes les autres, et comment, pour faire tête à des forces unies, il fallut s'unir à son tour. Les sociétés se multipliant ou s'étendant rapidement couvrirent bientôt toute la surface de la terre, et il ne fut plus possible de trouver un seul coin dans l'univers où l'on put s'affranchir du joug et soustraire sa tête au glaive souvent mal conduit que chaque homme vit perpétuellement suspendu sur la sienne. Le droit civil étant ainsi devenu la règle commune des Citoyens, la Loi de Nature n'eut plus lieu qu'entre les diverses Sociétés, où, sous le nom de Droit des gens, elle fut tempérée par quelques conventions tacites pour rendre le commerce possible et suppléer à la commisération naturelle, qui, perdant de Société à Société presque toute la force qu'elle avait d'homme à homme, ne réside plus que dans quelques grandes Âmes Cosmopolites, dignes de franchir les barrières imaginaires qui séparent les Peuples, et d'embrasser tout le Genre-humain, à l'exemple de l'Être suprême qui l'a créé [a].

Les Corps Politiques restant ainsi entre eux dans l'État de Nature se ressentirent bientôt des inconvénients qui avaient forcé les particuliers d'en sortir, et cet État devint encore plus funeste entre ces grands Corps qu'il ne l'avait été auparavant entre les individus dont ils étaient composés. De là sortirent les Guerres nationales, les Batailles, les meurtres, les représailles qui font frémir la Nature et choquent la raison, et tous

a. Correction manuscrite sur l'exemplaire Davenport. 1755 et 1782 : « qui franchissent les barriéres imaginaires qui séparent les Peuples, et qui, à l'exemple de l'Être souverain qui les a créés, embrassent tout le Genre-humain dans leur bienveillance ».

ces préjugés horribles qui placent au rang des vertus l'honneur de répandre le sang humain. Les plus honnêtes gens apprirent à compter parmi leurs devoirs celui d'égorger leurs semblables ; on vit enfin les hommes se massacrer par milliers sans savoir pourquoi ; et il se commettait plus de meurtres en un seul jour de combat et plus d'horreurs à la prise d'une seule ville qu'il ne s'en était commis dans l'État de Nature durant des siècles entiers sur toute la face de la terre. Tels sont les premiers effets qu'on entrevoit de la division du Genre-humain en différentes Sociétés [147]. Revenons à leur institution.

Je sais que plusieurs ont donné d'autres origines aux Sociétés Politiques, comme les conquêtes du plus puissant ou l'union des faibles ; et le choix entre ces causes est indifférent à ce que je veux établir [148] : cependant celle que je viens d'exposer me paraît la plus naturelle [149] par les raisons suivantes : 1. Que dans le premier cas, le Droit de conquête n'étant point un Droit n'en a pu fonder aucun autre, le Conquérant et les Peuples conquis restant toujours entre eux dans l'état de Guerre, à moins que la Nation remise en pleine liberté ne choisisse volontairement son Vainqueur pour son Chef. Jusque-là, quelques capitulations qu'on ait faites, comme elles n'ont été fondées que sur la violence, et que par conséquent elles sont nulles par le fait même, il ne peut y avoir dans cette hypothèse, ni véritable Société, ni Corps Politique, ni d'autre Loi que celle du plus fort [150]. 2. Que ces mots de *fort* et de *faible* sont équivoques dans le second cas ; que dans l'intervalle qui se trouve entre l'établissement du Droit de propriété ou de premier occupant, et celui des Gouvernements politiques, le sens de ces termes est mieux rendu par ceux de *pauvre* et de *riche*, parce qu'en effet un homme n'avait point avant les Lois d'autre moyen d'assujettir ses égaux qu'en attaquant leur bien, ou leur faisant quelque part du sien[151]. 3. Que les Pauvres n'ayant rien à perdre que leur liberté, c'eût été une grande folie à eux de s'ôter volontairement le seul bien qui leur restait pour ne rien gagner en échange ; qu'au contraire les riches étant, pour ainsi dire, sensibles dans toutes les parties de leurs Biens, il était beaucoup plus aisé de leur faire du mal, qu'ils avaient par conséquent plus de précautions à prendre pour s'en garantir ; et qu'enfin il est raisonnable de croire qu'une chose a été inventée par ceux à qui elle est utile plutôt que par ceux à qui elle fait du tort[152].

Le Gouvernement naissant n'eut point une forme constante et régulière. Le défaut de Philosophie et d'expérience ne laissait apercevoir que les inconvénients présents, et l'on ne songeait à remédier aux autres qu'à mesure qu'ils se présentaient. Malgré tous les travaux des plus sages Législateurs, l'État Politique demeura toujours imparfait, parce qu'il était presque l'ouvrage du hasard, et que mal commencé, le temps en découvrant les défauts, et suggérant des remèdes, ne put jamais réparer les vices de la Constitution. On raccommodait sans cesse, au lieu qu'il eût fallu commencer par nettoyer l'aire et écarter tous les vieux matériaux, comme fit Lycurgue à Sparte, pour élever ensuite un bon Édifice. La Société ne consista d'abord qu'en quelques conventions générales que tous les particuliers s'engageaient à observer et dont la Communauté se rendait garante envers chacun d'eux. Il fallut que l'expérience montrât combien une pareille constitution était faible, et combien il était facile aux infracteurs d'éviter la conviction ou le châtiment des fautes dont le Public seul devait être le témoin et le juge ; il fallut que la Loi fût éludée de mille manières ; il fallut que les inconvénients et les désordres se multipliassent continuellement, pour qu'on songeât enfin à confier à des particuliers le dangereux dépôt de l'autorité publique et qu'on commît à des Magistrats le soin de faire observer les délibérations du Peuple : car de dire que les Chefs furent choisis avant que la confédération fût faite et que les Ministres des Lois existèrent avant les Lois mêmes, c'est une supposition qu'il n'est pas permis de combattre sérieusement.

Il ne serait pas plus raisonnable de croire que les Peuples se sont d'abord jetés entre les bras d'un Maître absolu, sans conditions et sans retour, et que le premier moyen de pourvoir à la sûreté commune qu'aient imaginé des hommes fiers et indomptés, a été de se précipiter dans l'esclavage. En effet, pourquoi se sont-ils donné des supérieurs, si ce n'est pour les défendre contre l'oppression, et protéger leurs biens, leurs libertés, et leurs vies, qui sont, pour ainsi dire, les éléments constitutifs de leur être ? Or, dans les relations d'homme à homme, le pis qui puisse arriver à l'un étant de se voir à la discrétion de l'autre, n'eût-il pas été contre le bon sens de commencer par se dépouiller entre les mains d'un Chef des seules choses pour la conservation desquelles ils avaient besoin de son secours ? Quel équivalent eût-il pu leur offrir pour la concession d'un si beau Droit ; et, s'il eût osé l'exiger sous le prétexte de les défendre, n'eût-il pas aussitôt reçu la réponse de l'Apologue ; Que nous fera de plus l'ennemi ? Il est donc incontestable, et c'est la maxime fondamentale de tout le Droit Politique, que les Peuples se sont donné des chefs pour défendre leur liberté et non pour les asservir. *Si nous avons un prince,* disait Pline à Trajan, *c'est afin qu'il nous préserve d'avoir un Maître* [153].

Nos politiques font sur l'amour de la liberté les mêmes sophismes que nos philosophes ont faits sur l'État de Nature [a] [154] ; par les choses qu'ils voient ils jugent des choses très différentes qu'ils n'ont pas vues, et ils attribuent aux hommes un penchant naturel à la servitude par la patience avec laquelle ceux qu'ils ont sous les yeux supportent la leur, sans songer qu'il en est de la liberté comme de l'innocence et de la vertu, dont on ne sent le prix qu'autant qu'on en jouit soi-même, et dont le goût se perd sitôt qu'on les a perdues. Je connais les délices de ton Pays, disait Brasidas à un Satrape qui comparait la vie de Sparte à celle de Persépolis, mais tu ne peux connaître les plaisirs du mien.

Comme un Coursier indompté hérisse ses crins, frappe la terre du pied et se débat impétueusement à la seule approche du mors, tandis qu'un cheval dressé souffre patiemment la verge et l'éperon, l'homme barbare ne plie point sa tête au joug que l'homme civilisé porte sans murmure, et il préfère la plus orageuse liberté à un assujettissement tranquille. Ce n'est donc pas par l'avilissement des Peuples asservis qu'il faut juger des dispositions naturelles de l'homme pour ou contre la servitude, mais par les prodiges qu'ont faits tous les Peuples libres pour se garantir de l'oppression. Je sais que les premiers ne font que vanter sans cesse la paix et le repos dont ils jouissent dans leurs fers, et que *miserrimam servitutem pacem appellant* [155] : mais quand je vois les autres sacrifier les plaisirs, le repos,

a. *Nos* politiques, *nos* philosophes : correction de l'édition de 1785. 1755 portait dans les deux cas : « les ».

la richesse, la puissance, et la vie même à la conservation de ce seul bien si dédaigné de ceux qui l'ont perdu ; quand je vois des Animaux nés libres et abhorrant la captivité se briser la tête contre les barreaux de leur prison ; quand je vois des multitudes de Sauvages tout nus mépriser les voluptés Européennes et braver la faim, le feu, le fer et la mort pour ne conserver que leur indépendance, je sens que ce n'est pas à des Esclaves qu'il appartient de raisonner de liberté [156].

Quant à l'autorité Paternelle dont plusieurs ont fait dériver le Gouvernement absolu et toute la Société, sans recourir aux preuves contraires de Locke et de Sidney [157], il suffit de remarquer que rien au monde n'est plus éloigné de l'esprit féroce du Despotisme que la douceur de cette autorité qui regarde plus à l'avantage de celui qui obéit qu'à l'utilité de celui qui commande ; que par la Loi de Nature le Père n'est le maître de l'Enfant qu'aussi longtemps que son secours lui est nécessaire, qu'au-delà de ce terme ils deviennent égaux, et qu'alors le fils parfaitement indépendant du Père, ne lui doit que du respect, et non de l'obéissance ; car la reconnaissance est bien un devoir qu'il faut rendre, mais non pas un droit qu'on puisse exiger. Au lieu de dire que la Société civile dérive du pouvoir Paternel, il fallait dire au contraire que c'est d'elle que ce pouvoir tire sa principale force : un individu ne fut reconnu pour le Père de plusieurs que quand ils restèrent assemblés autour de lui ; Les biens du père, dont il est véritablement le Maître, sont les liens qui retiennent ses enfants dans sa dépendance, et il peut ne leur donner part à sa succession qu'à proportion qu'ils auront bien mérité de lui par une continuelle déférence à ses volontés [158]. Or, loin que les sujets aient quelque faveur semblable à attendre de leur Despote, comme ils lui appartiennent en propre, eux et tout ce qu'ils possèdent, ou du moins qu'il le prétend ainsi, ils sont réduits à recevoir comme une faveur ce qu'il leur laisse de leur propre bien[159] ; il fait justice quand il les dépouille ; il fait grâce quand il les laisse vivre.

En continuant d'examiner ainsi les faits par le Droit, on ne trouverait pas plus de solidité que de vérité dans l'établissement volontaire de la Tyrannie, et il serait difficile de montrer la validité d'un contrat qui n'obligerait qu'une des parties, où l'on mettrait tout d'un côté et rien de l'autre et qui ne tournerait qu'au préjudice de celui qui s'engage[160]. Ce Système odieux est bien éloigné d'être même aujourd'hui celui des sages et bons Monarques, et surtout des Rois de France, comme on peut le voir en divers endroits de leurs Édits et en particulier dans le passage suivant d'un Écrit célèbre, publié en 1667, au nom et par les ordres de Louis XIV : *Qu'on ne dise donc point que le Souverain ne soit pas sujet aux Lois de son État, puis que la proposition contraire est une vérité du Droit des Gens que la flatterie a quelquefois attaquée, mais que les bons Princes ont toujours défendue comme une divinité tutélaire de leurs États. Combien est-il plus légitime de dire avec le Sage Platon, que la parfaite félicité d'un Royaume est qu'un Prince soit obéi de ses Sujets, que le Prince obéisse à la Loi, et que la Loi soit droite et toujours dirigée au bien public*[161]. Je ne m'arrêterai point à rechercher si, la liberté étant la plus noble des facultés de l'homme, ce n'est pas dégrader sa Nature, se mettre au niveau des Bêtes esclaves de l'instinct, offenser même l'Auteur de son être, que de renoncer sans réserve au plus précieux de tous ses dons, que de se soumettre à commettre tous les crimes qu'il nous défend, pour complaire à un Maître féroce ou insensé, et si cet ouvrier sublime doit être plus irrité de voir détruire que déshonorer son plus bel ouvrage [162]. Je négligerai, si l'on veut, l'autorité de Barbeyrac, qui déclare nettement d'après Locke, que nul ne peut vendre sa liberté jusqu'à se soumettre à une puissance arbitraire qui le traite à sa fantaisie [163]. *Car*, ajoute-t-il, *ce serait vendre sa propre vie dont on n'est pas le maître* [a]. Je demanderai seulement de quel Droit ceux qui n'ont pas craint de s'avilir eux-mêmes jusqu'à ce point, ont pu soumettre leur postérité à la même ignominie, et renoncer pour elle à des biens qu'elle ne tient point de leur libéralité, et sans lesquels la vie même est onéreuse à tous ceux qui en sont dignes ?

Pufendorf dit que, tout de même qu'on transfère son bien à autrui par des conventions et des Contrats, on peut aussi se dépouiller de sa liberté en faveur de quelqu'un. C'est là, ce me semble, un fort mauvais raisonnement ; car premièrement le bien que j'aliène me devient une chose tout à fait étrangère, et dont l'abus m'est indifférent, mais il m'importe qu'on n'abuse point de ma liberté, et je ne puis, sans me rendre coupable du mal qu'on me forcera de faire, m'exposer à devenir l'instrument du crime. De plus, le Droit de propriété n'étant que de convention et d'institution humaine, tout homme peut à son gré disposer de ce qu'il possède : mais il n'en est pas de même des Dons essentiels de la Nature, tels que la vie et la liberté, dont il est permis à chacun de jouir et dont il est au moins douteux qu'on ait droit de se dépouiller : En s'ôtant l'une on dégrade son être ; en s'ôtant l'autre on l'anéantit autant qu'il est en soi ; et comme nul bien temporel ne peut dédommager de l'une et de l'autre, ce

a. De : « Je négligerai » à : « le maître » : ajout de l'édition de 1782.

serait offenser à la fois la Nature et la raison que d'y renoncer à quelque prix que ce fût. Mais quand on pourrait aliéner sa liberté comme ses biens, la différence serait très grande pour les Enfants qui ne jouissent des biens du Père que par transmission de son droit, au lieu que, la liberté étant un don qu'ils tiennent de la Nature en qualité d'hommes, leurs parents n'ont eu aucun droit de les en dépouiller ; de sorte que comme pour établir l'Esclavage, il a fallu faire violence à la Nature, il a fallu la changer pour perpétuer ce Droit ; Et les Jurisconsultes qui ont gravement prononcé que l'enfant d'une Esclave naîtrait Esclave, ont décidé en d'autres termes qu'un homme ne naîtrait pas homme [164].

Il me paraît donc certain que non seulement les Gouvernements n'ont point commencé par le Pouvoir Arbitraire, qui n'en est que la corruption, le terme extrême, et qui les ramène enfin à la seule Loi du plus fort dont ils furent d'abord le remède, mais encore que quand même ils auraient ainsi commencé, ce pouvoir étant par sa Nature illégitime, n'a pu servir de fondement aux Droits de la Société, ni par conséquent à l'inégalité d'institution [165].

Sans entrer aujourd'hui dans les recherches qui sont encore à faire sur la Nature du Pacte fondamental de tout Gouvernement, je me borne en suivant l'opinion commune à considérer ici l'établissement du Corps Politique comme un vrai contrat entre le Peuple et les Chefs qu'il se choisit ; Contrat par lequel les deux Parties s'obligent à l'observation des Lois qui y sont stipulées et qui forment les liens de leur union [166]. Le Peuple ayant, au sujet des relations Sociales, réuni toutes ses volontés en une seule, tous les articles sur lesquels cette volonté s'explique, deviennent autant de Lois fondamentales qui obligent tous les membres de l'État sans exception, et l'une desquelles règle le choix et le pouvoir des Magistrats chargés de veiller à l'exécution des autres. Ce pouvoir s'étend à tout ce qui peut maintenir la constitution, sans aller jusqu'à la changer. On y joint des honneurs qui rendent respectables les Lois et leurs Ministres, et pour ceux-ci personnellement des prérogatives qui les dédommagent des pénibles travaux que coûte une bonne administration. Le Magistrat, de son côté, s'oblige à n'user du pouvoir qui lui est confié que selon l'intention des Commettants, à maintenir chacun dans la paisible jouissance de ce qui lui appartient, et à préférer en toute occasion l'utilité publique à son propre intérêt.

Avant que l'expérience eût montré, ou que la connaissance du cœur humain eût fait prévoir les abus inévitables d'une telle constitution, elle dut paraître d'autant meilleure, que ceux qui étaient chargés de veiller à sa conservation, y étaient eux-mêmes le plus intéressés ; car la Magistrature et ses Droits n'étant établis que sur les Lois fondamentales, aussitôt qu'elles seraient détruites, les Magistrats cesseraient d'être légitimes, le Peuple ne serait plus tenu de leur obéir, et comme ce n'aurait pas été le Magistrat, mais la loi qui aurait constitué l'essence de l'État, chacun rentrerait de Droit dans sa liberté Naturelle.

Pour peu qu'on y réfléchît attentivement, ceci se confirmerait par de nouvelles raisons, et par la Nature du Contrat on verrait qu'il ne saurait être irrévocable : car s'il n'y avait point de pouvoir supérieur qui pût être garant de la fidélité des Contractants, ni les forcer à remplir leurs engagements réciproques, les Parties demeureraient seules juges dans leur propre cause, et chacune d'elles aurait toujours le Droit de renoncer au

Contrat, sitôt qu'elle trouverait que l'autre en enfreint les conditions, ou qu'elles cesseraient de lui convenir. C'est sur ce principe qu'il semble que le Droit d'abdiquer peut être fondé. Or, à ne considérer, comme nous faisons, que l'institution humaine, si le Magistrat qui a tout le pouvoir en main, et qui s'approprie tous les avantages du Contrat, avait pourtant le droit de renoncer à l'autorité ; à plus forte raison le Peuple, qui paye toutes les fautes des Chefs, devrait avoir le Droit de renoncer à la Dépendance. Mais les dissensions affreuses, les désordres infinis qu'entraînerait nécessairement ce dangereux pouvoir, montrent plus que toute autre chose combien les Gouvernements humains avaient besoin d'une base plus solide que la seule raison, et combien il était nécessaire au repos public que la volonté divine intervînt pour donner à l'autorité Souveraine un caractère sacré et inviolable qui ôtât aux sujets le funeste Droit d'en disposer. Quand la Religion n'aurait fait que ce bien aux hommes, c'en serait assez pour qu'ils dussent tous la chérir et l'adopter, même avec ses abus, puisqu'elle épargne encore plus de sang que le fanatisme n'en fait couler : mais suivons le fil de notre hypothèse[167].

Les diverses formes des Gouvernements tirent leur origine des différences plus ou moins grandes qui se trouvèrent entre les particuliers au moment de l'Institution. Un homme était-il éminent en pouvoir, en vertu, en richesses ou en crédit ? il fut seul élu Magistrat, et l'État devint Monarchique ; si plusieurs à peu près égaux entre eux l'emportaient sur tous les autres, ils furent élus conjointement, et l'on eut une Aristocratie. Ceux dont la fortune ou les talents étaient moins disproportionnés, et qui s'étaient le moins éloignés de l'État de Nature, gardèrent en commun l'Administration suprême, et formèrent une Démocratie. Le temps vérifia laquelle de ces formes était la plus avantageuse aux hommes. Les uns restèrent uniquement soumis aux Lois, les autres obéirent bientôt à des Maîtres. Les Citoyens voulurent garder leur liberté, les sujets ne songèrent qu'à l'ôter à leurs voisins, ne pouvant souffrir que d'autres jouissent d'un bien dont ils ne jouissaient plus eux-mêmes. En un mot, d'un côté furent les richesses et les Conquêtes, et de l'autre le bonheur et la vertu [168].

Dans ces divers Gouvernements, toutes les magistratures furent d'abord Électives [169], et quand la Richesse ne l'emportait pas, la préférence était accordée au mérite qui donne un Ascendant Naturel, et à l'âge qui donne l'expérience dans les affaires et le sang-froid dans les délibérations. Les anciens des Hébreux, les Gérontes de Sparte, le Sénat de Rome, et l'Étymologie même de notre mot *Seigneur* montrent combien autrefois la vieillesse était respectée [170]. Plus les Élections tombaient sur des hommes avancés en âge, plus elles devenaient fréquentes, et plus leurs embarras se faisaient sentir ; les brigues s'introduisirent, les factions se formèrent, les partis s'aigrirent, les Guerres civiles s'allumèrent, enfin le sang des Citoyens fut sacrifié au prétendu bonheur de l'État, et l'on fut à la veille de retomber dans l'Anarchie des temps antérieurs. L'ambition des Principaux profita de ces circonstances pour perpétuer leurs charges dans leurs familles : le Peuple déjà accoutumé à la dépendance, au repos et aux commodités de la vie, et déjà hors d'état de briser ses fers, consentit à laisser augmenter sa servitude pour affermir sa tranquillité ; et c'est ainsi que les Chefs devenus héréditaires s'accoutumèrent à regarder leur Magistrature comme un bien de famille, à se regarder eux-mêmes comme les propriétaires de l'État dont ils n'étaient d'abord que les Officiers, à appeler leurs Concitoyens leurs Esclaves, à les compter comme du bétail au nombre des choses qui leur appartenaient et à s'appeler eux-mêmes égaux aux Dieux et Rois des Rois [171].

Si nous suivons le progrès de l'inégalité dans ces différentes révolutions, nous trouverons que l'établissement de la Loi et du Droit de propriété fut son premier terme ; l'institution de la Magistrature le second ; que le troisième et dernier fut le changement du pouvoir légitime en pouvoir arbitraire ; en sorte que l'état de riche et de pauvre fut autorisé par la première Epoque, celui de puissant et de faible par la seconde, et par la troisième celui de Maître et d'Esclave, qui est le dernier degré de l'inégalité, et le terme auquel aboutissent enfin tous les autres, jusqu'à ce que de nouvelles révolutions dissolvent tout à fait le Gouvernement, ou le rapprochent de l'institution légitime [172].

Pour comprendre la nécessité de ce progrès [173] il faut moins considérer les motifs de l'établissement du Corps Politique que la forme qu'il prend dans son exécution et les inconvénients qu'il entraîne après lui : car les vices qui rendent nécessaires les institutions sociales, sont les mêmes qui en rendent l'abus inévitable ; et comme, excepté la seule Sparte, où la Loi veillait principalement à l'éducation des Enfants, et où Lycurgue établit des mœurs qui le dispensaient presque d'y ajouter des Lois, les Lois en général moins fortes que les passions contiennent les hommes sans les changer ; il serait aisé de prouver que tout Gouvernement qui, sans se corrompre ni s'altérer, marcherait toujours exactement selon la fin de son institution, aurait été institué sans nécessité, et qu'un Pays où personne n'éluderait les Lois et n'abuserait de la Magistrature, n'aurait besoin ni de Magistrats ni de Lois [174].

Les distinctions Politiques amènent nécessairement les distinctions civiles [175]. L'inégalité, croissant entre le Peuple et ses Chefs, se fait bientôt sentir parmi les particuliers, et s'y modifie en mille manières selon les passions, les talents et les occurrences. Le Magistrat ne saurait usurper un pouvoir illégitime sans se faire des créatures auxquelles il est forcé d'en céder quelque partie. D'ailleurs, les Citoyens ne se laissent opprimer qu'autant qu'entraînés par une aveugle ambition et regardant plus au-dessous qu'au-dessus d'eux, la Domination leur devient plus chère que l'indépendance, et qu'ils consentent à porter des fers pour en pouvoir donner à leur tour. Il est très difficile de réduire à l'obéissance celui qui ne cherche point à commander, et le Politique le plus adroit ne viendrait pas à bout d'assujettir des hommes qui ne voudraient qu'être Libres ; mais l'inégalité s'étend sans peine parmi des âmes ambitieuses et lâches, toujours prêtes à courir les risques de la fortune, et à dominer ou servir presque indifféremment selon qu'elle leur devient favorable ou contraire [176]. C'est ainsi qu'il dut venir un temps où les yeux du Peuple furent fascinés à tel point, que ses conducteurs n'avaient qu'à dire au plus petit des hommes, sois Grand toi et toute ta race [177], aussitôt il paraissait grand à tout le monde ainsi qu'à ses propres yeux, et ses Descendants s'élevaient encore à mesure qu'ils s'éloignaient de lui ; plus la cause était reculée et incertaine, plus l'effet augmentait ; plus on pouvait compter de fainéants dans une famille, et plus elle devenait illustre.

Si c'était ici le lieu d'entrer en des détails, j'expliquerais facilement comment sans même que le Gouvernement s'en mêle[a] l'inégalité de crédit et d'autorité devient inévitable entre les Particuliers (*XIX) sitôt que réunis en une même Société, ils sont forcés de se comparer entre eux, et de tenir compte des différences qu'ils trouvent dans l'usage continuel qu'ils ont à faire les uns des autres[178]. Ces différences sont de plusieurs espèces ; mais en général la richesse, la noblesse ou le rang, la Puissance et le mérite personnel, étant les distinctions principales par lesquelles on se mesure dans la Société, je prouverais que l'accord ou le conflit de ces forces diverses est l'indication la plus sûre d'un État bien ou mal constitué[179] : Je ferais voir qu'entre ces quatre sortes d'inégalité, les qualités personnelles étant l'origine de toutes les autres, la richesse est la dernière à laquelle elles se réduisent à la fin, parce qu'étant la plus immédiatement utile au bien-être et la plus facile à communiquer, on s'en sert aisément pour acheter tout le reste. Observation qui peut faire juger assez exactement de la mesure dont chaque Peuple s'est éloigné de son institution primitive, et du chemin qu'il a fait vers le terme extrême de la corruption[180]. Je remarquerais combien ce désir universel de réputation, d'honneurs, et de préférences, qui nous dévore tous, exerce et compare les talents et les forces, combien il excite et multiplie les passions, et combien, rendant tous les hommes concurrents, rivaux ou plutôt ennemis, il cause tous les jours de revers, de succès et de catastrophes de toute espèce en faisant courir la même lice à tant de Prétendants : Je montrerais que c'est à cette ardeur de faire parler de soi, à cette fureur de se distinguer qui nous tient presque toujours hors de nous-mêmes, que nous devons ce qu'il y a de meilleur

a. « sans même que le Gouvernement s'en mêle » : ajout de 1782.

et de pire parmi les hommes, nos vertus et nos vices, nos sciences et nos erreurs, nos Conquérants et nos Philosophes, c'est-à-dire une multitude de mauvaises choses sur un petit nombre de bonnes [181]. Je prouverais enfin que si l'on voit une poignée de puissants et de riches au faîte des grandeurs et de la fortune, tandis que la foule rampe dans l'obscurité et dans la misère, c'est que les premiers n'estiment les choses dont ils jouissent qu'autant que les autres en sont privés, et que, sans changer d'état, ils cesseraient d'être heureux, si le Peuple cessait d'être misérable [182].

Mais ces détails seraient seuls la matière d'un ouvrage considérable dans lequel on pèserait les avantages et les inconvénients de tout Gouvernement, relativement aux Droits de l'État de Nature, et où l'on dévoilerait toutes les faces différentes sous lesquelles l'inégalité s'est montrée jusqu'à ce jour et pourra se montrer dans les siècles futurs [a] selon la Nature de ces Gouvernements et les révolutions que le temps y amènera nécessairement. On verrait la multitude opprimée au-dedans par une suite des précautions mêmes qu'elle avait prises contre ce qui la menaçait au-dehors [183]. On verrait l'oppression s'accroître continuellement sans que les opprimés pussent jamais savoir quel terme elle aurait, ni quels moyens légitimes il leur resterait pour l'arrêter. On verrait les Droits des Citoyens et les libertés Nationales s'éteindre peu à peu, et les réclamations des faibles traitées de murmures séditieux. On verrait la politique restreindre à une portion mercenaire du Peuple l'honneur de défendre la cause commune : On verrait de là sortir la nécessité des impôts, le Cultivateur découragé quitter son champ même durant la Paix

a. « futurs : ajout de 1782.

et laisser la charrue pour ceindre l'épée. On verrait naître les règles funestes et bizarres du point d'honneur [184] : On verrait les défenseurs de la Patrie en devenir tôt ou tard les Ennemis, tenir sans cesse le poignard levé sur leurs concitoyens, et il viendrait un temps où on les entendrait dire à l'oppresseur de leur pays [a] :

Pectore si fratris gladium juguloque parentis
Condere me jubeas, gravidæque in viscera partu
Conjugis, invita peragam tamen omnia dextra [185].

De l'extrême inégalité des Conditions et des fortunes, de la diversité des passions et des talents, des arts inutiles, des arts pernicieux, des Sciences frivoles sortiraient des foules de préjugés, également contraires à la raison, au bonheur et à la vertu ; on verrait fomenter par les Chefs tout ce qui peut affaiblir des hommes rassemblés en les désunissant ; tout ce qui peut donner à la Société un air de concorde apparente et y semer un germe de division réelle ; tout ce qui peut inspirer aux différents ordres une défiance et une haine mutuelle par l'opposition de leurs Droits et de leurs intérêts, et fortifier par conséquent le pouvoir qui les contient tous.

C'est du sein de ce désordre et de ces révolutions que le Despotisme, élevant par degrés sa tête hideuse et dévorant tout ce qu'il aurait aperçu de bon et de sain dans toutes les parties de l'État parviendrait enfin à fouler aux pieds les Lois et le Peuple, et à s'établir sur les ruines de la République. Les temps qui précéderaient ce dernier changement seraient des temps de troubles et de calamités [186] : mais à la fin tout serait englouti par le Monstre et les Peuples n'auraient plus

---

a. Correction de 1782. 1755 : « où l'on les entendrait ».

de Chefs ni de Lois, mais seulement des Tyrans. Dès cet instant aussi il cesserait d'être question de mœurs et de vertu ; car partout où règne le Despotisme, *cui ex honesto nulla est spes* [187], il ne souffre aucun autre maître ; sitôt qu'il parle, il n'y a ni probité ni devoir à consulter, et la plus aveugle obéissance est la seule vertu qui reste aux Esclaves.

C'est ici le dernier terme de l'inégalité, et le point extrême qui ferme le Cercle et touche au point d'où nous sommes partis. C'est ici que tous les particuliers redeviennent égaux parce qu'ils ne sont rien, et que les Sujets n'ayant plus d'autre Loi que la volonté du Maître, ni le Maître d'autre règle que ses passions, les notions du bien et les principes de la justice s'évanouissent derechef. C'est ici que tout se ramène à la seule Loi du plus fort, et par conséquent à un nouvel État de Nature différent de celui par lequel nous avons commencé, en ce que l'un était l'État de Nature dans sa pureté, et que ce dernier est le fruit d'un excès de corruption [188]. Il y a si peu de différence d'ailleurs entre ces deux états, et le Contrat de Gouvernement est tellement dissous par le Despotisme, que le Despote n'est le maître qu'aussi longtemps qu'il est le plus fort, et que sitôt qu'on peut l'expulser, il n'a point à réclamer contre la violence. L'émeute qui finit par étrangler ou détrôner un Sultan est un acte aussi juridique que ceux par lesquels il disposait la veille des vies et des biens de ses Sujets [189]. La seule force le maintenait, la seule force le renverse ; toutes choses se passent ainsi selon l'ordre Naturel, et quel que puisse être l'événement [190] de ces courtes et fréquentes révolutions, nul ne peut se plaindre de l'injustice d'autrui, mais seulement de sa propre imprudence, ou de son malheur.

En découvrant et suivant ainsi les routes oubliées et perdues qui de l'état Naturel ont dû mener l'homme à l'état Civil ; en rétablissant, avec les positions intermédiaires que je viens de marquer, celles que le temps qui me presse m'a fait supprimer, ou que l'imagination ne m'a point suggérées, tout lecteur attentif ne pourra qu'être frappé de l'espace immense qui sépare ces deux états. C'est dans cette lente succession des choses qu'il verra la solution d'une infinité de problèmes de morale et de politique que les Philosophes ne peuvent résoudre [191]. Il sentira que le Genre-humain d'un âge n'étant pas le Genre-humain d'un autre âge, la raison pourquoi Diogène ne trouvait point d'homme [192], c'est qu'il cherchait parmi ses contemporains l'homme d'un temps qui n'était plus : Caton, dira-t-il, périt avec Rome et la liberté, parce qu'il fut déplacé dans son siècle, et le plus grand des hommes ne fit qu'étonner le monde qu'il eût gouverné cinq cents ans plus tôt. En un mot, il expliquera comment l'âme et les passions humaines s'altérant insensiblement, changent pour ainsi dire de Nature ; pourquoi nos besoins et nos plaisirs changent d'objets à la longue ; pourquoi, l'homme originel s'évanouissant par degrés, la Société n'offre plus aux yeux du sage qu'un assemblage d'hommes artificiels et de passions factices qui sont l'ouvrage de toutes ces nouvelles relations, et n'ont aucun vrai fondement dans la Nature. Ce que la réflexion nous apprend là-dessus, l'observation le confirme parfaitement : L'homme Sauvage et l'homme policé diffèrent tellement par le fond du cœur et des inclinations, que ce qui fait le bonheur suprême de l'un, réduirait l'autre au désespoir. Le premier ne respire que le repos et la liberté, il ne veut que vivre et rester oisif, et l'ataraxie même du Stoïcien [193] n'approche pas de sa profonde indifférence pour tout autre objet. Au contraire, le Citoyen toujours actif, sue, s'agite, se tourmente sans cesse pour chercher des occupations encore plus laborieuses : il travaille jusqu'à la mort, il y court même pour se mettre en état de vivre, ou renonce à la vie pour acquérir l'immortalité, il fait sa cour aux grands qu'il hait et aux riches qu'il méprise ; il n'épargne rien pour obtenir l'honneur de les servir ; il se vante orgueilleusement de sa bassesse et de leur protection et, fier de son esclavage, il parle avec dédain de ceux qui n'ont pas l'honneur de le partager. Quel Spectacle pour un Caraïbe [194] que les travaux pénibles et enviés d'un Ministre Européen ! Combien de morts cruelles ne préférerait pas cet indolent Sauvage à l'horreur d'une pareille vie qui souvent n'est pas même adoucie par le plaisir de bien faire ? Mais pour voir le but de tant de soins, il faudrait que ces mots, *puissance* et *réputation*, eussent un sens dans son esprit, qu'il apprît qu'il y a une sorte d'hommes qui comptent pour quelque chose les regards du reste de l'univers, qui savent être heureux et contents d'eux-mêmes sur le témoignage d'autrui plutôt que sur le leur propre. Telle est, en effet, la véritable cause de toutes ces différences : le Sauvage vit en lui-même ; l'homme sociable toujours hors de lui ne fait vivre que dans l'opinion des autres, et c'est, pour ainsi dire, de leur seul jugement qu'il tire le sentiment de sa propre existence. Il n'est pas de mon sujet de montrer comment d'une telle disposition naît tant d'indifférence pour le bien et le mal, avec de si beaux discours de morale ; comment tout se réduisant aux apparences, tout devient factice et joué ; honneur, amitié, vertu, et souvent jusqu'aux vices mêmes, dont on trouve enfin le secret de se glorifier ; comment, en un mot, demandant toujours aux autres ce que nous sommes et n'osant jamais nous interroger là-dessus nous-mêmes, au milieu de tant de Philosophie, d'humanité, de politesse et de maximes sublimes, nous n'avons qu'un extérieur trompeur et frivole, de l'honneur sans vertu, de la raison sans sagesse, et du plaisir sans bonheur. Il me suffit d'avoir prouvé que ce n'est point là l'état originel de l'homme et que c'est le seul esprit de la Société et l'inégalité qu'elle engendre, qui changent et altèrent ainsi toutes nos inclinations naturelles.

J'ai tâché d'exposer l'origine et le progrès de l'inégalité, l'établissement et l'abus des Sociétés politiques, autant que ces choses peuvent se déduire de la Nature de l'homme par les seules lumières de la raison, et indépendamment des dogmes sacrés qui donnent à l'autorité Souveraine la Sanction du Droit Divin. Il suit de cet exposé que l'inégalité étant presque nulle dans l'État de Nature, tire sa force et son accroissement du développement de nos facultés et des progrès de l'Esprit humain, et devient enfin stable et légitime par l'établissement de la propriété et des Lois. Il suit encore que l'inégalité morale, autorisée par le seul droit positif, est contraire au Droit Naturel, toutes les fois qu'elle ne concourt pas en même proprotion avec l'inégalité Physique [195] ; distinction qui détermine suffisamment ce qu'on doit penser à cet égard de la sorte d'inégalité qui règne parmi tous les Peuples policés ; puisqu'il est manifestement contre la Loi de Nature, de quelque manière qu'on la définisse, qu'un enfant commande à un vieillard, qu'un imbécile conduise un homme sage et qu'une poignée de gens regorge de superfluités, tandis que la multitude affamée manque du nécessaire [196].

NOTES[197]

Dédicace

Note I. Hérodote raconte qu'après le meurtre du faux Smerdis[198], les sept libérateurs de la Perse s'étant assemblés pour délibérer sur la forme de Gouvernement qu'ils donneraient à l'État, Otanés opina fortement pour la république ; avis d'autant plus extraordinaire dans la bouche d'un Satrape[199], qu'outre la prétention qu'il pouvait avoir à l'empire, les grands craignent plus que la mort une sorte de Gouvernement qui les force à respecter les hommes. Otanés, comme on peut bien le croire, ne fut point écouté, et voyant qu'on allait procéder à l'élection d'un Monarque, lui qui ne voulait ni obéir ni commander, céda volontairement aux autres Concurrents son droit à la couronne, demandant pour tout dédommagement d'être libre et indépendant, lui et toute sa postérité, ce qui lui fut accordé. Quand Hérodote ne nous apprendrait pas la restriction qui fut mise à ce Privilège, il faudrait nécessairement la supposer[200] ; autrement Otanés, ne reconnaissant aucune sorte de Loi et n'ayant de compte à rendre à personne, aurait été tout puissant dans l'État et plus puissant que le Roi-même. Mais il n'y avait guère d'apparence qu'un homme capable de se contenter en pareil cas d'un tel privilège, fût capable d'en abuser En effet, on ne voit pas que ce droit ait jamais causé le moindre trouble dans le Royaume, ni par le sage Otanés, ni par aucun de ses descendants.

Discours

Note II. Dès mon premier pas, je m'appuie avec confiance sur une de ces autorités respectables pour les Philosophes, parce qu'elles viennent d'une raison solide et sublime qu'eux seuls savent trouver et sentir. « Quelque intérêt que nous ayons à nous connaître nous-mêmes, je ne sais si nous ne connaissons pas mieux tout ce qui n'est pas nous. Pourvus par la Nature d'organes uniquement destinés à notre conservation, nous ne les employons qu'à recevoir les impressions étrangères, nous ne cherchons qu'à nous répandre au dehors, et à exister hors de nous ; trop occupés à multiplier les fonctions de nos sens et à augmenter l'étendue extérieure de notre être, rarement faisons-nous usage de ce sens intérieur qui nous réduit à nos vraies dimensions, et qui sépare de nous tout ce qui n'en est pas. C'est cependant de ce sens qu'il faut nous servir, si nous voulons nous connaître ; c'est le seul par lequel nous puissions nous juger ; Mais comment donner à ce sens son activité et toute son étendue ? Comment dégager notre âme, dans laquelle il réside, de toutes les illusions de notre Esprit ? Nous avons perdu l'habitude de l'employer, elle est demeurée sans exercice au milieu du tumulte de nos sensations corporelles, elle s'est desséchée par le feu de nos passions. Le cœur, l'esprit, le sens, tout a travaillé contre elle ». *Hist. Nat.*, T. 4, page 151, *De la Nature de l'homme*[201].

Note III. Les changements qu'un long usage de marcher sur deux pieds a pu produire dans la conformation de l'homme, les rapports qu'on observe encore entre ses bras et les Jambes antérieures des Quadrupèdes, et l'induction tirée de leur manière de marcher ont pu faire naître des doutes sur celle qui devait nous être la plus naturelle[202]. Tous les enfants commencent par marcher à quatre pieds et ont besoin de notre exemple et de nos leçons pour apprendre à se tenir debout. Il y a même des Nations Sauvages, telles que les Hottentots qui, négligeant beaucoup les enfants, les laissent marcher sur les mains si longtemps qu'ils ont ensuite bien de la peine à les redresser ; autant en font les Enfants des Caraïbes des Antilles. Il y a divers exemples d'hommes Quadrupèdes, et je pourrais entre autres citer celui de cet enfant qui fut trouvé, en 1344, auprès de Hesse où il avait été nourri par des Loups, et qui disait depuis à la cour du prince Henri que s'il n'eût tenu qu'à lui, il eût mieux aimé retourner avec eux que de vivre parmi les hommes[203]. Il avait tellement pris l'habitude de marcher comme ces Animaux qu'il fallut lui attacher des Pièces de bois qui le forçaient à se tenir debout et en équilibre sur ses deux pieds. Il en était de même de l'enfant qu'on trouva en 1694 dans les forêts de Lituanie et qui vivait parmi les Ours. Il ne donnait, dit M. de Condillac, aucune marque de raison, marchait sur ses pieds et sur ses mains, n'avait aucun langage et formait des sons qui ne ressemblaient en rien à ceux d'un homme[204]. Le petit Sauvage d'Hanovre qu'on mena il y a plusieurs années à la Cour d'Angleterre, avait toutes les peines du monde à s'assujettir à marcher sur deux pieds[205] et l'on trouva en 1719 deux autres Sauvages dans les Pyrénées, qui couraient par les montagnes à la manière des Quadrupèdes. Quant à ce qu'on pourrait objecter que c'est se priver de l'usage des mains dont nous tirons tant d'avantages, outre que l'exemple des singes montre que la main peut fort bien être employée des deux manières, cela prouverait seulement que l'homme peut donner à ses membres une destination plus commode que celle de la Nature, et non que la Nature a destiné l'homme à marcher autrement qu'elle ne lui enseigne.

Mais il y a, ce me semble, de beaucoup meilleures raisons à dire pour soutenir que l'homme est un bipède. Premièrement quand on ferait voir qu'il a pu d'abord être conformé autrement que nous le voyons et cependant devenir enfin ce qu'il est, ce n'en serait pas assez pour conclure que cela se soit fait ainsi ; Car, après avoir montré la possibilité de ces changements, il faudrait encore, avant que de les admettre, en montrer au moins la vraisemblance. De plus, si les bras de l'homme paraissent avoir pu lui servir de Jambes au besoin, c'est la seule observation favorable à ce système, sur un grand nombre d'autres qui lui sont contraires. Les principales sont : que la manière dont la tête de l'homme est attachée à son corps, au lieu de diriger sa vue horizontalement, comme l'ont tous les autres animaux, et comme il l'a lui-même en marchant debout, lui eût tenu, marchant à quatre pieds, les yeux directement fichés vers la terre, situation très peu favorable à la conservation de l'individu ; que la queue qui lui manque et dont il n'a que faire marchant à deux pieds, est utile aux quadrupèdes, et qu'aucun d'eux n'en est privé ; que le sein de la femme, très bien situé pour un bipède qui tient son enfant dans ses bras, l'est si mal pour un quadrupède que nul ne l'a placé de cette manière. Que le train de derrière étant d'une excessive hauteur à proportion des jambes de devant, ce qui fait que marchant à quatre nous nous traînons sur les genoux, le tout eût fait un Animal mal proportionné et marchant peu commodément ; Que s'il eût posé le pied à plat ainsi que la main, il aurait eu dans la jambe postérieure une articulation de moins que les autres animaux, savoir celle qui joint le canon au tibia[206], et qu'en ne posant que la pointe du pied, comme il aurait sans doute été contraint de faire, le tarse, sans parler de la pluralité des os qui le composent, paraît trop gros pour tenir lieu de Canon, et ses articulations avec le Métatarse et le Tibia trop rapprochées pour donner à la jambe humaine dans cette situation la même flexibilité qu'ont celles des quadrupèdes. L'exemple des Enfants étant pris dans un âge où les forces naturelles ne sont point encore développées ni les membres raffermis, ne conclut rien du tout, et j'aimerais autant dire que les chiens ne sont pas destinés à marcher, parce qu'ils ne font que ramper quelques semaines après leur naissance. Les faits particuliers ont encore peu de force contre la pratique universelle de tous les hommes, même des nations qui, n'ayant eu aucune communication avec les autres, n'avaient pu rien imiter d'elles. Un Enfant abandonné dans une forêt avant que de pouvoir marcher, et nourri par quelque bête, aura suivi l'exemple de sa Nourrice en s'exerçant à marcher comme elle ; l'habitude lui aura pu donner des facilités qu'il ne tenait point de la Nature, et comme des Manchots parviennent à force d'exercice à faire avec leurs pieds tout ce que nous faisons de nos mains, il sera parvenu enfin à employer ses mains à l'usage des pieds.

Note IV. S'il se trouvait parmi mes Lecteurs quelque assez mauvais Physicien pour me faire des difficultés sur la supposition de cette fertilité naturelle de la terre [207], je vais lui répondre par le passage suivant.

« Comme les végétaux tirent pour leur nourriture beaucoup plus de substance de l'air et de l'eau qu'ils n'en tirent de la terre, il arrive qu'en pourrissant ils rendent à la terre plus qu'ils n'en ont tiré ; d'ailleurs une forêt détermine les eaux de la pluie en arrêtant les vapeurs. Ainsi dans un bois que l'on conserverait bien longtemps sans y toucher, la couche de terre qui sert à la végétation augmenterait considérablement ; mais les Animaux rendant moins à la terre qu'ils n'en tirent, et les hommes faisant des consommations énormes de bois et de plantes pour le feu et pour d'autres usages, il s'ensuit que la couche de terre végétale d'un pays habité doit toujours diminuer et devenir enfin comme le terrain de l'Arabie Pétrée [208], et comme celui de tant d'autres provinces de l'Orient, qui est en effet le Climat le plus anciennement habité, où l'on ne trouve que du Sel et des Sables ; Car le Sel fixe des Plantes et des animaux reste, tandis que toutes les autres parties se volatilisent. » M. de Buffon, *Hist. Nat* [209].

On peut ajouter à cela la preuve de fait par la quantité d'arbres et de plantes de toute espèce, dont étaient remplies presque toutes les Iles désertes qui ont été découvertes dans ces derniers siècles, et par ce que l'Histoire nous apprend des forêts immenses qu'il a fallu abattre par toute la terre à mesure qu'elle s'est peuplée ou policée. Sur quoi je ferai encore les trois remarques suivantes. L'une que s'il y a une sorte de végétaux qui puissent compenser la déperdition de matière végétale qui se fait par les animaux, selon le raisonnement de M. de Buffon, ce sont surtout les bois, dont les têtes et les feuilles rassemblent et s'approprient plus d'eaux et de vapeurs que ne font les autres plantes. La seconde, que la destruction du sol, c'est-à-dire la perte de la substance propre à la végétation, doit s'accélérer à proportion que la terre est plus cultivée, et que les habitants plus industrieux consomment en plus grande abondance ses productions de toute espèce. Ma troisième et plus importante remarque est que les fruits des Arbres fournissent à l'animal une nourriture plus abondante que ne peuvent faire les autres végétaux, expérience que j'ai faite moi-même, en comparant les produits de deux terrains égaux en grandeur et en qualité, l'un couvert de châtaigniers et l'autre semé de blé.

Note V. Parmi les Quadrupèdes, les deux distinctions [210] les plus universelles des espèces voraces [211] se tirent, l'une de la figure des Dents, et l'autre de la conformation des Intestins. Les Animaux qui ne vivent que de végétaux ont tous les dents plates, comme le Cheval, le Bœuf, le Mouton, le Lièvre ; Mais les voraces les ont pointues, comme le Chat, le Chien, le Loup, le Renard. Et quant aux Intestins, les Frugivores en ont quelques-uns, tels que le Côlon, qui ne se trouvent pas dans les Animaux voraces. Il semble donc que l'Homme, ayant les Dents et les Intestins comme les ont les Animaux Frugivores, devrait naturellement être rangé dans cette Classe, et non seulement les observations anatomiques confirment cette opinion : mais les monuments de l'Antiquité y sont encore très favorables. « Dicéarque », dit saint Jérôme, « rapporte dans ses Livres des Antiquités grecques que sous le règne de Saturne, où la Terre était encore fertile par elle-même, nul homme ne mangeait de Chair, mais que tous vivaient des Fruits et des Légumes qui croissaient naturellement » (Lib. 2, *Adv. Jovinian*)[212]. Cette opinion se peut encore appuyer sur les relations de plusieurs Voyageurs modernes : François Correal témoigne entr'autres que la plupart des habitants des Lucayes que les Espagnols transportèrent aux Iles de Cuba, de St. Domingue et ailleurs, moururent pour avoir mangé de la chair[a]. On peut voir par là que je néglige bien des avantages que je pourrais faire valoir. Car la proie étant presque l'unique sujet de combat entre les Animaux Carnassiers, et les Frugivores vivant entre eux dans une paix continuelle, si l'espèce humaine était de ce dernier genre, il est clair qu'elle aurait eu beaucoup plus de facilité à subsister dans l'État de Nature, beaucoup moins de besoin et d'occasions d'en sortir.

Note VI. Toutes les Connaissances qui demandent de la réflexion, toutes celles qui ne s'acquièrent que par l'enchaînement des idées et ne se perfectionnent que successivement, semblent être tout à fait hors de la portée de l'homme Sauvage, faute de communication avec ses semblables, c'est-à-dire faute de l'instrument qui sert à cette communication et des besoins qui la rendent nécessaire. Son savoir et son industrie se bornent à sauter, courir, se battre, lancer une pierre, escalader un arbre. Mais s'il ne fait que ces choses, en revanche il les fait beaucoup mieux que nous, qui n'en avons pas le même besoin que lui ; et comme elles dépendent uniquement de l'exercice du corps et ne sont susceptibles d'aucune communication ni d'aucun

a. Cette référence est un ajout de l'édition de 1782.

progrès d'un individu à l'autre, le premier homme a pu y être tout aussi habile que ses derniers descendants.

Les relations[213] des voyageurs sont pleines d'exemples de la force et de la vigueur des hommes chez les Nations Barbares et Sauvages ; elles ne vantent guère moins leur adresse et leur légèreté ; et comme il ne faut que des yeux pour observer ces choses, rien n'empêche qu'on n'ajoute foi à ce que certifient là-dessus des témoins oculaires, j'en tire au hasard quelques exemples des premiers livres qui me tombent sous la main[214].

« Les Hottentots », dit Kolben, « entendent mieux la pêche que les Européens du Cap. Leur habileté est égale au filet, à l'hameçon et au dard, dans les anses comme dans les rivières. Ils ne prennent pas moins habilement le poisson avec la main. Ils sont d'une adresse incomparable à la nage. Leur manière de nager a quelque chose de surprenant et qui leur est tout à fait propre. Ils nagent le corps droit et les mains étendues hors de l'eau, de sorte qu'ils paraissent marcher sur la terre. Dans la plus grande agitation de la mer et lorsque les flots forment autant de montagnes, ils dansent en quelque sorte sur le dos des vagues, montant et descendant comme un morceau de liège. »

« Les Hottentots, dit encore le même auteur, sont d'une adresse surprenante à la chasse, et la légèreté de leur course passe l'imagination. » Il s'étonne qu'ils ne fassent pas plus souvent un mauvais usage de leur agilité, ce qui leur arrive pourtant quelquefois, comme on peut juger par l'exemple qu'il en donne. « Un matelot Hollandais en débarquant au Cap chargea, dit-il, un Hottentot de le suivre à la ville avec un rouleau de tabac d'environ vingt livres. Lorsqu'ils furent tous deux à quelque distance de la Troupe, le Hottentot demanda au matelot s'il savait courir ? Courir ! répond le Hollandais, oui, fort bien. Voyons, reprit l'Africain, et fuyant avec le tabac il disparut presque aussitôt. Le Matelot confondu de cette merveilleuse vitesse ne pensa point à le poursuivre et ne revit jamais ni son tabac ni son porteur.

Ils ont la vue si prompte et la main si certaine que les Européens n'en approchent point. À cent pas, ils toucheront d'un coup de pierre une marque de la grandeur d'un demi-sol et ce qu'il y a de plus étonnant, c'est qu'au lieu de fixer comme nous les yeux sur le but, ils font des mouvements et des contorsions continuelles. Il semble que leur pierre soit portée par une main invisible. »

Le P. du Tertre dit à peu près sur les Sauvages des Antilles les mêmes choses qu'on vient de lire sur les Hottentots du Cap de Bonne-Espérance. Il vante surtout leur justesse à tirer avec leurs flèches les oiseaux au vol et les poissons à la nage, qu'ils prennent ensuite en plongeant. Les Sauvages de l'Amérique Septentrionale ne sont pas moins célèbres par leur force et leur adresse : et voici un exemple qui pourra faire juger de celles des Indiens de l'Amérique Méridionale.

En l'année 1746, un Indien de Buenos Aires ayant été condamné aux galères à Cadix, proposa au gouverneur de racheter sa liberté en exposant sa vie dans une fête publique. Il promit qu'il attaquerait seul le plus furieux Taureau sans autre arme en main qu'une corde, qu'il le terrasserait, qu'il le saisirait avec sa corde par telle partie qu'on indiquerait, qu'il le sellerait, le briderait, le monterait, et combattrait ainsi monté deux autres Taureaux des plus furieux qu'on ferait sortir du Torillo, et qu'il les mettrait tous à mort l'un après l'autre, dans l'instant qu'on le lui commanderait et sans le secours de personne ; ce qui lui fut accordé. L'Indien tint parole et réussit dans tout ce qu'il avait promis ; sur la manière dont il s'y prit et sur tout le détail du combat, on peut consulter le premier tome in-12 des *Observations sur l'Histoire naturelle* de M. Gautier, d'où ce fait est tiré, page 262[215].

Note VII. « La durée de la vie des Chevaux », dit M. de Buffon, « est comme dans toutes les autres espèces d'animaux proportionnée à la durée du temps de leur accroissement. L'homme, qui est quatorze ans à croître, peut vivre six ou sept fois autant de temps, c'est-à-dire, quatre-vingt-dix ou cent ans : le Cheval, dont l'accroissement se fait en quatre ans, peut vivre six ou sept fois autant, c'est-à-dire vingt-cinq ou trente ans. Les exemples qui pourraient être contraires à cette règle sont si rares qu'on ne doit pas même les regarder comme une exception dont on puisse tirer des conséquences ; et comme les gros chevaux prennent leur accroissement en moins de temps que les chevaux fins, ils vivent aussi moins de temps et sont vieux dès l'âge de quinze ans[216] ».

Note VIII. Je crois voir entre les animaux carnassiers et les frugivores une autre différence encore plus générale que celle que j'ai remarquée dans la note **V** puisque celle-ci s'étend jusqu'aux oiseaux. Cette différence consiste dans le nombre des petits, qui n'excède jamais deux à chaque portée, pour les espèces qui ne vivent que de Végétaux et qui va ordinairement au-delà de ce nombre pour les animaux voraces[217]. Il est aisé de connaître à cet égard la destination de la nature par le nombre des mamelles, qui n'est que de deux dans chaque femelle de la première espèce, comme la

Jument, la Vache, la Chèvre, la Biche, la Brebis, etc. et qui est toujours de six ou de huit dans les autres femelles, comme la Chienne, la Chatte, la Louve, la Tigresse, etc. La Poule, l'Oie, la Cane, qui sont toutes des Oiseaux voraces ainsi que l'Aigle, l'Épervier, la Chouette, pondent aussi et couvent un grand nombre d'œufs, ce qui n'arrive jamais à la Colombe, à la Tourterelle ni aux oiseaux, qui ne mangent absolument que du grain, lesquels ne pondent et ne couvent guère que deux œufs à la fois. La raison qu'on peut donner de cette différence est que les animaux qui ne vivent que d'herbes et de plantes, demeurant presque tout le jour à la pâture et étant forcés d'employer beaucoup de temps à se nourrir, ne pourraient suffire à allaiter plusieurs petits, au lieu que les voraces faisant leur repas presque en un instant peuvent plus aisément et plus souvent retourner à leurs petits et à leur chasse et réparer la dissipation d'une si grande quantité de Lait. Il y aurait à tout ceci bien des observations particulières et des réflexions à faire ; mais ce n'en est pas ici le lieu et il me suffit d'avoir montré dans cette partie le Système le plus général de la Nature, système qui fournit une nouvelle raison de tirer l'homme de la Classe des animaux carnassiers et de le ranger parmi les espèces frugivores.

Note IX. Un Auteur célèbre, calculant les biens et les maux de la vie humaine et comparant les deux sommes, a trouvé que la dernière surpassait l'autre de beaucoup et qu'à tout prendre la vie était pour l'homme un assez mauvais présent [218]. Je ne suis point surpris de sa conclusion ; il a tiré tous ses raisonnements de la constitution de l'homme Civil : s'il fût remonté jusqu'à l'homme Naturel, on peut juger qu'il eût trouvé des résultats très différents, qu'il eût aperçu que l'homme n'a guère de maux que ceux qu'il s'est donnés lui-même, et que la Nature eût été justifiée. Ce n'est pas sans peine que nous sommes parvenus à nous rendre si malheureux. Quand d'un côté l'on considère les immenses travaux des hommes, tant de Sciences approfondies, tant d'arts inventés ; tant de forces employées ; des abîmes comblés, des montagnes rasées, des rochers brisés, des fleuves rendus navigables, des terres défrichées, des lacs creusés, des marais desséchés, des bâtiments énormes élevés sur la terre, la mer couverte de Vaisseaux et de Matelots ; et que de l'autre on recherche avec un peu de méditation les vrais avantages qui ont résulté de tout cela pour le bonheur de l'espèce humaine, on ne peut qu'être frappé de l'étonnante disproportion qui règne entre ces choses, et déplorer l'aveuglement de l'homme qui, pour nourrir son fol orgueil et je ne sais quelle vaine admiration de lui-même, le fait courir avec ardeur après toutes les misères dont il est susceptible, et que la bienfaisante nature avait pris soin d'écarter de lui.

Les hommes sont méchants ; une triste et continuelle expérience dispense de la preuve ; cependant l'homme est naturellement bon, je crois l'avoir démontré ; qu'est-ce donc qui peut l'avoir dépravé à ce point sinon les changements survenus dans sa constitution, les progrès qu'il a faits, et les connaissances qu'il a acquises ? Qu'on admire tant qu'on voudra la Société humaine, il n'en sera pas moins vrai qu'elle porte nécessairement les hommes à s'entre-haïr à proportion que leurs intérêts se croisent, à se rendre mutuellement des services apparents et à se faire en effet tous les maux imaginables. Que peut-on penser d'un commerce où la raison de chaque particulier lui dicte des maximes directement contraires à celles que la raison publique prêche au corps de la Société et où chacun trouve son compte dans le malheur d'autrui ? Il n'y a peut-être pas un homme aisé à qui des héritiers avides et souvent ses propres enfants ne souhaitent la mort en secret ; pas un Vaisseau en Mer dont le naufrage ne fût une bonne nouvelle pour quelque Négociant ; pas une maison qu'un débiteur de mauvaise foi ne voulût voir brûler avec tous les papiers qu'elle contient ; pas un Peuple qui ne se réjouisse des désastres de ses voisins. C'est ainsi que nous trouvons notre avantage dans le préjudice de nos semblables, et que la perte de l'un fait presque toujours la prospérité de l'autre : mais ce qu'il y a de plus dangereux encore, c'est que les calamités publiques sont l'attente et l'espoir d'une multitude de particuliers. Les uns veulent des maladies, d'autres la mortalité, d'autres la guerre, d'autres la famine ; j'ai vu des hommes affreux pleurer de douleur aux apparences d'une année fertile, et le grand et funeste incendie de Londres qui coûta la vie ou les biens à tant de malheureux, fit peut-être la fortune à plus de dix mille personnes. Je sais que Montaigne blâme l'Athénien Démades d'avoir fait punir un Ouvrier qui vendant fort cher des cercueils gagnait beaucoup à la mort des Citoyens [219], mais la raison que Montaigne allègue étant qu'il faudrait punir tout le monde, il est évident qu'elle confirme les miennes. Qu'on pénètre donc au travers de nos frivoles démonstrations de bienveillance ce qui se passe au fond des cœurs, et qu'on réfléchisse à ce que doit être un état de choses où tous les hommes sont forcés de se caresser et de se détruire mutuellement, et où ils naissent ennemis par devoir et fourbes par intérêt. Si l'on me répond que la Société est tellement constituée que chaque homme gagne à servir les autres ; je répliquerai que cela serait fort bien s'il ne gagnait encore plus à leur nuire. Il n'y a point de profit si légitime qui ne soit surpassé par celui qu'on peut faire illégitimement, et le tort fait au prochain est toujours plus lucratif que les services. Il ne s'agit donc plus que de trouver les moyens de s'assurer l'impunité, et c'est à quoi les puissants emploient toutes leurs forces, et les faibles toutes leurs ruses.

L'homme Sauvage, quand il a dîné, est en paix avec toute la Nature, et l'ami de tous ses semblables. S'agit-il quelquefois de disputer son repas ? Il n'en vient jamais aux coups sans avoir auparavant comparé la difficulté de vaincre avec celle de trouver ailleurs sa subsistance ; et comme l'orgueil ne se mêle pas du combat, il se termine par quelques coups de poing ; Le vainqueur mange, le vaincu va chercher fortune, et tout est pacifié : mais chez l'homme en Société, ce sont bien d'autres affaires ; il s'agit premièrement de pourvoir au nécessaire, et puis au superflu ; ensuite viennent les délices, et puis les immenses richesses, et puis des sujets, et puis des esclaves ; il n'a pas un moment de relâche ; ce qu'il y a de plus singulier, c'est que moins les besoins sont naturels et pressants, plus les passions augmentent, et, qui pis est, le pouvoir de les satisfaire ; de sorte qu'après de longues prospérités, après avoir englouti bien des trésors et désolé bien des hommes, mon héros finira par tout égorger jusqu'à ce qu'il soit l'unique maître de l'Univers. Tel est en abrégé le tableau moral, sinon de la vie humaine, au moins des prétentions secrètes du cœur de tout homme Civilisé.

Comparez sans préjugés l'état de l'homme Civil avec celui de l'homme Sauvage, et recherchez, si vous le pouvez, combien, outre sa méchanceté, ses besoins et ses misères, le premier a ouvert de nouvelles portes à la douleur et à la mort. Si vous considérez les peines d'esprit qui nous consument, les passions violentes qui nous épuisent et nous désolent, les travaux excessifs dont les pauvres sont surchargés, la mollesse encore plus dangereuse à laquelle les riches s'abandonnent, et qui font mourir les uns de leurs besoins et les autres de leurs excès. Si vous songez aux monstrueux mélanges des aliments, à leurs pernicieux assaisonnements, aux denrées corrompues, aux drogues falsifiées, aux friponneries de ceux qui les vendent, aux erreurs de ceux qui les administrent, au poison des vaisseaux [220] dans lesquels on les prépare ; si vous faites attention aux maladies épidémiques engendrées par le mauvais air parmi des multitudes d'hommes rassemblés, à celles qu'occasionnent la délicatesse de notre manière de vivre, les passages alternatifs de l'intérieur de nos maisons au grand air, l'usage des habillements pris ou quittés avec trop peu de précaution, et tous les soins que notre sensualité excessive a tournés en habitudes nécessaires et dont la négligence ou la privation nous coûte ensuite la vie ou la santé ; Si vous mettez en ligne de compte les incendies et les tremblements de terre qui, consumant ou renversant des Villes entières, en font périr les habitants par milliers [221] ; en un mot, si vous réunissez les dangers que toutes ces causes assemblent continuellement sur nos têtes, vous sentirez combien la Nature nous fait payer cher le mépris que nous avons fait de ses leçons.

Je ne répéterai point ici sur la guerre ce que j'en ai dit ailleurs [222] ; mais je voudrais que les gens instruits voulussent ou osassent donner une fois au public le détail des horreurs qui se commettent dans les armées par les Entrepreneurs des vivres et des Hôpitaux, on verrait que leurs manœuvres non trop secrètes par lesquelles les plus brillantes armées se fondent en moins de rien, font plus périr de Soldats que n'en moissonne le fer ennemi ; C'est encore un calcul non moins étonnant que celui des hommes que la mer engloutit tous les ans, soit par la faim, soit par le scorbut, soit par les Pirates, soit par le feu, soit par les naufrages. Il est clair qu'il faut mettre aussi sur le compte de la propriété établie, et par conséquent de la Société, les assassinats, les empoisonnements, les vols de grands chemins, et les punitions mêmes de ces crimes, punitions nécessaires pour prévenir de plus grands maux, mais qui, pour le meurtre d'un homme coûtant la vie à deux ou davantage, ne laissent pas de doubler réellement la perte de l'espèce humaine. Combien de moyens honteux d'empêcher la naissance des hommes et de tromper la Nature ? Soit par ces goûts brutaux et dépravés qui insultent son plus charmant ouvrage, goûts que les Sauvages ni les animaux ne connurent jamais, et qui ne sont nés dans les pays policés que d'une imagination corrompue [223] ; soit par ces avortements secrets, dignes fruits de la débauche et de l'honneur vicieux ; soit par l'exposition [224] ou le meurtre d'une multitude d'enfants, victimes de la misère de leurs parents ou de la honte barbare de leurs Mères ; soit enfin par la mutilation de ces malheureux dont une partie de l'existence et toute la postérité sont sacrifiées à de vaines chansons, ou, ce qui est pis encore, à la brutale jalousie de quelques hommes : Mutilation qui dans ce dernier cas, outrage doublement la Nature, et par le traitement que reçoivent ceux qui la souffrent, et par l'usage auquel ils sont destinés [225].

Mais [a] n'est-il pas mille cas plus fréquents et plus dangereux encore, où les droits paternels offensent

---

a. Cet alinéa et le suivant (jusqu'à « inconvénients ») est un ajout de l'édition de 1782.

ouvertement l'humanité ? Combien d'hommes se seraient distingués dans un état sortable, qui meurent malheureux et déshonorés dans un autre état pour lequel ils n'avaient aucun goût ! Combien de mariages heureux mais inégaux ont été rompus ou troublés, et combien de chastes épouses déshonorées par cet ordre des conditions toujours en contradiction avec celui de la Nature ! Combien d'autres unions bizarres formées par l'intérêt et désavouées par l'amour et par la raison ! Combien même d'époux honnêtes et vertueux font-ils mutuellement leur supplice pour avoir été mal assortis ! Combien de jeunes et malheureuses victimes de l'avarice de leurs Parents, se plongent dans le vice ou passent leurs tristes jours dans les larmes, et gémissent dans des liens indissolubles que le cœur repousse et que l'or seul a formés ! Heureuses quelquefois celles que leur courage et leur vertu arrachent à la vie, avant qu'une violence barbare les force à la passer dans le crime ou dans le désespoir. Pardonnez-le moi, Père et Mère à jamais déplorables : j'aigris à regret vos douleurs ; mais puissent-elles servir d'exemples éternels et terribles à quiconque ose, au nom même de la nature, violer le plus sacré de ses droits.

Si je n'ai parlé que de ces nœuds mal formés qui sont l'ouvrage de notre police ; pense-t-on que ceux où l'amour et la sympathie ont présidé soient eux-mêmes exempts d'inconvénients ?

Que serait-ce si j'entreprenais de montrer l'espèce humaine attaquée dans sa source même, et jusque dans le plus saint de tous les liens, où l'on n'ose plus écouter la Nature qu'après avoir consulté la fortune et où, le désordre civil confondant les vertus et les vices, la continence devient une précaution criminelle, et le refus de donner la vie à son semblable, un acte d'humanité[226] ? Mais sans déchirer le voile qui couvre tant d'horreurs, contentons-nous d'indiquer le mal auquel d'autres doivent apporter le remède.

Qu'on ajoute à tout cela cette quantité de métiers malsains qui abrègent les jours ou détruisent le tempérament ; tels que sont les travaux des mines, les diverses préparations des métaux, des minéraux, surtout du Plomb, du Cuivre, du Mercure, du Cobalt, de l'Arsenic, du Réalgar[227] ; ces autres métiers périlleux qui coûtent tous les jours la vie à quantité d'ouvriers, les uns Couvreurs, d'autres Charpentiers, d'autres Maçons, d'autres travaillant aux carrières ; qu'on réunisse, dis-je, tous ces objets, et l'on pourra voir dans l'établissement et la perfection des Sociétés les raisons de la diminution de l'espèce, observée par plus d'un Philosophe[228].

Le luxe, impossible à prévenir chez des hommes avides de leurs propres commodités et de la considération des autres, achève bientôt le mal que les Sociétés ont commencé, et sous prétexte de faire vivre les pauvres qu'il n'eût pas fallu faire, il appauvrit tout le reste et dépeuple l'État tôt ou tard[229].

Le luxe est un remède beaucoup pire que le mal qu'il prétend guérir ; ou plutôt, il est lui-même le pire de tous les maux, dans quelque État grand ou petit que ce puisse être, et qui, pour nourrir des foules de Valets et de misérables qu'il a faits, accable et ruine le laboureur et le Citoyen : Semblable à ces vents brûlants du midi qui, couvrant l'herbe et la verdure d'insectes dévorants, ôtent la subsistance aux animaux utiles et portent la disette et la mort dans tous les lieux où ils se font sentir.

De la société et du luxe qu'elle engendre, naissent les Arts libéraux et mécaniques, le Commerce, les Lettres ;

et toutes ces inutilités, qui font fleurir l'industrie, enrichissent et perdent les États. La raison de ce dépérissement est très simple. Il est aisé de voir que par sa nature l'agriculture doit être le moins lucratif de tous les arts [230] ; parce que son produit étant de l'usage le plus indispensable pour tous les hommes, le prix en doit être proportionné aux facultés des plus pauvres. Du même principe on peut tirer cette règle, qu'en général les Arts sont lucratifs en raison inverse de leur utilité et que les plus nécessaires doivent enfin devenir les plus négligés. Par où l'on voit ce qu'il faut penser des vrais avantages de l'industrie et de l'effet réel qui résulte de ses progrès.

Telles sont les causes sensibles de toutes les misères où l'opulence précipite enfin les Nations les plus admirées. À mesure que l'industrie et les arts s'étendent et fleurissent, le cultivateur, méprisé, chargé d'impôts nécessaires à l'entretien du Luxe, et condamné à passer sa vie entre le travail et la faim, abandonne ses champs, pour aller chercher dans les Villes le pain qu'il y devrait porter. Plus les capitales frappent d'admiration les yeux stupides du Peuple ; plus il faudrait gémir de voir les Campagnes abandonnées, les terres en friche, et les grands chemins inondés de malheureux Citoyens devenus mendiants ou voleurs, et destinés à finir un jour leur misère sur la roue ou sur un fumier. C'est ainsi que l'État s'enrichissant d'un côté, s'affaiblit et se dépeuple de l'autre, et que les plus puissantes Monarchies, après bien des travaux pour se rendre opulentes et désertes, finissent par devenir la proie des Nations pauvres qui succombent à la funeste tentation de les envahir, et qui s'enrichissent et s'affaiblissent à leur tour, jusqu'à ce qu'elles soient elles-mêmes envahies et détruites par d'autres.

Qu'on daigne nous expliquer une fois ce qui avait pu produire ces nuées de Barbares qui durant tant de siècles ont inondé l'Europe, l'Asie et l'Afrique ? Était-ce à l'industrie de leurs Arts, à la Sagesse de leurs Lois, à l'excellence de leur police, qu'ils devaient cette prodigieuse population ? Que nos savants veuillent bien nous dire pourquoi, loin de multiplier à ce point, ces hommes féroces et brutaux, sans lumières, sans frein, sans éducation, ne s'entre-égorgeaient pas tous à chaque instant, pour se disputer leur pâture ou leur chasse ? Qu'ils nous expliquent comment ces misérables ont eu seulement la hardiesse de regarder en face de si habiles gens que nous étions, avec une si belle discipline militaire, de si beaux Codes, et de si sages Lois ? Enfin, pourquoi, depuis que la Société s'est perfectionnée dans les pays du Nord et qu'on y a tant pris de peine pour apprendre aux hommes leurs devoirs mutuels et l'art de vivre agréablement et paisiblement ensemble, on n'en voit plus rien sortir de semblable à ces multitudes d'hommes qu'il produisait autrefois ? J'ai bien peur que quelqu'un ne s'avise à la fin de me répondre que toutes ces grandes choses, savoir les Arts, les Sciences et les Lois, ont été très Sagement inventées par les hommes, comme une peste Salutaire pour prévenir l'excessive multiplication de l'espèce, de peur que ce monde, qui nous est destiné, ne devînt à la fin trop petit pour ses habitants.

Quoi donc ? Faut-il détruire les Sociétés, anéantir le tien et le mien, et retourner vivre dans les forêts avec les Ours [231] ? Conséquence à la manière de mes adversaires, que j'aime autant prévenir que de leur laisser la honte de la tirer. O vous, à qui la voix céleste ne s'est point fait entendre et qui ne reconnaissez pour votre espèce d'autre destination que d'achever en paix cette courte vie ; vous qui pouvez laisser au milieu des Villes vos funestes acquisitions, vos esprits inquiets, vos cœurs corrompus et vos désirs effrénés ; reprenez, puisqu'il dépend de vous, votre antique et première innocence ; allez dans les bois perdre la vue et la mémoire des crimes de vos contemporains, et ne craignez point d'avilir votre espèce, en renonçant à ses lumières pour renoncer à ses vices. Quant aux hommes semblables à moi dont les passions ont détruit pour toujours l'originelle simplicité, qui ne peuvent plus se nourrir d'herbe et de glands[a], ni se passer de Lois et de Chefs ; Ceux qui furent honorés dans leur premier Père de leçons surnaturelles ; ceux qui verront dans l'intention de donner d'abord aux actions humaines une moralité qu'elles n'eussent de longtemps acquise, la raison d'un précepte indifférent par lui-même et inexplicable dans tout autre système[232] : Ceux, en un mot, qui sont convaincus que la voix divine appela tout le Genre-humain aux lumières et au bonheur des célestes Intelligences ; tous ceux-là tâcheront, par l'exercice des vertus qu'ils s'obligent à pratiquer en apprenant à les connaître, à mériter le prix éternel qu'ils en doivent attendre ; ils respecteront les sacrés liens des Sociétés dont ils sont les membres ; ils aimeront leurs semblables et les serviront de tout leur pouvoir ; Ils obéiront scrupuleusement aux lois et aux hommes qui en sont les Auteurs et les Ministres ; Ils honoreront surtout les bons et sages Princes qui sauront prévenir, guérir ou pallier cette foule d'abus et de maux toujours prêts a nous accabler ; Ils animeront le zèle de ces dignes Chefs, en leur montrant sans crainte et sans flatterie la grandeur de leur tâche et la rigueur

a. Correction de l'édition de 1782. 1755 : « gland » au singulier.

de leur devoir : Mais ils n'en mépriseront pas moins une constitution qui ne peut se maintenir qu'à l'aide de tant de gens respectables qu'on désire plus souvent qu'on ne les obtient et de laquelle, malgré tous leurs soins, naissent toujours plus de calamités réelles que d'avantages apparents.

Note X. Parmi les hommes que nous connaissons [233], ou par nous-mêmes, ou par les Historiens, ou par les voyageurs ; les uns sont noirs, les autres blancs, les autres rouges ; les uns portent de longs cheveux, les autres n'ont que de la laine frisée ; les uns sont presque tout velus, les autres n'ont pas même de Barbe ; il y a eu et il y a peut-être encore des Nations d'hommes d'une taille gigantesque ; et laissant à part la fable des Pygmées qui peut bien n'être qu'une exagération, on sait que les Lapons et surtout les Groenlandais sont fort au-dessous de la taille moyenne de l'homme ; on prétend même qu'il y a des Peuples entiers qui ont des queues comme les quadrupèdes ; Et sans ajouter une foi aveugle aux relations d'Hérodote et de Ctésias [234], on en peut du moins tirer cette opinion très vraisemblable, que si l'on avait pu faire de bonnes observations dans ces temps anciens où les peuples divers suivaient des manières de vivre plus différentes entre elles qu'ils ne font aujourd'hui, on y aurait aussi remarqué dans la figure et l'habitude du corps des variétés beaucoup plus frappantes. Tous ces faits dont il est aisé de fournir des preuves incontestables, ne peuvent surprendre que ceux qui sont accoutumés à ne regarder que les objets qui les environnent, et qui ignorent les puissants effets de la diversité des Climats, de l'air, des aliments, de la manière de vivre, des habitudes en général, et surtout la force étonnante des mêmes causes, quand elles agissent continuellement sur de longues suites de générations. Aujourd'hui que le commerce, les Voyages, et les conquêtes réunissent davantage les Peuples divers, et que leurs manières de vivre se rapprochent sans cesse par la fréquente communication, on s'aperçoit que certaines différences nationales ont diminué, et par exemple, chacun peut remarquer que les Français d'aujourd'hui ne sont plus ces grands corps blancs et blonds décrits par les Historiens Latins, quoique le temps joint au mélange des Francs et des Normands, blancs et blonds eux-mêmes, eût dû rétablir ce que la fréquentation des Romains avait pu ôter à l'influence du climat, dans la constitution naturelle et le teint des habitants. Toutes ces observations sur les variétés que mille causes peuvent produire et ont produit en effet dans l'espèce humaine, me font douter si divers animaux semblables aux hommes, pris par les voyageurs pour des Bêtes sans beaucoup d'examen, ou à cause de quelques différences qu'ils remarquaient dans la conformation extérieure, ou seulement parce que ces Animaux ne parlaient pas, ne seraient point en effet de véritables hommes Sauvages, dont la race dispersée anciennement dans les bois n'avait eu occasion de développer aucune de ses facultés virtuelles, n'avait acquis aucun degré de perfection, et se trouvait encore dans l'état primitif de nature [235]. Donnons un exemple de ce que je veux dire.

« On trouve », dit le traducteur de l'*Histoire des voyages* [236], « dans le royaume de Congo quantité de ces grands Animaux qu'on nomme *Orangs Outang* aux Indes Orientales, qui tiennent comme le milieu entre l'état primitif et les Babouins. Battel [237] raconte que dans les forêts de Mayomba, au royaume de Loango [238], on voit deux sortes de Monstres dont les plus grands se nomment *Pongos* et les autres *Enjokos.* Les premiers ont une ressemblance exacte avec l'homme mais ils sont beaucoup plus gros, et de fort haute taille. Avec un visage humain, ils ont les yeux fort enfoncés. Leurs mains, leurs joues, leurs oreilles sont sans poil, à l'exception des sourcils qu'ils ont fort longs. Quoiqu'ils aient le reste du corps assez velu, le poil n'en est pas fort épais, et sa couleur est brune. Enfin, la seule partie qui les distingue des hommes est la jambe qu'ils ont sans mollet. Ils marchent droits en se tenant de la main le poil du Cou ; leur retraite est dans les bois ; Ils dorment sur les Arbres, et s'y font une espèce de toit qui les met à couvert de la pluie. Leurs aliments sont des fruits ou des noix Sauvages. Jamais ils ne mangent de chair. L'usage des Nègres qui traversent les forêts, est d'y allumer des feux pendant la nuit. Ils remarquent que le matin à leur départ les Pongos prennent leur place autour du feu, et ne se retirent pas qu'il ne soit éteint : car avec beaucoup d'adresse, ils n'ont point assez de sens pour l'entretenir en y apportant du bois.

Ils marchent quelquefois en troupes et tuent les Nègres qui traversent les forêts. Ils tombent même sur les éléphants qui viennent paître dans les lieux qu'ils habitent, et les incommodent si fort à coups de poing ou de bâton qu'ils les forcent à prendre la fuite en poussant des cris. On ne prend jamais de Pongos en vie ; parce qu'ils sont si robustes que dix hommes ne suffiraient pas pour les arrêter : Mais les Nègres en prennent quantité de Jeunes après avoir tué la mère, au corps de laquelle le petit s'attache fortement : lorsqu'un de ces Animaux meurt, les autres couvrent son corps d'un amas de branches ou de feuillages. Purchass ajoute que dans les conversations qu'il avait eues avec Battel, il avait appris de lui-même qu'un pongo lui enleva un petit Nègre qui passa un mois entier dans la société de ces animaux, car ils ne font aucun mal aux hommes qu'ils surprennent, du moins lorsque ceux-ci ne les regardent point, comme le petit Nègre l'avait observé. Battel n'a point décrit la seconde espèce de monstre.

Dapper[239] confirme que le royaume de Congo est plein de ces animaux qui portent aux Indes le nom d'Orang-Outang, c'est-à-dire, habitants des bois, et que les Africains nomment Quojas-Morros. Cette Bête, dit-il, est si semblable à l'homme qu'il est tombé dans l'esprit à quelques voyageurs qu'elle pouvait être sortie d'une femme et d'un singe : chimère que les Nègres mêmes rejettent. Un de ces animaux fut transporté de Congo en Hollande et présenté au prince d'Orange Frédéric-Henri. Il était de la hauteur d'un enfant de trois ans et d'un embonpoint médiocre, mais carré et bien proportionné, fort agile et fort vif ; les jambes charnues et robustes, tout le devant du corps nu, mais le derrière couvert de poils noirs. À la première vue, son visage ressemblait a celui d'un homme, mais il avait le nez plat et recourbé ; ses oreilles étaient aussi celles de l'Espèce humaine ; son sein, car c'était une femelle, était potelé, son nombril enfoncé, ses épaules fort bien jointes, ses mains divisées en doigts et en pouces, ses mollets et ses talons gras et charnus. Il marchait souvent droit sur ses jambes, il était capable de lever et porter des fardeaux assez lourds. Lorsqu'il voulait boire, il prenait d'une main le couvercle du pot, et tenait le fond, de l'autre. Ensuite il s'essuyait gracieusement les lèvres. Il se couchait pour dormir, la tête sur un Coussin, se couvrant avec tant d'adresse qu'on l'aurait pris pour un homme au lit. Les Nègres font d'étranges récits de cet animal. Ils assurent non seulement qu'il force les femmes et les filles, mais qu'il ose attaquer des hommes armés ; En un mot il y a beaucoup d'apparence que c'est le satyre des Anciens[240]. Merolla[241] ne parle peut-être que de ces animaux lorsqu'il raconte que les Nègres prennent quelquefois dans leurs chasses des hommes et des femmes sauvages. »

Il est encore parlé de ces espèces d'animaux anthropoformes dans le troisième tome de la même Histoire des Voyages sous le nom de Beggos et de Mandrills ; mais pour nous en tenir aux relations précédentes on trouve dans la description de ces prétendus monstres des conformités frappantes avec l'espèce humaine et des différences moindres que celles qu'on pourrait assigner d'homme à homme. On ne voit point dans ces passages les raisons sur lesquelles les Auteurs se fondent pour refuser aux Animaux en question le nom d'hommes Sauvages, mais il est aisé de conjecturer que c'est à cause de leur stupidité, et aussi parce qu'ils ne parlaient pas ; raisons faibles pour ceux qui savent que quoique l'organe de la parole soit naturel à l'homme, la parole elle-même ne lui est pourtant pas naturelle, et qui connaissent jusqu'à quel point sa perfectibilité peut avoir élevé l'homme Civil au-dessus de son état originel[242]. Le petit nombre de lignes que contiennent ces descriptions nous peut faire juger combien ces Animaux ont été mal observés et avec quels préjugés ils ont été vus. Par exemple, ils sont qualifiés de monstres, et cependant on convient qu'ils engendrent[243]. Dans un endroit Battel dit que les Pongos tuent les Nègres qui traversent les forêts, dans un autre Purchass ajoute qu'ils ne leur font aucun mal, même quand ils les surprennent ; du moins lorsque les Nègres ne s'attachent pas à les regarder. Les Pongos s'assemblent autour des feux allumés par les Nègres, quand ceux-ci se retirent, et se retirent à leur tour quand le feu est éteint ; voilà le fait ; voici maintenant le commentaire de l'observateur ; *Car avec beaucoup d'adresse, ils n'ont pas assez de sens pour l'entretenir en y apportant du bois.* Je voudrais deviner comment Battel ou Purchass son compilateur a pu savoir que la retraite des Pongos était un effet de leur bêtise plutôt que de leur volonté. Dans un climat tel que Loango, le feu n'est pas une chose fort nécessaire aux Animaux, et si les Nègres en allument, c'est moins contre le froid que pour effrayer les bêtes féroces ; il est donc très simple qu'après avoir été quelque temps réjouis par la flamme ou s'être bien réchauffés, les Pongos s'ennuient de rester toujours à la même place et s'en aillent à leur pâture, qui demande plus de temps que s'ils mangeaient de la chair. D'ailleurs, on sait que la plupart des Animaux, sans en excepter l'homme, sont naturellement paresseux, et qu'ils se refusent à toutes sortes de soins qui ne sont pas d'une absolue nécessité. Enfin il paraît fort étrange que les Pongos dont on vante l'adresse et la force, les Pongos qui savent enterrer leurs morts et se faire des toits de branchages, ne sachent pas pousser des tisons dans le feu. Je me souviens d'avoir vu un singe faire cette même manœuvre qu'on ne veut pas que les Pongos puissent faire ; il est vrai que mes idées n'étant pas alors tournées de ce côté, je fis moi-même la faute que je reproche à nos voyageurs, et je négligeai d'examiner si l'intention du singe était en effet d'entretenir le feu, ou simplement, comme je crois, d'imiter l'action d'un homme. Quoi qu'il en soit, il est bien démontré que le Singe n'est pas une variété de l'homme ; non seulement parce qu'il est privé de la faculté de parler, mais surtout parce qu'on est sûr que son espèce n'a point celle de se perfectionner qui est le caractère spécifique de l'espèce humaine. Expériences qui ne paraissent pas avoir été faites sur le Pongo et l'Orang-Outang avec assez de soin pour en pouvoir tirer la même conclusion. Il y aurait pourtant un moyen par lequel, si l'Orang-Outang ou d'autres étaient de l'espèce humaine, les observateurs les plus grossiers pourraient s'en assurer même avec démonstration ; mais outre qu'une seule génération ne suffirait pas pour cette expérience, elle doit passer pour impraticable, parce qu'il faudrait que ce qui n'est qu'une supposition fût démontré vrai, avant que l'épreuve qui devrait constater le fait pût être tentée innocemment [244].

Les Jugements précipités, et qui ne sont point le fruit d'une raison éclairée, sont sujets à donner dans l'excès. Nos voyageurs font sans façon des bêtes sous les noms de *Pongos*, de *Mandrills*, d'*Orang-Outang*, de ces mêmes êtres dont sous le nom de *Satyres*, de *Faunes*, de *Sylvains*, les Anciens faisaient des Divinités. Peut-être après des recherches plus exactes trouvera-t-on que ce ne sont ni des bêtes ni des dieux, mais des hommes [a]. En attendant, il me paraît qu'il y a bien autant de raison de s'en rapporter là-dessus à Merolla, religieux lettré, témoin oculaire, et qui avec toute sa naïveté ne laissait pas d'être homme d'esprit, qu'au marchand Battel, à Dapper, à Purchass, et aux autres compilateurs.

Quel jugement pense-t-on qu'eussent porté de pareils Observateurs sur l'enfant trouvé en 1694 dont j'ai déjà parlé ci-devant [245], qui ne donnait aucune marque de raison, marchait sur ses pieds et sur ses mains, n'avait aucun langage et formait des sons qui

---

a. Correction de 1782. 1755 : « que ce sont des hommes ».

ne ressemblaient en rien à ceux d'un homme ? Il fut longtemps, continue le même philosophe qui me fournit ce fait, avant de pouvoir proférer quelques paroles, encore le fit-il d'une manière barbare. Aussitôt qu'il put parler, on l'interrogea sur son premier état, mais il ne s'en souvint non plus que nous nous souvenons de ce qui nous est arrivé au Berceau. Si malheureusement pour lui, ou peut-être heureusement [a], cet enfant fût tombé dans les mains de nos voyageurs, on ne peut douter qu'après avoir remarqué son silence et sa stupidité, ils n'eussent pris le parti de le renvoyer dans les bois ou de l'enfermer dans une Ménagerie ; après quoi ils en auraient savamment parlé dans de belles relations, comme d'une Bête fort curieuse qui ressemblait assez à l'homme.

Depuis trois ou quatre cents ans que les habitants de l'Europe inondent les autres parties du monde et publient sans cesse de nouveaux recueils de voyages et de relations, je suis persuadé que nous ne connaissons d'hommes que les seuls Européens ; encore paraît-il aux préjugés ridicules qui ne sont pas éteints, même parmi les Gens de Lettres, que chacun ne fait guère sous le nom pompeux d'étude de l'homme que celle des hommes de son pays. Les particuliers ont beau aller et venir, il semble que la Philosophie ne voyage point [246], aussi celle de chaque Peuple est-elle peu propre pour un autre. La cause de ceci est manifeste, au moins pour les contrées éloignées : Il n'y a guère que quatre sortes d'hommes qui fassent des voyages de long cours ; les Marins, les Marchands, les Soldats et les Missionnaires. Or, on ne doit guère s'attendre que les trois premières Classes fournissent de bons observa-

a. Incise ajoutée sur l'exemplaire Davenport.

teurs et quant à ceux de la quatrième, occupés de la vocation sublime qui les appelle, quand ils ne seraient pas sujets à des préjugés d'état comme tous les autres, on doit croire qu'ils ne se livreraient pas volontiers à des recherches qui paraissent de pure curiosité et qui les détourneraient des travaux plus importants auxquels ils se destinent. D'ailleurs, pour prêcher utilement l'Évangile, il ne faut que du zèle et Dieu donne le reste ; mais pour étudier les hommes il faut des talents que Dieu ne s'engage à donner à personne, et qui ne sont pas toujours le partage des Saints. On n'ouvre pas un livre de voyages où l'on ne trouve des descriptions de caractères et de mœurs ; mais on est tout étonné d'y voir que ces gens qui ont tant décrit de choses, n'ont dit que ce que chacun savait déjà, n'ont su apercevoir à l'autre bout du monde que ce qu'il n'eût tenu qu'à eux de remarquer sans sortir de leur rue, et que ces traits vrais qui distinguent les Nations, et qui frappent les yeux faits pour voir, ont presque toujours échappé aux leurs. De là est venu ce bel adage de morale, si rebattu par la tourbe Philosophesque [247], que les hommes sont partout les mêmes, qu'ayant partout les mêmes passions et les mêmes vices, il est assez inutile de chercher à caractériser les différents Peuples ; ce qui est à peu près aussi bien raisonné que si l'on disait qu'on ne saurait distinguer Pierre d'avec Jacques, parce qu'ils ont tous deux un nez, une bouche et des yeux.

Ne verra-t-on jamais renaître ces temps heureux où les Peuples ne se mêlaient point de Philosopher, mais où les Platon, les Thalès et les Pythagore épris d'un ardent désir de savoir, entreprenaient les plus grands voyages uniquement pour s'instruire, et allaient au loin secouer le joug des préjugés Nationaux, apprendre à connaître les hommes par leurs conformités et par leurs différences et acquérir ces connaissances universelles qui ne sont point celles d'un Siècle ou d'un pays exclusivement mais qui, étant de tous les temps et de tous les lieux, sont pour ainsi dire la science commune des sages ?

On admire la magnificence de quelques curieux qui ont fait ou fait faire à grands frais des voyages en Orient avec des Savants et des Peintres, pour y dessiner des masures et déchiffrer ou copier des Inscriptions : mais j'ai peine à concevoir comment dans un Siècle où l'on se pique de belles connaissances il ne se trouve pas deux hommes bien unis, riches, l'un en argent, l'autre en génie, tous deux aimant la gloire et aspirant à l'immortalité, dont l'un sacrifie vingt mille écus de son bien et l'autre dix ans de sa vie à un célèbre voyage autour du monde, pour y étudier, non toujours des pierres et des plantes, mais une fois les hommes et les mœurs, et qui, après tant de siècles employés à mesurer et considérer la maison, s'avisent enfin d'en vouloir connaître les habitants.

Les Académiciens qui ont parcouru les parties Septentrionales de l'Europe et Méridionales de l'Amérique avaient plus pour objet de les visiter en Géomètres qu'en Philosophes. Cependant, comme ils étaient à la fois l'un et l'autre, on ne peut pas regarder comme tout à fait inconnues les régions qui ont été vues et décrites par les La Condamine [248] et les Maupertuis [249]. Le Joaillier Chardin [250], qui a voyagé comme Platon, n'a rien laissé à dire sur la Perse ; la Chine paraît avoir été bien observée par les Jésuites. Kempfer [251] donne une idée passable du peu qu'il a vu dans le Japon. À ces relations près, nous ne connaissons point les peuples des Indes Orientales, fréquentées uniquement par des

Européens plus curieux de remplir leurs bourses que leurs têtes. L'Afrique entière et ses nombreux habitants, aussi singuliers par leur caractère que par leur couleur, sont encore à examiner ; toute la terre est couverte de nations dont nous ne connaissons que les noms, et nous nous mêlons de juger le Genre-humain ! Supposons un Montesquieu, un Buffon, un Diderot, un Duclos, un d'Alembert, un Condillac, ou des hommes de cette trempe, voyageant pour instruire leurs compatriotes, observant et décrivant comme ils savent faire, la Turquie, l'Égypte, la Barbarie, l'Empire de Maroc, la Guinée, le pays des Cafres, l'intérieur de l'Afrique et ses côtes Orientales, les Malabares, le Mogol, les rives du Gange, les royaumes de Siam, de Pegu et d'Ava, la Chine, la Tartarie, et surtout le Japon ; puis dans l'autre hémisphère le Mexique, le Pérou, le Chili, les Terres Magellaniques, sans oublier les Patagons vrais ou faux, le Tucuman, le Paraguay s'il était possible, le Brésil, enfin les Caraïbes, la Floride et toutes les contrées Sauvages [252], voyage le plus important de tous et celui qu'il faudrait faire avec le plus de soin ; supposons que ces nouveaux Hercules, de retour de ces courses mémorables, fissent ensuite à loisir l'Histoire naturelle Morale et Politique [253] de ce qu'ils auraient vu, nous verrions nous-mêmes sortir un monde nouveau de dessous leur plume, et nous apprendrions ainsi à connaître le nôtre : Je dis que quand de pareils Observateurs affirmeront d'un tel animal que c'est un homme, et d'un autre que c'est une bête, il faudra les en croire ; mais ce serait une grande simplicité de s'en rapporter là-dessus à des voyageurs grossiers, sur lesquels on serait quelquefois tenté de faire la même question qu'ils se mêlent de résoudre sur d'autres animaux.

Note XI. Cela me paraît de la dernière évidence, et je ne saurais concevoir d'où nos philosophes peuvent faire naître toutes les passions qu'ils prêtent à l'homme Naturel. Excepté le seul nécessaire Physique, que la Nature même demande, tous nos autres besoins ne sont tels que par l'habitude avant laquelle ils n'étaient point des besoins, ou par nos désirs, et l'on ne désire point ce qu'on n'est pas en état de connaître. D'où il suit que l'homme Sauvage ne désirant que les choses qu'il connaît et ne connaissant que celles dont la possession est en son pouvoir ou facile à acquérir, rien ne doit être si tranquille que son âme et rien si borné que son esprit.

Note XII. Je trouve dans le *Gouvernement Civil* de Locke[254] une objection qui me parait trop spécieuse pour qu'il me soit permis de la dissimuler. « La fin de la société entre le Mâle et la Femelle », dit ce philosophe, « n'étant pas simplement de procréer, mais de continuer l'espèce ; cette société doit durer, même après la procréation, du moins aussi longtemps qu'il est nécessaire pour la nourriture et la conservation des procréés, c'est-à-dire jusqu'à ce qu'ils soient capables de pourvoir eux-mêmes à leurs besoins. Cette règle que la sagesse infinie du Créateur a établie sur les œuvres de ses mains, nous voyons que les créatures inférieures à l'homme l'observent constamment et avec exactitude. Dans ces animaux qui vivent d'herbe, la Société entre le mâle et la femelle ne dure pas plus longtemps que chaque acte de copulation, parce que les mamelles de la Mère étant suffisantes pour nourrir les petits jusqu'à ce qu'ils soient capables de paître l'herbe, le mâle se contente d'engendrer et il ne se mêle plus après cela de la femelle ni des petits, à la subsistance desquels il ne peut rien contribuer. Mais au regard des bêtes de proie, la Société dure plus longtemps, à cause que la Mère ne pouvant pas bien pourvoir à sa subsistance propre et nourrir en même temps ses petits par sa seule proie, qui est une voie de se nourrir et plus laborieuse et plus dangereuse que n'est celle de se nourrir d'herbe, l'assistance du mâle est tout à fait nécessaire pour le maintien de leur commune famille, si l'on peut user de ce terme ; laquelle jusqu'à ce qu'elle puisse aller chercher quelque proie ne saurait subsister que par les soins du Mâle et de la Femelle. On remarque le même dans tous les oiseaux, si l'on excepte quelques oiseaux Domestiques qui se trouvent dans des lieux où la continuelle abondance de nourriture exempte le mâle du soin de nourrir les petits ; on voit que pendant que les petits dans leur nid ont besoin d'aliments, le mâle et la femelle y en portent, jusqu'à ce que ces petits-là puissent voler et pourvoir à leur subsistance.

Et en cela, à mon avis, consiste la principale, si ce n'est la seule raison pourquoi le mâle et la femelle dans le Genre-humain sont obligés à une Société plus longue que n'entretiennent les autres créatures. Cette raison est que la femme est capable de concevoir et est pour l'ordinaire derechef grosse et fait un nouvel enfant, longtemps avant que le précédent soit hors d'état de se passer du secours de ses parents et puisse lui-même pourvoir à ses besoins. Ainsi un Père étant obligé de prendre soin de ceux qu'il a engendrés, et de prendre ce soin-là pendant longtemps, il est aussi dans l'obligation de continuer à vivre dans la société conjugale avec la même femme de qui il les a eus, et de demeurer dans cette Société beaucoup plus longtemps que les autres créatures, dont les petits pouvant subsister d'eux-mêmes, avant que le temps d'une nouvelle procréation vienne, le lien du mâle et de la femelle se rompt de lui-même et l'un et l'autre se trouvent dans une pleine liberté, jusqu'à ce que cette saison qui a coutume de solliciter les animaux à se joindre ensemble les oblige à se choisir de nouvelles compagnes. Et ici l'on ne saurait admirer assez la sagesse du créateur, qui ayant donné à l'homme des qualités propres pour pourvoir à l'avenir aussi bien qu'au présent, a voulu et a fait en sorte que la Société de l'homme durât beaucoup plus longtemps que celle du mâle et de la femelle parmi les autres créatures ; afin que par là l'industrie de l'homme et de la femme fût plus excitée, et que leurs intérêts fussent mieux unis, dans la vue de faire des provisions pour leurs enfants et de leur laisser du bien : rien ne pouvant être plus préjudiciable à des Enfants qu'une conjonction incertaine et vague ou une dissolution facile et fréquente de la société conjugale. »

Le même amour de la vérité qui m'a fait exposer sincèrement cette objection m'excite à l'accompagner de quelques remarques, sinon pour la résoudre, au moins pour l'éclaircir.

1. J'observerai d'abord que les preuves morales n'ont pas une grande force en matière de Physique et qu'elles servent plutôt à rendre raison des faits existants qu'à constater l'existence réelle de ces faits. Or tel est le genre de preuve que M. Locke emploie dans le passage que je viens de rapporter ; car quoiqu'il puisse être avantageux à l'éspèce humaine que l'union de l'homme et de la femme soit permanente ; il ne s'ensuit pas que cela ait été ainsi établi par la Nature, autrement il faudrait dire qu'elle a aussi institué la Société Civile, les Arts, le Commerce et tout ce qu'on prétend être utile aux hommes[255].

2. J'ignore où M. Locke a trouvé qu'entre les animaux de proie la Société du Mâle et de la Femelle dure plus longtemps que parmi ceux qui vivent d'herbe et que l'un aide à l'autre à nourrir les petits. Car on ne voit pas que le Chien, le Chat, l'Ours, ni le Loup reconnaissent leur femelle mieux que le Cheval, le Bélier, le Taureau, le Cerf ni tous les autres Quadrupèdes ne reconnaissent la leur. Il semble au contraire que, si le secours du mâle était nécessaire à la femelle pour conserver ses petits, ce serait surtout dans les espèces qui ne vivent que d'herbe, parce qu'il faut fort longtemps à la Mère pour paître, et que durant tout cet intervalle elle est forcée de négliger sa portée, au lieu que la proie d'une Ourse ou d'une Louve est dévorée en un instant et qu'elle a, sans souffrir la faim, plus de temps pour allaiter ses petits. Ce raisonnement est confirmé par une observation sur le nombre relatif de mamelles et de petits qui distingue les espèces carnassières des frugivores et dont j'ai parlé dans la note **VIII**. Si cette observation est juste et générale, la femme n'ayant que deux mamelles et ne faisant guère qu'un enfant à la fois, voilà une forte raison de plus pour douter que l'espèce humaine soit naturellement carnassière, de sorte qu'il semble que pour tirer la conclusion de Locke, il faudrait retourner tout à fait son raisonnement. Il n'y a pas plus de solidité dans la même distinction appliquée aux oiseaux. Car qui pourra se persuader que l'union du Mâle et de la Femelle soit plus durable parmi les Vautours et les Corbeaux que parmi les Tourterelles ? Nous avons deux espèces d'oiseaux domestiques, la Cane et le Pigeon, qui nous fournissent des exemples directement contraires au Système de cet auteur. Le Pigeon, qui ne vit que de grain, reste uni à sa femelle et ils nourrissent leurs

petits en commun. Le Canard, dont la voracité est connue, ne reconnaît ni sa femelle ni ses petits et n'aide en rien à leur subsistance, et parmi les Poules, espèce qui n'est guère moins carnassière, on ne voit pas que le Coq se mette aucunement en peine de la couvée. Que si dans d'autres espèces le Mâle partage avec la Femelle le soin de nourrir les petits, c'est que les oiseaux qui d'abord ne peuvent voler et que la mère ne peut allaiter sont beaucoup moins en état de se passer de l'assistance du Père que les quadrupèdes à qui suffit la mamelle de la Mère, au moins durant quelque temps.

3. Il y a bien de l'incertitude sur le fait principal qui sert de base à tout le raisonnement de M. Locke ; Car, pour savoir si, comme il le prétend, dans le pur état de Nature la femme est pour l'ordinaire derechef grosse et fait un nouvel enfant longtemps avant que le précédent puisse pourvoir lui-même à ses besoins, il faudrait des expériences qu'assurément Locke n'avait pas faites et que personne n'est à portée de faire [256]. La cohabitation continuelle du Mari et de la Femme est une occasion si prochaine de s'exposer à une nouvelle grossesse qu'il est bien difficile de croire que la rencontre fortuite ou la seule impulsion du tempérament produisît des effets aussi fréquents dans le pur État de Nature que dans celui de la Société conjugale ; lenteur qui contribuerait peut-être à rendre les enfants plus robustes, et qui d'ailleurs pourrait être compensée par la faculté de concevoir, prolongée dans un plus grand âge chez les femmes qui en auraient moins abusé dans leur jeunesse. À l'égard des Enfants, il y a bien des raisons de croire que leurs forces et leurs organes se développèrent plus tard parmi nous qu'ils ne faisaient dans l'état primitif dont je parle. La faiblesse originelle qu'ils tirent de la constitution des Parents, les soins qu'on prend d'enve-

lopper et gêner tous leurs membres, la mollesse dans laquelle ils sont élevés, peut-être l'usage d'un autre lait que celui de leur Mère, tout contrarie et retarde en eux les premiers progrès de la Nature. L'application qu'on les oblige de donner à mille choses sur lesquelles on fixe continuellement leur attention, tandis qu'on ne donne aucun exercice à leurs forces corporelles, peut encore faire une diversion considérable à leur accroissement ; de sorte que, si au lieu de surcharger et fatiguer d'abord leurs esprits de mille manières, on laissait exercer leurs corps aux mouvements continuels que la Nature semble leur demander, il est à croire qu'ils seraient beaucoup plus tôt en état de marcher, d'agir et de pourvoir eux-mêmes à leurs besoins.

4. Enfin M. Locke prouve tout au plus qu'il pourrait bien y avoir dans l'homme un motif de demeurer attaché à la femme lorsqu'elle a un Enfant ; mais il ne prouve nullement qu'il a dû s'y attacher avant l'accouchement et pendant les neuf mois de la grossesse. Si telle femme est indifférente à l'homme pendant ces neuf mois, si même elle lui devient inconnue, pourquoi la secourra-t-il après l'accouchement ? pourquoi lui aidera-t-il à élever un Enfant qu'il ne sait pas seulement lui appartenir, et dont il n'a résolu ni prévu la naissance ? M. Locke suppose évidemment ce qui est en question [257] : Car il ne s'agit pas de savoir pourquoi l'homme demeurera attaché à la femme après l'accouchement mais pourquoi il s'attachera à elle après la conception. L'appétit satisfait, l'homme n'a plus besoin de telle femme, ni la femme de tel homme. Celui-ci n'a pas le moindre souci ni peut-être la moindre idée des suites de son action. L'un s'en va d'un côté, l'autre d'un autre, et il n'y a pas d'apparence qu'au bout de neuf mois ils aient la mémoire de s'être connus : Car

cette espèce de mémoire par laquelle un individu donne la préférence à un individu pour l'acte de la génération exige, comme je le prouve dans le texte, plus de progrès ou de corruption dans l'entendement humain qu'on ne peut lui en supposer dans l'état d'animalité dont il s'agit ici. Une autre femme peut donc contenter les nouveaux désirs de l'homme aussi commodément que celle qu'il a déjà connue, et un autre homme contenter de même la femme, supposé qu'elle soit pressée du même appétit pendant l'état de grossesse, de quoi l'on peut raisonnablement douter. Que si dans l'état de Nature la femme ne ressent plus la passion de l'amour après la conception de l'enfant, l'obstacle à la Société avec l'homme en devient encore beaucoup plus grand, puisque alors elle n'a plus besoin ni de l'homme qui l'a fécondée ni d'aucun autre. Il n'y a donc dans l'homme aucune raison de rechercher la même femme, ni dans la femme aucune raison de rechercher le même homme. Le raisonnement de Locke tombe donc en ruine et toute la dialectique de ce philosophe ne l'a pas garanti de la faute que Hobbes et d'autres ont commise. Ils avaient à expliquer un fait de l'État de Nature, c'est-à-dire d'un état où les hommes vivaient isolés et où tel homme n'avait aucun motif de demeurer à côté de tel homme, ni peut-être les hommes de demeurer à côté les uns des autres, ce qui est bien pis ; et ils n'ont pas songé à se transporter au-delà des Siècles de Société, c'est-à-dire, de ces temps où les hommes ont toujours une raison de demeurer près les uns des autres, et où tel homme a souvent une raison de demeurer à côté de tel homme ou de telle femme.

Note XIII. Je me garderai bien de m'embarquer dans les réflexions philosophiques qu'il y aurait à faire sur les avantages et les inconvénients de cette institution des langues ; ce n'est pas à moi qu'on permet d'attaquer les erreurs vulgaires et le peuple lettré respecte trop ses préjugés pour supporter patiemment mes prétendus paradoxes[258]. Laissons donc parler les Gens à qui l'on n'a point fait un crime d'oser prendre quelquefois le parti de la raison contre l'avis de la multitude. *Nec quidquam felicitati humani generis decederet, si pulsa tot linguarum peste et confusione, unam artem callerent mortales, et signis, motibus, gestibusque licitum foret quidvis explicare. Nunc vero ita comparatum est, ut animalium quæ vulgo bruta creduntur, melior longe quam nostra hac in parte videatur conditio, ut pote quæ promptius et forsan felicius, sensus et cogitationes suas sine interprete significent, quam ulli queant mortales, præsertim si peregrino utantur sermone.* Is. Vossius, de Poemat. Cant. et Viribus Rythmi, p. 66[259].

Note XIV. Platon montrant combien les idées de la quantité discrète[260] et de ses rapports sont nécessaires dans les moindres arts, se moque avec raison des Auteurs de son temps qui prétendaient que Palamède avait inventé les nombres au siège de Troie[261], comme si, dit ce philosophe, Agamemnon eût pu ignorer jusque-là combien il avait de jambes ? En effet, on sent l'impossibilité que la société et les arts fussent parvenus où ils étaient déjà du temps du siège de Troie, sans que les hommes eussent l'usage des nombres et du calcul : mais la nécessité de connaître les nombres avant que d'acquérir d'autres connaissances n'en rend pas l'invention plus aisée à imaginer ; les noms des nombres une fois connus, il est aisé d'en expliquer le sens et d'exciter les idées que ces noms représentent, mais pour les inventer, il fallut, avant que de concevoir ces mêmes idées, s'être pour ainsi dire familiarisé avec les méditations philosophiques, s'être exercé à considérer les êtres par leur seule essence et indépendamment de toute autre perception, abstraction très pénible, très métaphysique, très peu naturelle et sans laquelle cependant ces idées n'eussent jamais pu se transporter d'une espèce ou d'un genre à un autre, ni les nombres devenir universels. Un sauvage pouvait considérer séparément sa jambe droite et sa jambe gauche, ou les regarder ensemble sous l'idée indivisible d'une couple sans jamais penser qu'il en avait deux ; car autre chose est l'idée représentative qui nous peint un objet, et autre chose l'idée numérique qui le détermine. Moins encore pouvait-il calculer jusqu'à cinq, et quoique appliquant ses mains l'une sur l'autre, il eût pu remarquer que les doigts se répondaient exactement, il était bien loin de songer à leur égalité numérique. Il ne savait pas plus le compte de ses doigts que de ses cheveux et si, après lui avoir fait entendre ce que c'est que nombres, quelqu'un lui eût dit qu'il avait autant de doigts aux pieds qu'aux mains, il eût peut-être été fort surpris, en les comparant, de trouver que cela était vrai[262].

Note XV. Il ne faut pas confondre l'Amour propre et l'Amour de soi-même[263] ; deux passions très différentes par leur nature et par leurs effets. L'Amour de soi-même est un sentiment naturel qui porte tout animal à veiller à sa propre conservation et qui, dirigé dans l'homme par la raison et modifié par la pitié, produit l'humanité et la vertu. L'Amour propre n'est qu'un sentiment relatif, factice, et né dans la société, qui porte chaque individu à faire plus de cas de soi que de tout autre, qui inspire aux hommes tous les maux qu'ils se font mutuellement et qui est la véritable source de l'honneur.

Ceci bien entendu, je dis que dans notre état primitif, dans le véritable état de nature, l'Amour propre n'existe pas ; Car, chaque homme en particulier se regardant lui-même comme le seul Spectateur qui l'observe, comme le seul être dans l'univers qui prenne intérêt à lui, comme le seul juge de son propre mérite, il n'est pas possible qu'un sentiment qui prend sa source dans des comparaisons qu'il n'est pas à portée de faire, puisse germer dans son âme ; par la même raison cet homme ne saurait avoir ni haine ni désir de vengeance, passions qui ne peuvent naître que de l'opinion de quelque offense reçue ; et comme c'est le mépris ou l'intention de nuire et non le mal qui constitue l'offense, des hommes qui ne savent ni s'apprécier ni se comparer peuvent se faire beaucoup de violences mutuelles quand il leur en revient quelque avantage, sans jamais s'offenser réciproquement. En un mot, chaque homme ne voyant guère ses semblables que comme il verrait des Animaux d'une autre espèce, peut ravir la proie au plus faible ou céder la sienne au plus fort, sans envisager ces rapines que comme des événements naturels, sans le moindre mouvement d'insolence ou de dépit, et sans autre passion que la douleur ou la joie d'un bon ou mauvais succès.

Note XVI. C'est une chose extrêmement remarquable que depuis tant d'années que les Européens se tourmentent pour amener les Sauvages des diverses contrées du monde à leur manière de vivre, ils n'aient pas pu encore en gagner un seul, non pas même à la faveur du Christianisme ; car nos missionnaires en font quelquefois des Chrétiens, mais jamais des hommes

Civilisés. Rien ne peut surmonter l'invincible répugnance qu'ils ont à prendre nos mœurs et vivre à notre manière. Si ces pauvres Sauvages sont aussi malheureux qu'on le prétend, par quelle inconcevable dépravation de jugement refusent-ils constamment de se policer à notre imitation ou d'apprendre à vivre heureux parmi nous ; tandis qu'on lit en mille endroits que des Français et d'autres Européens se sont réfugiés volontairement parmi ces Nations, y ont passé leur vie entière, sans pouvoir plus quitter une si étrange manière de vivre, et qu'on voit même des Missionnaires sensés regretter avec attendrissement les jours calmes et innocents qu'ils ont passés chez ces peuples si méprisés ? Si l'on répond qu'ils n'ont pas assez de lumières pour juger sainement de leur état et du nôtre, je répliquerai que l'estimation du bonheur est moins l'affaire de la raison que du sentiment [264]. D'ailleurs cette réponse peut se rétorquer contre nous avec plus de force encore ; car il y a plus loin de nos idées à la disposition d'esprit ou il faudrait être pour concevoir le goût que trouvent les Sauvages à leur manière de vivre que des idées des sauvages à celles qui peuvent leur faire concevoir la nôtre. En effet, après quelques observations il leur est aisé de voir que tous nos travaux se dirigent sur deux seuls objets, savoir, pour soi les commodités de la vie, et la considération parmi les autres. Mais le moyen pour nous d'imaginer la sorte de plaisir qu'un sauvage prend à passer sa vie seul au milieu des bois ou à la pêche, ou à souffler dans une mauvaise flûte, sans jamais savoir en tirer un seul ton et sans se soucier de l'apprendre ?

On a plusieurs fois amené des Sauvages à Paris, à Londres et dans d'autres villes ; on s'est empressé de leur étaler notre luxe, nos richesses et tous nos arts les plus utiles et les plus curieux ; tout cela n'a jamais excité chez eux qu'une admiration stupide, sans le moindre mouvement de convoitise. Je me souviens entre autres de l'histoire d'un chef de quelques Américains septentrionaux qu'on mena à la Cour d'Angleterre il y a une trentaine d'années. On lui fit passer mille choses devant les yeux pour chercher à lui faire quelque présent qui pût lui plaire, sans qu'on trouvât rien dont il parut se soucier. Nos armes lui semblaient lourdes et incommodes, nos souliers lui blessaient les pieds, nos habits le gênaient, il rebutait tout ; enfin on s'aperçut qu'ayant pris une couverture de laine, il semblait prendre plaisir à s'en envelopper les épaules ; vous conviendrez, au moins lui dit-on aussitôt, de l'utilité de ce meuble ? Oui, répondit-il, cela me paraît presque aussi bon qu'une peau de bête. Encore n'eût-il pas dit cela s'il eût porté l'une et l'autre à la pluie.

Peut-être me dira-t-on que c'est l'habitude qui, attachant chacun à sa manière de vivre, empêche les Sauvages de sentir ce qu'il y a de bon dans la nôtre : Et sur ce pied-là il doit paraître au moins fort extraordinaire que l'habitude ait plus de force pour maintenir les Sauvages dans le goût de leur misère que les Européens dans la jouissance de leur félicité. Mais pour faire à cette dernière objection une réponse à laquelle il n'y ait pas un mot à répliquer, sans alléguer tous les jeunes sauvages qu'on s'est vainement efforcé de Civiliser ; sans parler des Groenlandais et des habitants de l'Islande, qu'on a tenté d'élever et nourrir en Danemark, et que la tristesse et le désespoir ont tous fait périr, soit de langueur, soit dans la mer où ils avaient tenté de regagner leur pays à la nage [265] je me contenterai de citer un seul exemple bien attesté, et que je donne à examiner aux admirateurs de la police européenne.

« Tous les efforts des Missionnaires hollandais du cap de Bonne-Espérance n'ont jamais été Capables de convertir un seul Hottentot. Van der Stel, Gouverneur du Cap, en ayant pris un dès l'enfance, le fit élever dans les principes de la Religion Chrétienne et dans la pratique des usages de l'Europe. On le vêtit richement, on lui fit apprendre plusieurs langues et ses progrès répondirent fort bien aux soins qu'on prit pour son éducation. Le Gouverneur, espérant beaucoup de son esprit, l'envoya aux Indes avec un Commissaire général qui l'employa utilement aux affaires de la Compagnie. Il revint au Cap après la mort du Commissaire. Peu de jours après son retour, dans une visite qu'il rendit à quelques Hottentots de ses parents, il prit le parti de se dépouiller de sa parure Européenne pour se revêtir d'une peau de brebis. Il retourna au fort, dans ce nouvel ajustement, chargé d'un paquet qui contenait ses anciens habits, et les présentant au Gouverneur il lui tint ce discours*. *Ayez la bonté, Monsieur, de faire attention que je renonce pour toujours à cet appareil. Je renonce aussi pour toute ma vie à la Religion Chrétienne, ma résolution est de vivre et mourir dans la Religion, les manières et les usages de mes Ancêtres. L'unique grâce que je vous demande est de me laisser le Collier et le Coutelas que je porte. Je les garderai pour l'amour de vous.* Aussitôt, sans attendre la réponse de Van der Stel, il se déroba par la fuite et jamais on ne le revit au Cap. » Histoire des voyages, tome 5, p. 175.

* Voyez le frontispice [reproduit p. 34].

Note XVII. On pourrait m'objecter que dans un pareil désordre les hommes au lieu de s'entre-égorger opiniâtrement se seraient dispersés, s'il n'y avait point eu de bornes à leur dispersion. Mais premièrement ces bornes eussent au moins été celles du monde, et si l'on pense à l'excessive population qui résulte de l'État de Nature on jugera que la terre dans cet état n'eût pas tardé à être couverte d'hommes ainsi forcés à se tenir rassemblés. D'ailleurs, ils se seraient dispersés, si le mal avait été rapide et que c'eût été un changement fait du jour au lendemain ; mais ils naissaient sous le joug ; ils avaient l'habitude de le porter quand ils en sentaient la pesanteur, et ils se contentaient d'attendre l'occasion de le secouer. Enfin, déjà accoutumés à mille commodités qui les forçaient à se tenir rassemblés, la dispersion n'était plus si facile que dans les premiers temps où nul n'ayant besoin que de soi-même, chacun prenait son parti sans attendre le consentement d'un autre[266].

Note XVIII. Le maréchal de V***[267] contait que, dans une de ses Campagnes, les excessives friponneries d'un Entrepreneur des Vivres ayant fait souffrir et murmurer l'armée, il le tança vertement et le menaça de le faire pendre. Cette menace ne me regarde pas, lui répondit hardiment le fripon, et je suis bien aise de vous dire qu'on ne pend point un homme qui dispose de cent mille écus. Je ne sais comment cela se fit, ajoutait naïvement le Maréchal, mais en effet il ne fut point pendu, quoiqu'il eût cent fois mérité de l'être.

Note XIX. La justice distributive s'opposerait même à cette égalité rigoureuse de l'État de nature, quand elle serait praticable dans la société civile ; et comme tous les membres de l'État lui doivent des services proportionnés à leurs talents et à leurs forces, les Citoyens à leur tour doivent être distingués et favorisés à proportion de leurs services. C'est en ce sens qu'il faut entendre un passage d'Isocrate dans lequel il loue les premiers Athéniens d'avoir bien su distinguer quelle était le plus avantageuse des deux sortes d'égalité, dont l'une consiste à faire part des mêmes avantages à tous les Citoyens indifféremment, et l'autre à les distribuer selon le mérite de chacun [268]. Ces habiles politiques, ajoute l'orateur, bannissant cette injuste égalité qui ne met aucune différence entre les méchants et les gens de bien, s'attachèrent inviolablement à celle qui récompense et punit chacun selon son mérite. Mais premièrement il n'a jamais existé de société, à quelque degré de corruption qu'elles aient pu parvenir, dans laquelle on ne fît aucune différence des méchants et des gens de bien ; et dans les matières de mœurs où la loi ne peut fixer de mesure assez exacte pour servir de règle au Magistrat, c'est très sagement que, pour ne pas laisser le sort ou le rang des Citoyens à sa discrétion, elle lui interdit le jugement des personnes pour ne lui laisser que celui des Actions. Il n'y a que des mœurs aussi pures que celles des Anciens Romains qui puissent supporter des Censeurs, et de pareils tribunaux auraient bientôt tout bouleversé parmi nous : C'est à l'estime publique à mettre de la différence entre les méchants et les gens de bien ; le Magistrat n'est juge que du droit rigoureux ; mais le peuple est le véritable juge des mœurs ; juge intègre et même éclairé sur ce point, qu'on abuse parfois, mais qu'on ne corrompt jamais. Les rangs des Citoyens doivent donc être réglés, non sur leur mérite personnel, ce qui serait laisser au Magistrat le moyen de faire une application presque arbitraire de la loi, mais sur les services réels qu'ils rendent à l'État et qui sont susceptibles d'une estimation plus exacte [269].

NOTES

La liste des abréviations utilisées dans les Notes se trouve p. 289.

1. Concernant le titre du *Discours* et la reformulation par R. de la question mise au concours, voir notre introduction.

2. « Ce n'est pas dans les êtres dépravés mais dans ceux qui se portent bien conformément à leur nature qu'il faut examiner ce qui est naturel » (traduction du texte latin : R. ne maîtrisait pas le grec). L'Académie de Dijon demandait aux auteurs, pour protéger l'anonymat du concours, d'identifier leur texte par une devise (un pli déposé chez un notaire associait la devise à un nom). R. avait choisi cette citation d'Aristote. Il ne peut l'avoir fait qu'avec beaucoup d'attention même si une erreur de référence figurait dans la première édition (elle est corrigée dans celle de 1782) : il ne s'agit pas du l. II des *Politiques* mais du l. I (chap. 5, 1254a 35). Cette devise a valeur méthodique : c'est l'homme de la nature qui permettra de comprendre ce qu'est devenu l'homme civil. Elle a aussi valeur de thèse : en passant de la nature à la société civile, l'homme s'est *dépravé*. La notion de dépravation, qui intervient à plusieurs reprises dans le *DI*, renvoie aux idées de dénaturation et de corruption, qu'il faut cependant interpréter avec prudence : la « dé-naturation » est pour R. profondément ambivalente, elle n'a en tout cas pas un sens purement dépréciatif. Être dénaturé, c'est perdre la « simplicité » de l'état purement naturel, mais c'est aussi accéder à la liberté et à la perfectibilité, qui font accéder l'humanité au meilleur comme au pire. P. Audi interprète ainsi la notion de corruption de façon descriptive plutôt que normative, comme cor-ruption, « rupture-avec » l'ordre de la nature (*R., Éthique et passion*, Paris, PUF, 1997, p. 314). Sur l'ambivalence de l'idée de dénaturation chez R. voir notamment *Émile*, I, *OC* IV, p. 245-246 et l. IV, p. 550-551.

3. Sa Dédicace à la République de Genève est un geste hautement stratégique par lequel R., s'adressant à sa cité natale à la fois

comme auteur et comme citoyen, cherche à fixer aussi le statut de l'œuvre qu'il publie. La forme de la lettre dédicatoire est classiquement associée aux grandes œuvres de la pensée politique moderne. Au premier rang Machiavel, qui offre *Le Prince* « au Magnifique Laurent de Médicis le Jeune ». Mais R. ne s'adresse ni à un prince ni même aux dirigeants de la République, il l'adresse à tout un peuple, ce qui est un geste unique en son temps ; et il prend soin de qualifier de « souverains » les membres de ce peuple. Il signe en outre de son titre à peine recouvré de citoyen (c'est-à-dire de « membre du souverain » comme le précisera le préambule du *CS*). Il transforme la figure du philosophe conseiller du prince en celle du philosophe citoyen. R. place ainsi d'emblée l'enjeu de la réflexion théorique du *DI* dans la perspective de ses enjeux politiques. C'est d'ailleurs comme tel (en bonne ou mauvaise part) que ce geste est reçu à Genève.

4. Cette mention de la problématique de l'inégalité est la seule allusion faite par la Dédicace à l'objet du *Discours*, mais elle est parfaitement cohérente avec les thèses développées dans celui-ci, thèses qui trouvent ici une claire illustration. Sur la position de R. concernant les formes légitimes d'inégalité dans l'ordre social et politique, voir les notes 40 et 169 ainsi que la note XIX de R.

5. Les traits successivement attribués à Genève définissent les conditions nécessaires à la bonne institution d'une République : les dimensions modestes du territoire et de la population (*cf. CS*, II, 9), l'identité d'intérêt entre peuple et gouvernement (*cf. DEP*, *OC* III, p. 247-248), l'autorité des lois (*cf. CS*, II, 6), l'indépendance à l'égard de toute puissance étrangère (*cf. CS*, II, 10), une longue habitude de liberté (*cf. CS*, II, 8), l'absence de propension à la conquête (*cf. CS*, II, 9), la reconnaissance au peuple seul du pouvoir de légiférer et, au contraire, la délégation à un pouvoir particulier de la charge d'administrer les lois (*cf. CS*, III, 1). Ces « maximes que le bon sens [peut] dicter sur la constitution d'un Gouvernement » seront intégrées par le *CS* aux « principes du droit politique ».

R. croit-il réellement, comme peut le donner à penser une lecture superficielle du texte, que Genève respecte les principes d'une République véritable ? On sait qu'en réalité le Conseil Général, assemblée des « citoyens et bourgeois », voyait, à l'époque de R., ses droits battus en brèche par les usurpations du Grand Conseil (ou Conseil des Deux-Cents) et du Petit Conseil, organes théoriquement exécutifs, mais confisquant en réalité l'essentiel de la souveraineté au profit de quelques grandes familles aristocratiques. Certains commentateurs considèrent que R. ignorait, au moment de l'écriture de la Dédicace, la réalité de la vie politique genevoise de son temps : ayant quitté Genève à l'âge de seize ans, il aurait regardé sa cité natale avec les yeux naïfs de l'enfance (J. S. Spink, *J.-J. R. et Genève. Essai sur les idées politiques et religieuses de R. dans leur relation avec la pensée genevoise au XVIIIe siècle*, Paris, 1934, p. 89-90 ; R. Derathé, *J.-J. R. et la science politique de son temps*, Paris, Vrin, 1988, p. 10). Mais cette hypothèse se heurte notamment au fait que R. est revenu secrètement à Genève à l'âge de vingt-quatre ans, et qu'il a été, à cette occasion, spectateur des troubles civils liés aux revendications de souveraineté populaire contre les usurpations des Conseils exécutifs (*Confessions*, V, *OC* I, p. 216). La suite du texte (voir *infra*, note 9) suggérera qu'il n'est en réalité pas dupe du décalage entre ce qu'il décrit et ce qui existe effectivement, même si, conscient de l'existence d'une usurpation oligarchique, il l'espère encore surmontable. La crise des années 1760 le convaincra de son progrès irrémédiable : d'où le diagnostic autrement pessimiste des *LEM* (*OC* III, p. 809).

6. La distinction entre amour de la patrie et amour de la terre renvoie à deux représentations, politique ou naturalisante, de la nation. Cette opposition jouera un grand rôle à partir de la Révolution française. Pour R., elle renvoie à deux conceptions de la souveraineté, entendue comme maîtrise du territoire ou comme pouvoir d'obliger (*cf. CS*, I, 9).

7. Cette formulation renvoie à la distinction entre la souveraineté (dans toute République elle doit être démocratique) et le gouvernement, c'est-à-dire le pouvoir d'exécution des lois (qui ne saurait être démocratique que « pour un peuple de dieux » : *CS*, III, 4).

8. Ici, comme partout chez R., les tribunaux et les magistrats ne sont pas, au sens étroit, les institutions et les personnes qui rendent la justice mais, plus généralement, ceux qui sont en charge d'administrer (appliquer) la loi : aussi bien le pouvoir exécutif que le pouvoir judiciaire.

9. La fiction se resserre, devient prétérition : *si j'étais... je dirais... ce que je dis !* L'usage systématique, sur plusieurs pages, du mode conditionnel, avec les lourdeurs que cela implique, est évidemment soigneusement pesé par R. et se veut donc un indice adressé au lecteur attentif : il inscrit ce texte dans la tradition de la littérature utopique et signifie clairement l'absence d'illusion de R. sur la réalité aristocratique de la vie politique genevoise. Au lieu de décrire la Genève de son temps, il reconstruit hypothétiquement la représentation idéale qu'il s'en fait. Cette figure lui permet de dire sans impertinence ce que Genève doit être pour être fidèle à elle-même. Montesquieu avait procédé sur ce même mode (*EL*, XIX, 26) en

reconstruisant une Angleterre hypothétique pour montrer quels seraient les mœurs d'un « peuple libre ». Sur le caractère utopique de la description de Genève dans ce texte, voir B. Bachofen, « L'action se passe à Genève, c'est-à-dire Nulle Part. R. et l'utopie », in *Critique de la politique. Autour de M. Abensour*, A. Kupieck et E. Tassin (dir.), Paris, Sens et Tonka, 2007.

Après avoir fait le panégyrique de Genève, R. prodigue quelques conseils à ses concitoyens qui montreront que la réalité ne remplit pas l'idéal. Adoptant une position de surplomb qui a pu indisposer certains, il s'adresse successivement à la République prise en corps, au peuple sur ses rapports avec les magistrats, aux magistrats sur leur conduite envers le peuple, aux « Ministres » (les pasteurs de l'Église évangélique), aux femmes enfin, les exhortant tous à la concorde civile.

10. R. A. Leigh (*CC* III, n° 235, note *b*) signale ici une allusion au Traité de Turin qui venait tout juste (3 juin 1754) de régler les différends entre Genève et la Sardaigne. Ce passage serait donc un de ceux ajoutés après le départ de Paris.

11. On peut lire cette fois une allusion au *Règlement de l'Illustre Médiation* (1738), conclu sous l'égide de la France, de Berne et de Zurich, qui avait mis temporairement fin aux troubles civils liés aux revendications des « citoyens en bourgeois » contre l'usurpation aristocratique du pouvoir. L'indépendance extérieure de Genève avait des limites.

12. Ce propos est moins formel qu'il ne paraît : c'est une idée constante de R., que les institutions se relâchent nécessairement avec le temps et, plus précisément, que les corps politiques tendent à dégénérer en raison de la double propension des individus à se voir comme particuliers plus que comme citoyens et des gouvernants à usurper la souveraineté commune. Pour le principe, voir *CS*, III, 10 et 11 ; pour son application à Genève, voir *LEM*, VI, *OC* III, p. 809-811.

13. Cette longue exhortation au respect de l'autorité s'adresse à cette partie des citoyens, en particulier ceux de la Genève « d'en-bas » (appelés ainsi par un jeu sur la topographie locale et la stratification sociale) qui, tout au long du XVIIIe siècle, se plaignaient de la dérive aristocratique du gouvernement. Ce parti des « représentants » (ils avaient le droit de porter des « représentations » devant les Conseils) accueillit avec plus de faveur que la Genève « d'en-haut » les idées de R. Voir G. Silvestrini, *Alle radici del pensiero di R., istituzioni e debattito politico a Ginevra nella prima metà del settecento*, Milan, Francoangeli, 1993.

14. S'adressant désormais aux Magistrats (Syndics et membres des conseils restreints), R. ne les qualifie plus de « souverains » : seul le Conseil Général (l'ensemble des citoyens) est le souverain. Au-delà du souci d'exactitude dans les dénominations, il faut entendre, sous le ton louangeur, le rappel aux magistrats qu'ils commandent à leurs « égaux ». C'est une nécessité politique qu'ils s'en souviennent s'ils veulent « éloigner de plus en plus la mémoire des événements malheureux qu'il faut oublier pour ne les revoir jamais ». Claire allusion aux crises de 1707, 1715-1718 et 1734-1738. R. lui-même allait être partie prenante d'une nouvelle crise au début des années 1760.

15. Le l. I des *Confessions* (*OC* I, p. 8-9) évoque l'éducation républicaine donnée par son père au jeune R. On notera la revendication de sa basse extraction. R. évoque différemment sa mère, née « d'en-haut » (*ibid.*, p. 6).

16. La constitution de Genève distinguait les *citoyens* (jouissant de la plénitude des droits économiques et politiques), les *bourgeois* (qui jouissent des mêmes droits, sauf celui d'être élus magistrats), et les *habitants* (ils n'ont de droits qu'économiques mais peuvent résider en permanence). Les *étrangers* étaient des résidents temporaires. Voir M. Launay, *J.-J. R., écrivain politique*, Cannes et Grenoble, C.E.L. – A.C.E.R., 1971, p. 29-41.

17. Longtemps R. a pensé trouver des alliés dans la « révérende compagnie » des Ministres (c'est-à-dire des pasteurs) genevois. Ce sera en partie le cas au moment de la *Lettre à d'Alembert* et de la querelle sur l'établissement d'un théâtre à Genève. Mais la *Profession de foi du Vicaire savoyard*, contrairement à son attente, ruinera les espoirs mis dans cette alliance.

18. Sur ce rôle très conventionnel attribué par R. aux femmes, voir le l. V de l'*Émile. La Nouvelle Héloïse* propose une image plus nuancée. Voir Y. Vargas, *R., L'énigme du sexe*, Paris, PUF, 1997.

19. R. n'oublie pas, au moment de conclure, que les citoyens de Genève, indistinctement et comme membres du souverain, sont les véritables dédicataires du *DI*.

20. En même temps qu'il adressait le *DI* à l'Académie de Dijon, R. avait préparé son texte pour une publication sous forme de livre, alors prévue chez le libraire Pissot, qui avait publié le *DSA* (voir notre introduction, p. 9-10). C'est pour cette édition en volume qu'a été rédigée la Préface. Il est peu probable que la Préface ait été envoyée avec le reste du texte à l'Académie de Dijon. Elle ne fait cependant pas double emploi avec l'Exorde qui précède les deux parties du *DI*, puisque celui-ci, sacrifiant au genre rhétorique

imposé, envisage l'enquête comme encore à faire, tandis que la Préface, au contraire, la suppose effectuée et l'éclaire à partir de ses résultats.

21. D'emblée, R. veut montrer que la question de l'inégalité ne peut être comprise que si on y voit plus radicalement la clé de cette autre, plus vaste : Qu'est-ce que l'homme ? En concluant la première partie du *DI*, il dira : « j'ai cru devoir creuser jusqu'à la racine » (p. 103). La célèbre inscription du Temple de Delphes (« Connais-toi toi-même ») ne doit pas se réduire à ses acceptions psychologique et morale : il faut reconnaître sa portée anthropologique. Hegel souscrira à cette lecture (*Précis de l'Encyclopédie des sciences philosophiques*, § 377, trad. G. Gibelin, Vrin, 1987, p. 215 ; et, en référence explicite à la notion rousseauiste de perfectibilité, *Principes de la philosophie du droit*, § 343, Remarque, trad. J.-L. Vieillard-Baron, GF, 1999, p. 389). Entre le premier brouillon de cet *incipit* (Ms R 30 de Neuchâtel) et la rédaction définitive, R. a souligné la contradiction entre l'utilité de la question et son faible avancement. Buffon (cité dans la note II) lui permet de l'expliquer : ses premiers besoins ayant motivé les premières connaissances, l'homme s'est d'abord intéressé au monde plus qu'à son propre être.

22. R. reçoit, il est essentiel de le noter, la question de l'Académie de Dijon comme une question philosophique et se déclare décidé à la traiter en philosophe. Question philosophique, celle qui porte, *in fine*, sur la nature de l'homme. Question à traiter en philosophe, parce que seule la philosophie peut suppléer aux lacunes de l'histoire. L'acception dominante du terme « philosophie » dans le *DI* est positive, ce qui n'est pas toujours le cas chez R. Pour un repérage précis des ambivalences de son lexique sur ce point, voir P. Hartmann, « R. et la philosophie (une enquête sur le terme "philosophie" et ses dérivés dans les œuvres d'avant la rupture) », *AJJR*, t. XLIII, Genève, Droz, 2001, p. 129-179. Sur ce que, depuis le *DSA*, R. appelle « véritable philosophie », voir P. Audi, *De la véritable philosophie, R. au commencement*, Paris, Le Nouveau Commerce, 1994.

23. Sitôt établie l'importance de la question, R. dégage sa difficulté essentielle : l'homme que nous pouvons connaître, sur lequel naturalistes et historiens nous renseignent, est l'homme transformé par la culture ; celui que nous devons connaître, l'homme de la nature, est devenu méconnaissable. La comparaison avec « la statue de Glaucus » vient de Platon (*République* X, 611 c-d) qui lui-même la tirait de Pausanias (IX, 22, 7). Glaucos, fils de Poséidon, jeune et beau pêcheur devenu immortel, est rendu méconnaissable par sa

vie prolongée au fond des océans. Platon rend compte par cette image de la corruption apportée à l'âme par son union avec le corps. R. déplace sur l'homme la question posée par Platon concernant l'âme : comment connaître la nature de ce qui a été dénaturé ? La dénaturation qui affecte l'homme civil (« le difforme contraste de la passion qui croit raisonner et de l'entendement en délire ») est l'objet du diagnostic formulé par le *DI* comme il sera celui du traitement préconisé par l'*Émile.* Les passions, parce qu'elles développent une logique de la préférence fondée sur l'amour-propre, nous font prendre pour des distinctions inhérentes à la nature des choses celles que nous projetons sur elles. L'entendement, lorsqu'il prétend déterminer souverainement nos inclinations et nos croyances, se laisse aller à une prétention exorbitante. L'être purement naturel, homme de la nature ou animal, agit par instinct, donc selon des « principes certains et invariables ». Chez l'homme civil, c'est le concours du sentiment intérieur, qui est une modification de l'instinct, et d'une « raison cultivée », qui peut tendre à régler les passions (Dieu, écrit R., nous a donné « la raison pour connaître ce qui est bien, la conscience pour l'aimer, et la liberté pour le choisir » : *La Nouvelle Héloïse*, VIe partie, Lettre VII, *OC* II p. 683 ; *cf. Émile*, I et IV, *OC* IV, p. 288 et 605).

24. En cherchant à nous connaître, nous développons en nous des facultés ignorées de l'homme naturel : l'instrument que nous développons pour accroître nos connaissances nous éloigne de l'objet que nous avons à connaître. Le paradoxe est familier des épistémologues, mais il s'illustre particulièrement lorsque le sujet et l'objet de l'étude se confondent.

25. R. assume de bout en bout le caractère conjectural de sa démarche. L'Exorde reviendra sur ce point (voir p. 65-66 et note 44). La fin de la première partie du *DI* le redit encore (p. 106-107 et note 115). C'est parce que la connaissance de l'homme de la nature ne peut relever d'un savoir historique qu'elle doit être abordée par la démarche du philosophe qui tire ses principes de « la nature des choses ». Selon R., pour être hypothétiques, ces raisonnements n'en sont pas moins concluants, dans la mesure où ils permettent de dégager, et cela de façon certaine, les « notions justes » qui permettent de rendre compte de ce qu'est l'homme civil. Sur ce point, voir notre introduction, p. 20-21.

26. Sur le « véritable état » de la question tel que le redéfinit R., voir notre introduction, p. 14-16.

27. L'expression « la Nature actuelle de l'homme » est remarquable. Elle implique qu'il ne faut pas tant opposer une nature

originelle de l'homme à un homme civil dénaturé, que comprendre la « constitution » de l'homme (c'est le terme que privilégie R.) comme relevant d'une essentielle plasticité : il est de la nature de l'humanité de se présenter sous des figures diverses, résultant des modifications qui affectent l'état de pure nature et qui *actualisent* des potentialités contenues dès l'origine dans l'homme. Pour cela, il faut à la fois discerner ce qui en l'homme a permis cette actualisation (ce sera la perfectibilité) et les circonstances de ces modifications.

28. On s'est interrogé pour savoir quel modèle inspire les « expériences » envisagées ici. La référence conjointe à Aristote et Pline indique clairement que R. les convoque au titre de théoriciens de ce que l'on nomme au XVIIIe siècle « l'histoire naturelle » (c'est-à-dire l'étude méthodique d'un objet empirique). En évoquant un Aristote ou un Pline de « notre siècle », il pense, cela n'est pas douteux, au naturaliste (c'est-à-dire physicien et biologiste) Buffon (omniprésent dans le texte et surtout dans les notes correspondantes de la première partie du *DI*) et plus particulièrement à son *Histoire naturelle de l'homme*, parue en 1749. J. Starobinski renvoie de façon convaincante à un passage (p. 277-279 du vol. VI de l'édition in-12 de 1753, Buffon, *Œuvres*, La Pléiade, 2007, p. 383-384) qui évoque un certain nombre de cas de ce que l'on appellera plus tard des enfants sauvages (de Victor de l'Aveyron à Gaspard Hauser, le thème sera voué à un grand succès). On peut également penser à des projets expérimentaux imaginés par Maupertuis, tels que celui d'« élever ensemble dès le plus bas âge » des enfants « sans aucun commerce avec d'autres hommes », afin d'étudier à l'état pur la naissance de la langue et des idées. Seuls des moyens « aussi extraordinaires que ceux-ci » permettraient, selon lui, de faire progresser « nos connaissances métaphysiques » (*Lettre sur le progrès des sciences*, Berlin, 1752, p. 116-121). R. manifeste cependant dès la Préface son scepticisme quant à la possibilité de telles expériences donnant à voir un homme ayant réalisé ses potentialités spécifiques (notamment le langage) tout en se situant dans le pur état de nature. Il le dira clairement dans la note XII, en critiquant une thèse de Locke sur le caractère naturel du lien familial : pour vérifier cette thèse, « il faudrait des expériences qu'assurément Locke n'avait pas faites et que personne n'est à portée de faire » (p. 186). Ce scepticisme s'explique par la nature même de l'objet d'étude, probablement imprésentable dans l'expérience : un homme possédant les caractéristiques de l'homme tel que nous le connaissons, mais dépouillé des acquis de la vie sociale (voir ci-dessous, note 49). Dans l'expérience,

l'homme non socialisé ne possède aucune de ces facultés, comme le montrent les enfants sauvages. R. pose ainsi d'emblée une thèse essentielle : les facultés propres de l'homme supposent la société instituée, qui suppose elle-même ces facultés. Ce cercle, décrit notamment à propos de l'origine du langage (voir note 83), nous oblige à admettre l'existence d'énigmes probablement insolubles concernant « l'histoire naturelle de l'homme », mais son enseignement n'est pas purement négatif. Il nous apprend quelque chose d'essentiel sur l'homme civil, à savoir que rien ou presque, dans sa condition actuelle, ne s'explique par les exigences relevant de sa nature purement physique et ne peut donc être rendu intelligible par les méthodes d'observation en usage pour rendre compte des processus naturels.

29. Ici commence la seconde partie de la Préface. Ayant défini l'enjeu de la question : connaître l'homme de la nature pour comprendre par contraste l'homme civil, et indiqué la méthode convenable pour l'aborder, R. va, pour la première fois dans son œuvre et peut-être de la façon la plus décisive, aborder la notion de droit naturel. Elle est introduite par une référence à J.-J. Burlamaqui qui n'est pas seulement nommé mais cité : de « l'idée de droit... » à « ... les principes de cette science », est en effet transcrit un bref passage de ses *Principes du droit naturel* (I, 2). R. semble donc d'abord attribuer à Burlamaqui le principe fondamental dans lequel il se reconnaît : il faut tirer le droit naturel de l'étude de la nature de l'homme. En soi, cette valorisation de Burlamaqui n'est pas étonnante. Au moment de la rédaction du *DI*, la gloire de ce professeur de droit et acteur majeur de la vie politique genevoise est à un niveau difficilement concevable aujourd'hui. Respectivement parus en 1747 et 1751, ses deux ouvrages majeurs, les *Principes du droit naturel* et les *Principes du droit politique* (le second posthume) ont eu un succès immense et universellement été reconnus comme le couronnement du jusnaturalisme, la synthèse et l'accomplissement des œuvres de Grotius, Pufendorf, Cumberland et Barbeyrac (voir B. Bernardi, *Le Principe d'obligation,* Paris, EHESS/Vrin, 2007, chap. 5 : « Consécration et crise du droit naturel : Burlamaqui et l'*Encyclopédie* »). Mais on observera, pour commencer, que R., qui l'avait certainement lu, ne mentionne Burlamaqui dans son œuvre que cette seule et unique fois ! Aussi bien, cette référence n'a que l'apparence de l'acquiescement. Certes, pour R., la formule de Burlamaqui est juste mais, parce qu'il se méprend lourdement sur ce qu'il faut entendre par nature de l'homme, il symbolise surtout l'erreur foncière des jusnaturalistes modernes dont la Préface va proposer la réfutation en même temps que celle, symétrique, des Anciens.

30. La présentation que donne ce passage du droit naturel des Anciens et de celui des Modernes a pour but d'ouvrir l'espace dans lequel R. pourra configurer sa propre conception de la loi naturelle.

S'agissant des Anciens, il écarte, sans les examiner spécifiquement ici, les conceptions d'Aristote et des stoïciens, qu'il connaît pourtant fort bien, pour ne retenir que celle des juristes romains qui est sensiblement différente. Les *Institutes* de Justinien (l. I, tit. I et II) traitent du droit naturel comme une des trois sources du droit privé (avec le droit des gens, commun à tous les peuples policés, et le droit civil, propre à chaque cité) : « Le droit naturel est celui que la nature enseigne à tous les êtres animés. Ce droit, en effet, n'est pas le propre du genre humain, mais de tous les êtres animés, qu'ils naissent dans les airs, sur la terre ou dans la mer. De là vient l'union du mâle et de la femelle, que nous appelons mariage ; de là la procréation des enfants, de là l'éducation. Nous voyons bien que les autres êtres animés aussi peuvent d'expérience être comptés comme relevant de ce droit. » On remarquera que c'est R. qui, effaçant la notion de *préceptes* utilisée par les *Institutes*, introduit la notion de *loi*. En cela, il suit Barbeyrac qui, annotant Pufendorf (*DNG*, I, II, II, § 3, note 7), opère un double glissement : il ramène le texte des jurisconsultes romains à la philosophie des stoïciens qui parlent bien de loi naturelle, puis ce concept de la loi à celui de la physique des modernes : « [ils] appellent souvent loi de la nature, écrit Barbeyrac, ce qui se fait en conséquence de l'ordre des causes physiques : comme les philosophes modernes disent que telle ou telle chose se fait selon les lois du mouvement, qu'ils détaillent ». Éliminant quant à lui le passage par les stoïciens, R. établit un lien direct entre les juristes romains et la conception mécanique des lois de la nature de certains modernes en paraphrasant l'incipit de l'*Esprit des lois* : « Les lois, dans la signification la plus étendue, sont les rapports nécessaires qui dérivent de la nature des choses ; et, dans ce sens, tous les êtres ont leurs lois... » Cet artifice de présentation montre que R. vise moins une conception historiquement dépassée du droit naturel, celle des juristes romains, que la conception moderne des lois de la nature régie par le modèle de la causalité mécanique. Une conception usuellement attribuée à Hobbes et Spinoza, mais qui influence d'autres auteurs comme Locke. Voir Leo Strauss, *Droit naturel et histoire* [1953], trad. fr. Paris, Flammarion, p. 158 ; Jean Terrel, *Hobbes, matérialisme et politique*, Paris, Vrin, 1994, p. 51 sq. Sur un tel concept de la loi, il est impossible de fonder un quelconque principe normatif et prescriptif.

Si, pour une lecture hâtive, la critique du droit naturel des Anciens pouvait être prise comme une déclaration d'allégeance au jusnaturalisme moderne, la présentation qu'en donne R. dissipe rapidement, comme on l'a vu, cette illusion. Grotius, Pufendorf, Barbeyrac (accessoirement Cumberland) et Burlamaqui sont les jusnaturalistes modernes visés ici. Leur question commune est de savoir à quelles conditions il peut y avoir pour les hommes une obligation naturelle. Tous répondent en désignant les facultés qui rendent une telle obligation possible ; la droite raison (*recta ratio*) pour Grotius, l'accord de l'entendement (*intellectus*) et de la volonté sous la loi d'un supérieur pour Pufendorf, le discernement du bien qui nous convient chez Barbeyrac, l'union de l'entendement et de la volonté sous la raison chez Burlamaqui. Ce qu'il y a de commun à toutes ces élaborations, remarque R., est de supposer développées en l'homme des facultés de généralisation que l'on ne peut supposer dans l'homme de l'état de nature. C'est le même reproche, il faut le noter, qu'il fera à Diderot dans la première version du *CS*. Diderot, dans l'article « Droit naturel » de l'Encyclopédie, ayant fixé pour règle s'imposant naturellement à l'homme « la volonté générale du genre humain », R. lui répond que « l'art de généraliser ses idées est un des exercices les plus difficiles et les plus tardifs de l'entendement humain » (*OC* III, p. 286). Lorsqu'ils parlent de la nature de l'homme, les Modernes lui prêtent des facultés qui peuvent seulement résulter du long et contradictoire développement de l'homme civil.

Les conceptions de la nature régie par une causalité mécanique et de l'homme comme être rationnel sont donc également impropres à former un véritable concept de la loi de nature.

31. Non seulement les jusnaturalistes modernes supposent en l'homme une raison développée qu'il ne saurait avoir naturellement mais ils supposent les hommes vivant naturellement en société, ce qui en outre les conduit tous à supposer en l'homme la sociabilité. R. récusera l'une et l'autre de ces deux présuppositions.

32. La critique croisée des jusnaturalismes ancien et moderne permet à R. d'atteindre son but : déplacer la question du droit naturel vers celle de loi naturelle et définir les critères auxquels celle-ci doit satisfaire. L'équivalence établie entre « loi qu'il a reçue » et « loi qui convient le mieux à sa constitution » a d'abord pour objet d'écarter la question de savoir si cette loi est d'origine divine : dans tous les cas, cette loi doit se tirer de la connaissance de la constitution de l'homme. (Sur la notion de convenance chez R., voir F. Guénard, *R. et le travail de la convenance*, Paris, Champion, 2004). Pour que cette loi soit une véritable loi, il faut qu'elle soit prescriptive, qu'elle constitue une norme pour les actions des hommes (c'est ce qui manque au concept romain de droit naturel, comme à sa

conception hobbesienne), mais pour qu'elle soit naturelle, il faut qu'elle émane immédiatement de la constitution de l'homme et non d'une élaboration intellectuelle, la rationalité d'intérêt ou la rationalité éthique, qui ne peuvent appartenir qu'à l'homme civilisé (c'est ce qui disqualifie le droit naturel des Modernes). La loi de la nature doit être pour l'homme un principe normatif immanent. La voix de la nature aura donc les caractères de l'immanence et de l'immédiateté que seul peut lui conférer, nous allons le voir, le caractère le plus primitif de l'homme : sa sensibilité. L'espace est ainsi délimité que vont remplir, ensemble, le principe de la conservation de soi et la répugnance à voir souffrir un être sensible (les notions d'amour de soi et de pitié qui leurs correspondent ne sont pas introduites par la Préface mais au cours de la première partie du *DI*, p. 95-96).

33. La formulation de ce passage laisse ouverte une question fondamentale : ces deux principes (l'amour de soi et la pitié) sont-ils distingués par leur source ou par leur objet (le rapport à soi, le rapport d'altérité) ? Que R. parle de la loi naturelle au singulier est en faveur de la seconde lecture, la qualification de ces sentiments comme principes est en faveur de la première. Tout porte à penser que pour lui cette équivocité est réelle. La distinction des deux principes permet de rendre compte de leur possible opposition et de la dénaturation de l'amour de soi en amour-propre, leur possible identité permet de concevoir leur réunion, par le biais de la généralisation des volontés particulières. Le *DI* rend compte de la corruption des principes et de leur séparation, le *CS* et l'*Émile* pensent la possible restauration de leur unité « sur d'autres fondements ». Se passer de la notion de sociabilité est doublement essentiel pour R. Supposer l'homme sociable, c'est occulter la question essentielle de l'institution des sociétés. Disposer d'un principe normatif (la loi de nature) antérieur à la socialisation, c'est se donner le critère en fonction duquel il sera possible de l'évaluer.

34. Cette remarque est importante pour aborder la question, fort complexe, du statut de l'idée de droit naturel chez R. Qu'il y ait une loi de nature dont l'amour de soi et la pitié sont les principes, c'est ce dont on ne peut pas douter. Mais l'idée que ces principes sont « antérieurs à la raison » a une double implication : 1° si l'homme de la nature leur obéit, ce n'est pas par une décision consciente et délibérée mais sous l'impulsion de la nature ; 2° un être raisonnable au contraire ne pourra agir droitement que délibérément et par la représentation de son devoir. En ne faisant pas cette distinction, qui est aussi celle de la bonté naturelle et de la bonté morale (voir ci-dessous, notes 99 à 103), les théoriciens du droit naturel sont

forcés de faire de l'être de la nature un raisonneur. Parce qu'il en tient compte, R. scinde l'idée de droit naturel en deux idées distinctes. La première version du *CS* formule cette scission (*OC* III, p. 328-329). Il y a un droit naturel « proprement dit » mais qui ne vaut que pour l'homme de la nature et selon la modalité qu'on vient de dire (il est strictement fondé sur la sensibilité), et un « droit naturel raisonné » qui ne peut valoir que pour l'homme civil dont la raison s'est développée et qui agit par délibération. On notera que le premier droit naturel n'est pas vraiment un droit (il n'y a pas de médiation du principe par des règles) et que, si le second l'est, il peut être dit naturel en ce qu'il rejoint la nature (on peut dire aussi qu'il la respecte) mais procède par d'autres voies qui sont pour R. soit celle de la morale, soit celle du droit politique. Voir A. Charrak, « Du droit naturel au droit naturel raisonné », *Cahiers philosophiques de Strasbourg*, t. 12, 2002, p. 107-118.

35. En fondant nos devoirs envers les êtres sensibles sur le sentiment de commisération, R. s'inspire d'une thèse formulée par Shaftesbury, auteur anglais que Diderot avait récemment traduit (*Principes de la Philosophie morale ou Essai sur le Mérite et la Vertu*, avec *Réflexions*, Amsterdam, 1745). Il se donne ainsi les moyens de résoudre une difficulté essentielle en éthique que le XVIIIe siècle connaissait et qui est revenue récemment au premier plan. Si nous n'avons de devoir qu'envers des sujets de droits, il faut soit considérer que nous sommes déliés de tout devoir envers d'autres êtres que l'homme, soit reconnaître aux animaux le statut de sujets de droits. R. distingue ici le sujet moral (pour qui seul peuvent exister des devoirs) et les êtres envers qui nous avons des devoirs (tous les êtres sensibles), lesquels en un sens sont titulaires de droits bien que n'étant pas en état de les réclamer. Qu'il puisse y avoir des êtres titulaires de droits sans être sujets de droits, c'est ce que le droit romain connaissait bien (par exemple sous la catégorie de « choses sacrées »). La radicalisation de l'opposition binaire entre choses et personnes produite par la modernité a créé nombre de difficultés. R. cherche ici à les prendre en charge. Sur le statut de l'animalité chez R., voir J.-L. Guichet, *R., l'animal et l'homme. L'animalité dans l'horizon des Lumières*, Paris, Cerf, 2006. Sur les problèmes suscités par l'opposition des choses et des personnes, voir X. Labbée, *Condition juridique du corps humain*, Lille, Presses universitaires du Septentrion, 1986.

36. Comme il avait commencé sa Préface en remontant de la question posée par l'Académie de Dijon à la question plus générale qu'elle implique : qu'est-ce que l'homme ?, R., au moment de

conclure, tient à mentionner celles qui en découlent dans l'ordre politique. La IIe partie du *DI* en proposera une première approche, le *CS* (auquel il travaille déjà dans le cadre du projet de ses *Institutions politiques*) en sera le prolongement.

37. On ne doit pas s'étonner de l'apparente contradiction de cette dernière période : R. dénonce d'abord la servitude et l'oppression qui caractérisent la société civile pour, dans les dernières lignes, la considérer comme un bienfait pour l'homme. C'est le même processus de dénaturation qui, d'un « animal stupide et borné », a fait « un être intelligent et un homme » et qui l'a dégradé au-dessous de sa condition primitive (*CS*, I. 8). C'est sous le signe de cette contradiction, qui est dans les choses mêmes, que le travail de pensée de R. s'effectue. L'objet du *DI* est d'en comprendre les racines.

38. Perse, *Satires*, III, v. 71-73. « Apprends ce que Dieu a ordonné que tu sois, et à quelle place il t'a situé dans l'ordre des choses humaines. » La Préface s'achève sur une reprise en termes explicitement stoïciens du « Connais-toi toi-même » delphique sur lequel elle s'était ouverte.

39. R., en s'adressant à eux comme à des « hommes », demande aux Académiciens de Dijon de le juger avec la hauteur de vue et la liberté de pensée qu'exige l'objet traité. Sous l'apparence d'un hommage, il les met au défi de se montrer dignes de la « grande question » qu'ils ont eu « le courage » de poser. De fait, ceux-ci invitent à s'interroger sur la légitimité d'inégalités politiques et économiques qui font l'objet, sous l'Ancien Régime, d'une expérience évidente pour chacun. En réalité, cette audace a des limites : les Académiciens couronneront un certain abbé Talbert, qui explique l'inégalité par le péché originel, donc comme « le juste châtiment de l'homme coupable » (voir R. Tisserand, *Les concurrents de R. à l'Académie de Dijon pour le prix de 1754*, Paris, Boivin, 1936). En 1754 comme en 1750, les Académiciens consacrent une thèse conservatrice. Le paradoxe veut que la pensée de R. ait paru conservatrice dans un cas (le *DSA*), audacieuse et révolutionnaire dans l'autre (le *DI*). Ce sera une caractéristique constante de la pensée de R. que d'être insituable dans le champ de la pensée moderne.

40. Le passage formé par cet alinéa et par le suivant est l'un des rares lieux où R. renvoie explicitement à la question soumise à concours par l'Académie de Dijon : « Quelle est la source de l'inégalité parmi les hommes et si elle est autorisée par la loi naturelle ? » Il la traitera constamment, mais à travers des détours qui peuvent donner au lecteur le sentiment de digressions. R. précise en effet

immédiatement qu'à la question posée, on peut donner quelques réponses tellement évidentes qu'elles ne méritent même pas qu'on les développe. Il est évident que la cause de l'inégalité naturelle est la nature elle-même. Il est également évident que l'inégalité « de convention » n'est pas, dans les faits, fondée sur l'inégalité naturelle, qu'elles ne sont pas corrélées l'une à l'autre : seuls « des esclaves entendus de leur maître » pourraient faire mine de prendre au sérieux cette question. La question pertinente, autrement complexe, est celle des causes du divorce entre inégalité naturelle et inégalité de convention.

Puisque c'est ainsi que R. redéfinit l'objet du *DI*, il convient de comprendre précisément ce qu'il entend par ces « deux sortes d'inégalité » : cette distinction est sous-jacente à toute la problématique du *DI*, puisque les dernières lignes de la IIe partie ferment le cercle du questionnement en la mentionnant à nouveau dans des termes quasiment identiques (voir p. 148). L'« inégalité naturelle » ou « physique » ne doit pas s'entendre comme inégalité liée à des caractéristiques purement physiologiques, de même que l'inégalité « de convention » ne renvoie pas simplement aux inégalités produites dans l'homme par la dénaturation et la civilisation. Dans les éléments constituant une inégalité « naturelle » entre les hommes, R. comprend l'état du corps (force, âge), mais également « les qualités de l'Esprit, ou de l'Âme » et, à la fin du *DI*, il évoque également la « sagesse » opposée à l'« imbécillité » : ces caractéristiques relèvent de l'homme socialisé et « dénaturé », mais ne sont pas pour autant « conventionnelles ». En d'autres termes, « naturel » signifie ici : ce qui peut être objectivement observé, constaté, ce qui distingue factuellement les individus, indépendamment de toute convention et de toute institution. Quant à l'inégalité « de convention » ou encore « morale ou politique », elle désigne des différences de statuts, artificiellement créées par la coutume ou par la loi (différences de statuts qui seules expliquent, selon R., que des hommes puissent être plus « riches » ou plus « puissants » que d'autres). Il complète ces précisions, à la fin du *DI*, par une thèse essentielle : il ne considère pas comme nécessairement illégitimes ni l'inégalité en général, ni l'inégalité conventionnelle. Il écrira exactement que « l'inégalité morale, autorisée par le seul droit positif, est contraire au Droit naturel, toutes les fois qu'elle ne concourt pas en même proportion avec l'inégalité physique » (p. 148). Il n'exclut donc pas la possibilité d'une certaine inégalité morale ou politique (conventionnelle) juste, dans certains domaines, et toujours à condition qu'elle soit « proportionnée » aux inégalités objectives qui distinguent les individus (ce qui rejoint l'idée d'égalité « géométrique » ou « proportionnelle » théorisée notamment par Aristote, qui l'estime plus juste qu'une égalité pure ou « arithmétique » : *Éthique à Nicomaque*, V, 1131*b*-1132*a*). Sur la légitimité relative et conditionnelle d'inégalités conventionnelles, voir notamment *CS*, II, 11 et III, 5.

41. La problématique que R. choisit de traiter est maintenant claire : l'inégalité conventionnelle n'ayant pas, dans les sociétés existantes, son origine dans les inégalités « naturelles », il s'agit de comprendre comment s'est produit ce phénomène *a priori* aberrant : que des riches et des puissants dominent des hommes sur lesquels ils n'ont pas de supériorité réelle. Comment certains ont-ils pu renoncer à l'avantage que leur donnait leur plus grande capacité objective, comment tous ont-ils pu renoncer à leur liberté originelle ? Telles sont les énigmes soulevées par le passage à l'état civil (voir également note 152). Ces questions font écho (comme d'autres passages du *DI* : voir notes 156 et 176) à celle posée par Étienne de La Boétie dans le *Discours de la servitude volontaire* ; et elles seront reprises de façon très elliptique au début du *CS* (I, 1) : « L'homme est né libre, et partout il est dans les fers. [...] Comment ce changement s'est-il fait ? Je l'ignore. » Cependant la question de l'histoire morale et politique de l'humanité sera alors écartée au profit d'une réflexion sur les principes d'un droit politique légitime. L'« ignorance » affirmée au début du *CS* s'explique donc partiellement par le fait que, sur cette question (« comment ce changement s'est-il fait ? »), l'essentiel a déjà été dit dans le *DI*.

Quant au type de causalité que R. va dégager au fil de son analyse, elle est annoncée ici dans ses grandes lignes : il oppose le « repos en idée » à la « félicité réelle ». C'est une progressive modification s'opérant dans l'ordre des « idées » qui expliquera, tout au long du *DI*, la distorsion entre ce qui serait légitime et ce qui se passe dans les faits.

42. Dans ce passage, R. place sa réflexion, au moins jusqu'à un certain point, dans les cadres de la pensée jusnaturaliste moderne. Il reconnaît en effet « la nécessité de remonter jusqu'à l'état de Nature » pour « examine[r] les fondements de la société » ; or la référence à « l'état de nature » est, depuis Hobbes, un lieu commun de la pensée politique. Cependant R. n'en prend pas moins ses distances avec l'usage qui a été fait jusqu'alors de cette notion. Son objet sera donc, non d'en récuser l'usage, mais d'en reprendre à nouveaux frais l'examen : il parlera, dans la suite du texte, d'un « véritable état de nature », d'un « pur état de nature » ou encore d'un « premier état de nature » (p. 65, 86, 103, 117, 118, 186 et 191).

En d'autres termes, l'un des objets essentiels de l'analyse sera de savoir ce que l'on peut *véritablement* dire de l'« état de nature ». R. annonce ici les thèses qu'il s'emploiera à récuser : les jusnaturalistes « transport[ent] à l'état de Nature, des idées qu'ils [ont] prises dans la société. Ils parl[ent] de l'Homme Sauvage et ils peign[ent] l'homme civil ». L'erreur commune aux jusnaturalistes modernes est de *naturaliser la description de l'homme civil*. L'enjeu de la réfutation de ce contresens est le suivant : en plaçant dans l'état de nature des traits de l'homme civil, les jusnaturalistes tendent à donner à des institutions un fondement situé dans la nature des choses, donc nécessaire et universel, s'interdisant ainsi d'en apercevoir la dimension historique et contingente (voir H. Gouhier, « Nature et histoire », in *Les Méditations métaphysiques de J.-J. R.*, Paris, Vrin, 1984, p. 23-24 et notre introduction, p. 26-32). R. s'emploiera donc d'abord à pointer la contingence de ce qui est communément décrit comme naturel et nécessaire.

La thèse d'une connaissance naturelle « des notions du Juste et de l'Injuste » est présente aussi bien chez Grotius – même si celui-ci, qui écrit avant Hobbes, n'emploie pas encore la notion d'« état de nature » – que chez Pufendorf ou Locke (voir *DGP*, Prolégomènes, § VII-IX ; *DNG*, II, II, § I. ; *Second Traité*, chap. II, § VI). Locke est tout particulièrement visé dans la critique d'un « Droit naturel que chacun a de posséder ce qui lui appartient » (*Second Traité*, chap. V) : Grotius et Pufendorf quant à eux critiquent plutôt cette idée. On peut songer à Hobbes à propos de l'idée selon laquelle le « plus fort » aurait naturellement une autorité sur « le plus faible » (*De Cive*, chap. VIII, § I). Enfin tous ces auteurs font peu ou prou « aussitôt [...] naître le Gouvernement » : Hobbes tout particulièrement, mais aussi Grotius, Locke et Pufendorf (*De Cive*, chap. I, § XIV ; *DGP*, II, II, § II ; *DNG*, II, II, § IV ; *Second Traité*, chap. IX, § 123). Malgré des hésitations souvent soulignées par les commentateurs, notamment chez Locke, ces auteurs rejoignent Hobbes dans l'idée qu'une existence sociale non politique serait immédiatement ou rapidement invivable (la nécessité des conventions morales, politiques et juridiques qu'ils évoquent est donc « naturelle »). Toutes ces thèses seront réfutées successivement par R., d'abord en décrivant un homme dépourvu de tout acquis social et vivant sans éprouver aucun sentiment de manque, puis en décrivant des « nations sauvages », formées d'hommes civilisés quoique dépourvus d'acquisitions propres aux sociétés politiques et aux économies de production, et dont l'existence n'a pourtant rien d'invivable ou de misérable.

43. R., en apparence, défend la vérité révélée contre les audaces des penseurs modernes qui, en thématisant l'« état de nature », font litière des enseignements de la Genèse. Cela peut s'expliquer par un souci de prudence à l'égard de la censure ecclésiastique (Pufendorf prend les mêmes précautions formelles, pour les mêmes raisons : *DNG*, II, II, § IV). R. confirme d'ailleurs cette hypothèse de la prudence rhétorique quelques lignes plus loin en évoquant les « raisonnements hypothétiques et conditionnels [...] que font tous les jours nos Physiciens sur la formation du Monde ». Ces recherches, illustrées notamment en son temps par Buffon (*Histoire naturelle*, II, *Histoire et théorie de la terre*, Paris, 1749), et Maupertuis (*Essai de cosmologie*, Berlin, 1750), et qui contredisent le récit de la Genèse, sont exhibées comme des précédents autorisant des recherches du même ordre à propos de l'origine des sociétés. Mais R. est sans doute ici doublement frondeur, en prenant à contre-pied, par cette déclaration de soumission un peu trop appuyée à l'autorité des Écritures, l'anticléricalisme philosophique de son temps. Il présente en effet souvent ces deux « partis » antagonistes que sont l'Église et les philosophes comme deux puissances également intolérantes et dogmatiques (voir notamment *Dialogues*, III, *OC* I, p. 967). On peut comparer ce passage à la façon dont l'*Essai sur l'origine des langues* traite cette même question : « Adam parlait ; Noé parlait ; soit. Adam avait été instruit par Dieu lui-même. En se divisant les enfants de Noé abandonnèrent l'agriculture, et la langue commune périt avec la première société. [...] Épars dans ce vaste désert du monde, les hommes retombèrent dans la stupide barbarie où ils se seraient trouvés s'ils étaient nés de la terre » (chap. IX, *OC* V, p. 398-399).

44. R. précise la méthodologie qu'il emploiera. Son propos n'entre pas en concurrence avec l'histoire révélée, pour la même raison qu'il n'entre pas en concurrence avec l'histoire naturelle de l'humanité. Comme il le dira au début de la Ire partie, lorsqu'il décrira les conditions de vie et les premiers développements de l'« homme de la nature », il n'entend pas restituer une histoire réelle de l'homme depuis ses origines, quelle que soit la façon dont on conçoit ces origines. Il n'importe pas que le « pur état de nature » ait réellement existé, ni que les modifications qui conduisent de cet état à l'état civilisé aient eu lieu tels que R. les imagine. Ce qui prend la forme d'un récit est en réalité une entreprise d'analyse intellectuelle et de méditation, de « dépouillement » (p. 70) opéré par la pensée, afin de découvrir la nature de l'homme comprise *stricto sensu* : ce que serait l'homme sans la civilisation, l'homme

« sort[ant] des mains de la nature » (*ibid.*). C'est pourquoi les « faits » ne sont pas la source décisive d'information, « ils ne touchent pas à la question » : le véritable « homme de la nature » n'a « peut-être point existé » : p. 53). Cela n'empêchera d'ailleurs pas R. de faire un usage riche de ses propres observations, ainsi que des livres, qu'il a lus en abondance, concernant les variétés de l'espèce humaine (voir J. Morel, « Recherches sur les sources du *Discours sur l'inégalité* », *AJJR*, V, Genève, A. Jullien, 1909). Il n'y a là aucune contradiction : les faits d'expérience sont d'utiles suppléments ou des confirmations du raisonnement. Ils permettent de prendre la mesure du caractère contingent de telle forme d'existence sociale, de telle institution – par exemple la guerre ou la propriété. Si l'on peut observer des peuples qui ne connaissent ni l'une ni l'autre, on n'aura pas pour autant observé des hommes à l'état de nature : cette observation permettra cependant de déduire que ni la guerre, ni la propriété n'ont de fondement dans la nature de l'homme comprise *stricto sensu*.

Dans la suite du *DI*, R. obéit à une règle terminologique systématique, qui fait l'objet d'un choix réfléchi et doit donc être prise en compte pour éviter les confusions : il parle de l'« homme sauvage » ou *du* sauvage (au singulier) pour désigner l'homme dans le pur état de nature, fiction reconstituée par dépouillement ; il parle des « nations sauvages » ou *des* sauvages (au pluriel), pour désigner des hommes réels, observés par des voyageurs, déjà socialisés et modifiés par la société (il écrit explicitement, p. 117, que ces hommes sont « déjà loin du premier état de nature »), mais qui se trouvent néanmoins dans une condition intermédiaire entre le pur état de nature et la civilisation telle que la connaissent les sociétés modernes. Dans quelques rares cas, le mot « sauvage » au singulier désigne un homme appartenant aux « nations sauvages » mais R. le fait précéder de l'article indéfini : « *un* sauvage », sous-entendu : un membre d'une nation sauvage.

45. R. prend quelques libertés avec la chronologie ou commet plus probablement un lapsus, écrivant « Lycée » pour « Académie ». Le Lycée est l'école qu'a fondée Aristote à Athènes plusieurs années après avoir quitté l'Académie, l'école de son maître Platon. Ce dernier est mort avant la fondation du Lycée et Xénocrate, disciple de Platon, est l'un de ses successeurs à la tête de l'Académie. Aucun des deux n'a donc pu exercer de magistère au Lycée. Quoi qu'il en soit, les hommes par lesquels R. imagine être jugé sont des sages de l'Antiquité (il a déjà cité plus haut Platon et Pline comme modèles) : signal d'une prise de distance à l'égard de la philosophie moderne,

déjà exprimée dans le *DSA*. On peut souligner par ailleurs que R. se réfère à la sagesse de Xénocrate en raison de sa réputation morale irréprochable (*cf. Lettres morales*, V, *OC* IV, p. 1108 et *Émile*, IV, *OC* IV, p. 598). C'est donc pour se rendre digne du jugement d'hommes éminemment vertueux, au moins autant que de savants, que R. vise à traiter adéquatement un objet qui concerne le « Genre humain », car « un cœur droit est [...] le premier organe de la vérité » (*La Nouvelle Héloïse*, V, 1, *OC* II, p. 523). L'universalité du propos se veut indissociablement normative et descriptive.

46. L'une des principales difficultés de lecture du *DI* apparaît ici. R. présente en effet d'abord sa description comme relevant d'un pur travail de *déduction*, indépendant de toute phénoménalité empirique (voir notes 25 et 44) ; en revanche, ces dernières lignes de l'Exorde évoquent une *histoire* située dans un temps réel. Les deux registres coexisteront et se succéderont, s'adaptant aux déplacements concernant l'objet du questionnement, sans pour autant se confondre, à condition de lire le texte avec suffisamment d'attention. On peut ainsi considérer que les thèses concernant le « premier état de nature », essentiellement développées dans la Ire partie et le début de la IIe partie du *DI*, sont des fictions construites par analyse et par déduction. En revanche, les descriptions du second état de nature (l'homme déjà socialisé mais non encore soumis à des lois positives ni à un pouvoir politique) peuvent être considérées comme une reconstitution au moins vraisemblable des étapes réelles de la civilisation, depuis ses formes nomades et le début de la sédentarisation jusqu'à l'institution des sociétés politiques. Par la suite, le récit concernant l'origine et les développements de la société politique mêlera à nouveau, de façon extrêmement complexe, le registre purement déductif (lorsqu'il s'agira des « fondements ») au registre descriptif et historique (lorsqu'il s'agira des « origines »).

47. R. n'exclut pas une histoire des modifications biologiques aboutissant à l'espèce humaine actuelle. Mais, outre qu'il estime que les acquis de la science sont, sur ce point, maigres et incertains, il souligne surtout que cela ne concerne pas l'objet de sa démonstration. Puisque la réflexion sur l'état de nature n'a pour autre but que d'éclairer la situation de l'homme civilisé en distinguant, dans sa condition, le nécessaire du contingent, R. doit travailler à partir de cette fiction théorique : se représenter un homme appartenant à la même *espèce* que les hommes civilisés (disposant de la même constitution physiologique et des mêmes facultés, au moins à l'état de potentialités) et montrer quels effets produirait, chez cet être, la privation hypothétique de tel ou tel acquis de la vie sociale.

48. C'est là une thèse majeure de R., qui vaut postulat, et dont il faut mesurer l'enjeu en la comparant à celles des auteurs qu'il critique. La question des causes et des effets de la *pénurie* qui condamnerait les hommes à se battre contre la nature et les uns contre les autres pour subsister traverse toute la pensée politique et économique moderne. Alors que Grotius, Hobbes, Pufendorf et Locke estiment que seules la culture de la terre et l'exploitation de la nature permettent au hommes de satisfaire leurs besoins et de ne pas vivre misérables (voir *DGP*, Prolégomènes, § XVI ; *De Cive*, chap. I, § XIV ; *Les devoirs de l'homme et du citoyen*, II, I, § 2-5 ; *Second Traité*, chap. V, § 41), R. voit dans la nature inculte une source de biens suffisante pour assurer la satisfaction matérielle des hommes, comme de tous les autres animaux. Il laisse même entendre dans ce passage que l'exploitation de la nature est paradoxalement une cause de sa « mutilation ». On retrouvera la même thèse dans un des derniers textes de R., écrit plus de vingt ans plus tard (*Rêveries du promeneur solitaire*, VIIe promenade, *OC* I, p. 1064-1067). Les descriptions de l'ethnologue Pierre Clastres sur les sociétés à économie de prédation font souvent écho aux thèses du *DI* (*La Société contre l'État*, notamment chap. XI, Paris, Minuit, 1974, rééd. 2001, p. 161-169).

49. Cette phrase est particulièrement subtile et annonce une des problématiques les plus complexes traitées par le *DI*. Comme on l'a vu (notes 27, 44 et 47), R. décrit, sous le nom d'« homme de la nature » un homme physiquement semblable à l'homme civilisé, fictivement « dépouillé » de tous les acquis de la vie sociale. Or cette fiction a notamment pour but de comprendre à quelles modifications intérieures (intellectuelles et affectives) sont corrélées les modifications des modes de vie dont découlent les différentes formes de civilisation : c'est dans une modification des « idées » qu'il faut chercher l'origine des inégalités conventionnelles illégitimes (voir note 41). R. doit ainsi se représenter un être qui serait à la fois déjà un homme, possédant donc à ce titre libre-arbitre et intelligence, et cependant encore indemne des représentations dont découleront les besoins factices et les illusions qui expliquent son progressif asservissement. Le caractère très artificiel de cette fiction théorique (un homme à l'état de pure potentialité) contraint parfois R. à des contorsions discursives qui n'en apparaissent pas moins parfaitement rigoureuses et cohérentes dès lors que l'on a compris le projet théorique qui la sous-tend.

50. La cité de Sparte, dont la politique était le plus souvent orientée vers la guerre, imposait aux enfants de condition libre une

éducation très rigoureuse, les obligeant à faire preuve de leur capacité à survivre par leurs propres moyens, fût-ce au prix de la transgression des lois. R. fait constamment de Sparte un modèle politique, en raison du rôle qu'y jouait l'éducation publique, et en passant le plus souvent sous silence le caractère militaire et oligarchique de ses institutions. Dans l'*Émile*, les situations où l'élève se voit contraint d'affronter et de maîtriser par ses propres moyens un environnement peu familier sont des éléments importants du travail éducatif.

51. On rencontre ici le goût de R. pour le paradoxe provocateur. Après avoir donné le sentiment qu'il estime justifiée une politique eugéniste, il montre le sens véritable de cette remarque : l'indignation que suscite une telle pratique devrait *a fortiori* conduire à condamner les mœurs plus « civilisées » et « pacifiques » des sociétés modernes, qui certes ne tuent pas ouvertement les enfants après leur naissance mais empêchent leur naissance, notamment en raison de la misère qui y règne. Il reviendra sur cette question de la dépopulation des sociétés européennes dans la note IX (p. 165-167) et dans le *CS*, III, 9.

52. Il apparaît ici que, si la description de l'état de nature a une fonction critique et réfutative, elle contribue aussi à dessiner un idéal : celui de l'autosuffisance, présentée comme à la fois possible (non contradictoire avec des exigences de bien-être matériel) et souhaitable (condition d'une certaine forme de félicité). Cet idéal d'autarcie, sans être jamais posé comme un absolu par R., traverse néanmoins toute sa pensée morale. Voir notamment *Émile*, III, *OC* IV, p. 455 ; *Lettres morales*, VI, *OC* IV, p. 1113-1114 ; *Confessions*, XII, *OC* I, p. 638-640 ; *Rêveries du promeneur solitaire*, V, *OC* I, p. 1046-1047.

53. Il s'agit de Montesquieu (*EL*, I, II).

54. Voir Cumberland, *De Legibus naturæ*, 1672 (traduit par Barbeyrac en 1744 sous le titre *Traité philosophique des lois naturelles*), chap. I, § 32 ; Pufendorf, *DNG*, II, II, § V-IX.

55. Les uns et les autres se trompent : ils illustrent différemment le sophisme consistant à extrapoler de l'homme civil à l'homme de la nature. Celui-ci n'est en réalité ni intrépide ni peureux, car il ne fait que très rarement l'expérience d'une véritable adversité dans laquelle sa survie serait engagée. Ici s'annonce l'idée, qui traversera tout le *DI*, selon laquelle la violence (commise ou subie) qui fait le quotidien de l'homme civil n'a pas son origine dans la nature mais dans les institutions sociales.

56. « Il a partout le prendre et le laisser dans la rencontre » : il a toujours le choix d'affronter ou de fuir le danger.

57. C'est la première étape d'une démonstration qui est au cœur du *DI*, et que R. prolongera dans le *CS* et surtout dans les *Principes du droit de la guerre* (texte établi par B. Bernardi et G. Silvestrini, commentaire sous la dir. de B. Bachofen et C. Spector, Paris, Vrin, « Textes et commentaires », 2008). Le véritable état de nature, contrairement à ce que pense Hobbes, n'est en rien un état de guerre. R. critique dans les *Principes du droit de la guerre* les « discours insinuants » des « savants et des jurisconsultes » qui nous apprennent à « déplore[r] les misères de la nature » et à « admire[r] la paix et la justice établies par l'ordre civil ». La guerre et la violence supposent une modification complexe des conditions de vie de l'homme, et notamment l'institution des sociétés politiques. R. démontre dans le *DI* le caractère paisible de l'existence de l'homme réduit à de strictes exigences biologiques, et ce avec un souci de systématicité qui témoigne de l'importance qu'il accorde à cette question. Il affirme d'abord que l'homme de la nature n'entretient pas de rapport de guerre avec d'autres espèces : il n'est la proie privilégiée d'aucun animal (p. 72-73) et il n'est prédateur obligé d'aucun animal, car il est naturellement frugivore et que les frugivores vivent en paix entre eux et avec les autres espèces (p. 70 et note V). Il répugne spontanément à voir souffrir, tout particulièrement son semblable (p. 95-98). Il ne connaît pas de situation de manque, de pénurie : il n'est donc presque jamais en situation de lutte pour satisfaire ses besoins. Les fruits de la terre sont en effet surabondants (p. 70, 83 et note IV) et surtout il se contente de ce dont il a réellement besoin. R. insiste sur cette thèse à propos de la lutte pour la possession des femmes : il n'y a pas de pénurie de femmes et donc pas de concurrence pour la conquête des femmes, car « toute femme est bonne » pour l'homme de la nature qui ignore l'amour-préférence (p. 100-102). Il ne connaît pas non plus le désir d'accumulation de richesses ou de biens fonciers (terres, bétail ou monnaie : p. 76 et 81), ni les désirs factices de la considération, de l'orgueil, de l'honneur, du désir de puissance, sources essentielles de rivalité entre les hommes (p. 103, 146-147 et note IX). Il n'a donc aucune raison de risquer le combat pour disputer leurs biens à d'autres hommes : il peut arriver qu'il se batte, non qu'il tue pour tuer, et il préfère toujours fuir que se battre s'il en a le loisir. Il n'entretient en outre aucune relation suivie et stable avec ses semblables, qui le contraindrait à se défendre contre leurs agressions pour survivre. Sa condition est celle de la dispersion et de la mobi-

lité : il n'est pas attaché à un lieu dont son bien-être dépendrait (à la différence de l'agriculteur ou même du possesseur d'une cabane (p. 83-84, 114 et 125)) ; il ne peut pas non plus être retenu dans un lieu contre son gré (rien ne l'empêche d'aller ailleurs si on l'attaque) (p. 104-105).

L'enjeu de toutes ces remarques est souligné à la fin de la Ire partie, qui présente explicitement la *conclusion* de l'ensemble de l'analyse : « [l'homme de la nature] err[e] dans les forêts sans industrie, sans parole, sans domicile, *sans guerre*, et sans liaisons, sans nul besoin de ses semblables, comme *sans nul désir de leur nuire...* » (p. 102 ; nous soulignons). R. prolongera ensuite ce questionnement concernant l'origine véritable de la guerre, en se situant cette fois dans le cadre de l'état de société (voir notes 116, 121, 126, 142 et 147).

58. R. écrira plus loin que « la connaissance de la mort, et de ses terreurs, est une des premières acquisitions que l'homme ait faites, en s'éloignant de la condition animale » (p. 81). En écrivant ici que l'homme de la nature s'éteint « presque » sans s'en apercevoir, il introduit une nuance subtile. J. Derrida, dans une étude sur l'anthropologie rousseauiste, montre que l'homme de la nature est dans la modalité du « presque », dans le moment imprésentable, intrinsèquement instable, qui est celui du passage de l'humanité potentielle à son actualisation (*De la grammatologie*, Paris, Minuit, 1976, p. 346 et 358). Voir également sur ce point nos remarques concernant le sens méthodologique de la description d'un « homme de la nature » possédant toutes les potentialités de l'homme, mais encore non actualisées (notes 42, 47 et 49).

59. Les Indiens Caraïbes (les anciens habitants des Petites Antilles et des côtes de la Guyane, dont la partie septentrionale se trouve dans l'actuel Venezuela) sont déjà presque entièrement exterminés à l'époque de R. Les Caraïbes ne sont évidemment pas, pour lui, des hommes dans le pur état de nature, mais ils illustrent un état de développement de la vie sociale et des facultés humaines particulièrement rudimentaires : ils forment « celui de tous les peuples existants qui jusqu'ici s'est écarté le moins de l'état de nature » (p. 101). Ils permettent donc, à titre de contre-exemple, de réfuter certaines thèses anthropologiques en présentant empiriquement des exemples de ce dont l'homme peut se passer sans en ressentir le manque et donc de ce qui, dans l'homme tel que nous l'observons communément, ne relève pas véritablement de la nature.

60. Francisco Correal est un voyageur espagnol qui a séjourné en Amérique du Sud de 1666 à 1697. Ses *Voyages aux Indes occidentales* ont été traduits en français en 1722. R. cite Correal à plusieurs

reprises dans le *DI*. Buffon fait avant lui un usage fréquent de ses observations, mais il est probable que R. l'ait lu directement (voir *infra*, note 214). Il est, avec le père du Tertre et La Condamine, l'une de ses principales sources d'information pour la description des Caraïbes.

61. Cette phrase a donné lieu à de nombreuses interprétations, qui font souvent contresens. On y a vu une confirmation de la haine de R. à l'égard de tout travail de la raison et de l'intelligence, à l'image de ce que l'on avait cru pouvoir induire du *DSA*. En réalité, R. subordonne clairement la vérité de l'énoncé « l'homme qui médite est un animal dépravé » à la condition suivante : « *si* [la nature] nous a destinés à être sains... ». Toute la question est donc de savoir si la « santé » est, pour l'humanité, le seul critère d'un état de perfection. R. ne nie évidemment pas l'importance d'une vie saine, comme en témoignent les préceptes d'hygiène des livres I et II de l'*Émile* (*OC* IV, p. 269-272, 300-301 et 373-377) ; il critique très sérieusement le rôle des habitudes sociales dans les maux physiques que nous attribuons trop spontanément à l'ingratitude de la nature – c'est d'ailleurs une idée relativement commune à son époque, formulée avant lui par Montaigne (*Essais*, II, XII) ou par Buffon (*Histoire naturelle*, VII, *Discours sur la nature des animaux*, Paris, 1753, p. 66-68). Mais R. n'a jamais la naïveté d'affirmer que la santé physique soit le bien *souverain* pour l'homme : toute son œuvre témoigne de l'importance qu'il accorde à l'activité méditative. Il note dans les *Confessions* ce que le *DI* doit à la méditation et il écrit à propos de lui-même : « Je doute qu'aucun philosophe ait médité plus profondément, plus utilement peut-être » (*Dialogues*, II, *OC* I, p. 791). Ce qu'il dira plus loin sur l'ambivalence de la « perfectibilité » (p. 79-80) éclaire le sens de ce passage : le développement des passions et de l'intelligence a certes pour prix les errances et la corruption (notamment physique) indissociables de la vie sociale ; mais c'est le prix du libre-arbitre, auquel R. accorde la valeur la plus haute du point de vue de la destination de l'homme. Voir note IX, p. 170, ainsi que *Émile*, IV, *OC* IV, p. 587 et *CS*, I, 8.

62. Voir Platon, *République*, III, 405-408. Podalire et Machaon (que Platon ne cite pas nommément) sont des fils du dieu de la médecine Asclépios et sont les médecins des Grecs lors de la guerre de Troie. R. fait du passage de la *République* une interprétation assez libre : Platon ne parle pas de maladies qui seraient apparues postérieurement à la guerre de Troie, mais d'une évolution politique du rôle attribué à la médecine.

63. A. Cornelius Celsius, savant romain qui vécut au début du Ier s. après J.-C., a écrit un *De medicina*.

64. Hippocrate, qui vécut en Grèce entre les Ve et IVe siècles avant J.-C, est considéré comme le père de la médecine occidentale. Il insiste notamment sur le rôle de la diététique dans l'art médical, en prônant la consommation de légumes et de fruits.

65. On a là une clé essentielle pour la compréhension de cette description hypothétique : lorsque les jusnaturalistes affirment le caractère naturel et donc nécessaire de tel ou tel acquis de la société, ils le font le plus souvent en affirmant que sa privation rendrait la vie de l'homme invivable ou misérable. Afin de mettre à l'épreuve cette tradition philosophique et de la réfuter, R. doit montrer que la vie de son fictif homme de la nature n'aurait précisément rien d'invivable (voir également p. 92). Son propos n'a donc en aucune façon pour objet une idéalisation, empreinte de nostalgie, de la vie sauvage. Il sera très clair sur ce point dans la note IX (p. 169-170) et dans sa réponse à Voltaire du 7 sept. 1755 (*CC* III, n°319, p. 164-167). Sur la critique du contresens attribuant à R. une idéalisation de l'état sauvage : Cl. Lévi-Strauss, *Tristes Tropiques* [1955], chap. XXXVIII, rééd. Terre humaine – poche, 1998, p. 467-468 et V. Goldschmidt, *Anthropologie et politique. Les principes du système de Rousseau*, Paris, Vrin [1974], 2e éd. 1983, p. 448.

66. « Le premier qui... » : cette formule se retrouve mot pour mot dans l'*incipit* de la IIe partie, avec la même signification méthodologique. R. raisonne de la façon suivante : l'homme pourrait, du strict point de vue de sa nature physique, se passer de tels ou tels acquis de la vie sociale ; donc ces acquis résultent de ruptures dont, bien qu'on ne puisse les dater, on doit supposer qu'elles appartiennent à l'histoire et non à la nature : toute historicisation contribue à l'entreprise de dé-naturalisation de l'homme civil. La question sera chargée d'enjeux encore plus cruciaux lorsqu'il s'agira de l'apparition de la propriété foncière.

67. R. annonce ici les développements à venir sur la malléabilité de la nature humaine et sur la corrélation entre les modifications des facultés physiques, des facultés intellectuelles et des mœurs.

68. Les Hottentots sont des pasteurs nomades, occupants primitifs de la partie occidentale de l'Afrique du Sud. R. tire ses informations de la *Description du cap de Bonne-Espérance* (Nuremberg, 1719, trad. fr. 1741), du Prussien Peter Kolben, qui avait été envoyé au Cap en 1705 pour y faire des observations astronomiques.

69. Les expressions « *nation* barbare », ou, plus loin, « *nation* sauvage » montrent que les hommes observés par des voyageurs que

R. qualifie, selon l'usage habituel, de « barbares » ou de « sauvages » sont toujours en réalité, à ses yeux, des hommes socialisés et donc, d'une façon ou d'une autre, civilisés. Sur l'usage du mot « sauvage », voir note 44. La différence entre les qualificatifs « barbare » et « sauvage », assez mobile dans le *DI,* est thématisée de façon plus claire dans l'*Essai sur l'origine des langues* (écrit probablement parallèlement) : R. y écrit que « le sauvage est chasseur, le barbare est berger, l'homme civil est laboureur » (chap. IX, *OC* V, p. 400).

70. Les « qualités de l'Esprit, ou de l'Âme » de l'homme naturel (p. 64) définissent son « côté métaphysique et moral » : ce sont celles sans lesquelles son devenir social, sa dénaturation, seraient inintelligibles. Ces pages, suivies par une longue discussion sur l'origine des langues, requièrent une attention scrupuleuse. Le sens dans lequel il faut prendre la distinction du métaphysique et du moral est donné par l'organisation du discours. Les qualités *morales* sont celles qui concernent les rapports des hommes entre eux : R. les envisagera essentiellement à propos de la pitié et des passions (p. 93-102). Les qualités *métaphysiques* de l'homme sont celles qui distinguent l'individu humain de l'individu animal. R. en affirme deux (la liberté et la perfectibilité) et en niera une troisième (l'intelligence abstraite). Comme souvent chez R., l'économie globale de l'argumentation doit déterminer la compréhension de chacun des arguments successifs. Contrairement à ce que l'on croit souvent, l'examen de ce qui distingue l'homme de l'animal est un moyen subordonné à la thèse principale, à savoir établir la distance « infinie » qui sépare l'homme naturel de l'homme civil. Sa qualité d'agent libre et sa perfectibilité, les deux traits distinctifs successivement reconnus à l'homme par R., le seront précisément comme seuls susceptibles d'expliquer que cette distance ait pu être franchie. Encore ces facteurs ne pourront-ils devenir actifs que dans des circonstances telles que « l'état de nature » ait été « anéanti ». S'il importe à R. de déterminer ce qui distingue l'homme de l'animal, c'est donc avant tout pour comprendre combien l'homme s'est éloigné de la nature.

71. On a souvent sollicité ce passage pour affirmer que R. récuse le monisme matérialiste et affirme que l'homme est constitué de deux substances, matérielle et immatérielle. En réalité, sa position sur ce point, abondamment débattu à son époque, est très complexe. Si R. est dualiste, ce n'est pas à la façon de Descartes ou de Malebranche. L'affirmation selon laquelle « tout animal a des idées puis qu'il a des sens » se situe résolument dans une perspective empiriste

et témoigne de la proximité sur ce point de R. avec Condillac. *A fortiori*, c'est une déclaration anti-cartésienne que de décider que « ce n'est pas l'entendement qui fait la distinction spécifique de l'homme parmi les animaux ». Au demeurant, comme l'avaient affirmé Plutarque (*Que les bêtes brutes usent de la raison*, 343, 2) et Montaigne (*Essais*, l. I, chap. XLII), il y a de ce point de vue plus de différences entre les hommes qu'entre les hommes et les bêtes. Ensemble, ces propositions impliquent que l'homme de la nature est un animal et en possède toutes les caractéristiques, y compris l'instinct comme le montrera la suite du texte. Mais si l'entendement n'est pas le propre de l'homme, se comporter comme un « agent libre » le caractérise. Rien de moins cartésien cependant que la liberté de la volonté dont il est question ici. Elle ne se définit pas positivement comme faculté de vouloir le bien, mais négativement comme capacité de s'écarter de ce que l'instinct prescrit. L'exemple des hommes dissolus dans leur alimentation le montre bien : cette capacité d'écart s'illustre dans la « dépravation ». La civilisation se définit comme écart avec l'état de nature. L'incapacité des animaux à s'écarter des lois de leur nature avait été soulignée par Buffon : « la plupart se laissent consumer d'inanition et périr de faim, plutôt que de prendre des nourritures qui leur répugnent » (*Discours sur la nature des animaux*, 1753, in *Œuvres, op. cit.*, p. 459).

72. On peut s'étonner de la façon dont R. minore ce qu'il vient d'affirmer si fortement (la thèse de la liberté constitutive de l'homme), en passant à l'examen de la perfectibilité. C'est un procédé argumentatif qui jouera également un rôle majeur dans le *CS* (I, 5). L'argument de la perfectibilité ne dépend pas de la thèse métaphysique, qui est en tant que telle indémontrable. Mais il permet de la corroborer empiriquement, à condition de penser la liberté essentiellement comme capacité de l'homme à s'écarter de la nature.

Le terme de *perfectibilité* est un néologisme forgé par R. Il connaîtra un succès considérable, mais au prix d'un triple gauchissement du sens qu'il revêt ici. 1° Contrairement à ce que l'on dit souvent, la perfectibilité n'est pas définie comme la faculté qu'aurait l'homme de *se* perfectionner (d'aller vers un état de perfection), mais comme la possibilité de *perfectionner ses facultés*, ce perfectionnement des facultés étant lui-même mis au service de finalités aussi bien imparfaites que parfaites. 2° Le terme *perfectibilité* n'a donc pas un sens univoquement mélioratif. La faculté qu'a l'homme de devenir autre que ce que la nature l'a fait est ambivalente : elle explique aussi bien « ses lumières et ses erreurs, ses vices et ses vertus ». La perfectibilité s'entend toujours chez R. pour le meilleur et pour le pire : voir, notamment, le *CS* (I, 8) et la *Lettre sur la vertu* (*AJJR* XLI, Genève, Droz, 1997 et B. Bernardi, *Le Principe d'obligation*, *op. cit.*, chap. 6). Ce n'est pas assez cependant que de noter cette ambivalence. La thèse va plus loin : dans le passage de l'état de nature à l'état civil, le meilleur et le pire sont indissociables ; l'homme se perfectionne en se dépravant. Cette thèse fait le lien entre le premier et le second *Discours*. 3° Il est tout aussi important de voir que la perfectibilité est une virtualité, non à proprement parler une tendance et, en tout cas, pas une finalité : elle ne porte pas en elle-même le principe de son activation, il faut pour cela « l'aide de circonstances ». Sur cet occasionnalisme très particulier voir L. Althusser, « Le courant souterrain du matérialisme de la rencontre », *Écrits philosophiques et politiques*, t. 1, Stock / IMEC, 1994, p. 539-582 et notre introduction, p. 30. On observera que, comme la liberté, la perfectibilité se prouve de façon négative : la première par la goinfrerie, la seconde par l'imbécillité. La référence aux Indiens de l'Orénoque est encore empruntée à Francisco Correal (avec des planchettes, les *ais*, ils entraveraient le développement de la boîte crânienne de leurs enfants).

73. La correspondance établie ici entre vouloir et désirer, craindre et ne pas vouloir est à la fois circonstancielle (la distinction entre volonté et désir suppose un entendement développé que l'homme de la nature ignore) et essentielle : la volonté proprement dite est une mutation du désir qui intervient lorsque l'homme est devenu apte à connaître le bien qu'il désire. Cette même mutation est requise, dans le *CS* (voir notamment, I, 6), pour le passage de la volonté particulière à la volonté générale. Dans le paragraphe suivant, R. établit simultanément deux thèses. L'une concerne l'homme de la nature : « ses désirs ne dépassent pas ses besoins physiques » parce que, dépourvu de toute forme de représentation, il est dans la pure immédiateté. Ainsi, il peut craindre la douleur présente, non la mort qui n'est rien pour lui (la consonance avec ce qui est une thèse scandaleusement célèbre d'Épicure ne peut être une inadvertance de la part de R.). La seconde thèse concerne la façon dont la sphère des désirs humains a pu s'étendre : non de l'extension de la connaissance à celle des désirs mais inversement. Plus exactement, ce n'est que par le passage du besoin à la passion comme source des désirs que l'on peut expliquer la stimulation de l'entendement humain. Si ses désirs étaient restés bornés à ses besoins, l'homme ne serait pas sorti de l'état de nature et son entendement serait resté comparable à celui des bêtes. Les moralistes de l'Antiquité

(notamment les stoïciens) et ceux du XVIIe siècle (notamment La Rochefoucauld) avaient décrit la part prise par les représentations dans le développement des passions. L'insistance sur le rôle des passions dans la formation de l'esprit humain est assez répandue au milieu du XVIIIe siècle (Helvétius ou Diderot vont aussi dans ce sens). R. se distingue en proposant une généalogie de l'entendement à partir des passions. On le verra plus loin, la relation entre préférence passionnelle et distinction intellectuelle y joue un rôle primordial.

74. Isoler ce passage et, plus encore, la proposition selon laquelle « les progrès de l'Esprit se sont précisément proportionnés aux besoins » ne peut conduire qu'à se méprendre sur leur sens et à supposer que R. se contredit : on pourrait y lire la thèse selon laquelle le besoin physique explique le développement des facultés de l'homme civil, thèse qu'il récuse sans cesse par ailleurs. Cette remarque est un *excursus* qui anticipe sur le cours des choses pour considérer une époque où les peuples se seront formés (les Égyptiens, les Grecs, puis, lorsque la civilisation se répandra, les peuples du Nord) : voir l'*Essai sur l'origine des langues*, chap. IX et X. C'est dans le cadre de cette socialisation que les différences géographiques deviennent des circonstances qui incitent les hommes à répondre par des moyens nouveaux à leurs besoins, ou plus exactement à leurs nouveaux désirs. De là naît la diversification des peuples et de leurs cultures. Aussi bien, après avoir établi que la double spécificité de l'homme (sa qualité d'agent libre et sa perfectibilité) le rendait *susceptible* de sortir de l'état de nature, R. va montrer que leur activation par le passage à l'état civil ne peut s'expliquer sans une série de ruptures impliquant des circonstances et des événements contingents. C'est d'ailleurs sur le principe de permanence immanent à l'état de nature que le paragraphe suivant insiste : le mot *révolution* y est pris dans son sens ancien de cycle, non dans son sens moderne de changement radical. Il en ira autrement dans la seconde partie (p. 113-119 et notes 126, 133 et 172). Voir aussi *CS* (II, 8) et *Émile*, III (*OC* III, p 468). Sur cette mutation sémantique, voir G. Benrekassa, *Le Langage des Lumières, concepts et savoir de la langue*, Paris, PUF, 1995, p 29-39.

75. Plus on « médite » (plus on avance dans le travail de « dépouillement » de ce qui n'est pas naturel à l'homme), plus on prend la mesure de la *distance* entre l'homme civil et l'homme de la nature ; et donc plus s'élargit la sphère ressortissant de la dénaturation dans la constitution actuelle de l'homme. La dynamique de la recherche qui « creuse jusqu'à la racine » afin de « détruire » des

« préjugés invétérés » (p. 103) révèle « l'espace immense » qui sépare l'état civil de l'état naturel (p. 86 et 146).

76. Il s'agit de montrer que l'homme de la nature n'a pu devenir l'homme civil par simple développement immanent et sans ruptures. Le premier argument porte sur le développement intellectuel : certes, la chaîne est continue des sensations aux idées, mais elle est si longue qu'un homme isolé ne pourrait jamais la parcourir. Il faut donc supposer que la communication et la transmission des idées y ont été nécessaires. Le second argument porte sur les arts, et surtout sur l'agriculture. Non seulement elle suppose un ensemble de moyens et de connaissances produits par la société mais, à supposer que l'homme de la nature en ait disposé par miracle, elle n'a de sens que sous la condition d'une appropriation de la terre et de ses produits. De quelque façon qu'on prenne les choses, c'est la socialisation de l'homme qui peut seule expliquer sa sortie de l'état de nature.

77. Si ce vocable de « Philosophes » vise particulièrement les jusnaturalistes qui, de Grotius à Burlamaqui en passant par Pufendorf et Barbeyrac, font tous de l'homme un être naturellement susceptible de raisonnement et de connaissance de la loi divine, c'est aussi bien à Diderot que R. objectera que l'art de raisonner est un des plus tardifs à se développer (voir note 30). Mais l'argument spécifique invoqué ici est différent : attribuer la raison à l'homme de la nature, c'est l'attribuer à l'individu humain comme membre de son espèce. Or l'individu de la nature n'a aucun besoin d'une telle qualité : l'instinct fait fort bien l'affaire. Ce n'est que dans le cadre d'une existence socialisée que les échanges en produisent la nécessité et la communication la possibilité. Encore une fois, la notion d'état de nature a pour fonction de mettre en évidence ce qui provient de l'état civil.

78. Seule l'institution des langues permettra de comprendre que l'homme ait pu développer les facultés de son esprit. Ici s'achève le premier volet de l'enquête sur les qualités « métaphysiques et morales » que l'homme tient de la nature. Elle a permis à R. de démontrer que, si les facultés intellectuelles de l'homme civil étaient potentiellement inscrites dans l'homme de la nature, elles n'ont pu se développer sans le langage et la communication, c'est-à-dire sans la socialisation. Après un long *excursus* sur l'origine des langues, la fin de la Ire partie s'attachera à montrer que, du point de vue proprement moral non plus, l'homme n'est pas disposé par la nature à la socialisation. Il faudra donc se résoudre à penser que l'entrelacs d'une série de causes occasionnelles (les circonstances) et de

modifications partiellement inexplicables a sorti l'homme du pur état de nature.

79. Cette apparente digression joue un rôle crucial dans l'argumentation. Il convient d'abord d'en saisir l'enjeu. À première vue, R. adopte l'hypothèse d'une origine surhumaine ou surnaturelle du langage : il se dit « convaincu de l'impossibilité presque démontrée que les Langues aient pu naître et s'établir par des moyens purement humains » (sous-entendu : sans l'intervention de moyens surhumains, c'est-à-dire surnaturels). Cette hypothèse interprétative n'est pas exclue, puisque R. se refuse à écarter la vérité de la révélation (voir note 43). Ce n'est cependant pas là l'enjeu véritable du propos : en donnant à penser un *mystère* si profond que l'on est tenté de s'en remettre à la transcendance pour le résoudre, R. exhibe surtout une *énigme* théorique. Bien des scientifiques après lui le souligneront. La comparaison entre modes de communication naturels (animaux) et langage humain fait apparaître des différences qualitatives majeures (C. Lévi-Strauss, *Introduction* à M. Mauss, *Sociologie et anthropologie*, Paris, PUF, 1950, p. XLVII ; E. Benveniste, « Communication animale et langage humain », in *Problème de Linguistique générale*, Tel-Gallimard, 1966). Le paléo-anthropologue américain Ian Tattersall, faisant en 1998 dans son ouvrage *L'Émergence de l'homme* (trad. fr. Paris, Gallimard, 1999, p. 74-85), le bilan des innombrables tentatives expérimentales visant à établir une continuité et à penser les modalités d'un « passage » entre communication animale et langage humain, conclut à leur échec et décrit le langage comme une « propriété d'émergence », ce qui n'est qu'une autre façon de reformuler l'énigme mise au jour par R. Le véritable enjeu de l'analyse est donc énoncé dans la transition avec le développement suivant : « on voit [...], au peu de soin qu'a pris la Nature de [...] faciliter [aux hommes] l'usage de la parole, combien elle a peu préparé leur Sociabilité ».

80. Étienne de Condillac a publié en 1746 l'*Essai sur l'origine des connaissances humaines*, dont quelques pages (IIe partie, chap. 1, sect° 1) sont consacrées à l'origine du langage proprement dit, la suite de l'ouvrage portant sur l'évolution des langues depuis leur forme primitive. R., familier de Condillac, a été séduit et influencé par sa tentative de retracer une histoire naturelle de l'esprit humain (voir J. Morel, « Recherche sur les sources... », art. cit., p. 147). Il est possible, inversement, que certaines idées de Condillac sur le lien entre langues et passions lui aient été inspirées par R. (voir E. Claparède, « R. et l'origine du langage », *AJJR.*, t. XXIV, 1935, p. 118). Mais l'objet propre des réflexions du *DI* est traité par

Condillac d'une façon beaucoup plus rapide et simplificatrice qu'il ne l'est par R. Condillac construit la fiction de deux enfants ignorant le langage et vivant ensemble dans un désert. Les secours mutuels qu'ils se portent sont facilités par l'émission de cris, qui deviennent des signes avec lesquels ils se familiarisent. Ils « acqu[ièrent] ainsi l'habitude de lier quelques idées à des signes arbitraires ». Puis ils ont eux-mêmes un enfant dont « [l]a langue, fort flexible, se replia de manière extraordinaire et prononça un mot tout nouveau » ; les parents tentent de répéter ce mot et ainsi naît progressivement le langage articulé, qui se développe en langage complexe et en « discours ». Ces explications font bon marché des « embarras » que R., au contraire, s'emploie à détailler. Condillac s'inscrit dans la lignée de la philosophie empiriste anglaise : les comportements de l'homme civil trouveraient leur origine dans le développement naturel d'une sensibilité naturelle (voir E. Cassirer, *La Philosophie des Lumières*, trad. fr. Paris, Fayard, 1966, p. 58-59). Hobbes imagine ainsi une fonction linguistique naturelle avant l'apprentissage de toute convention linguistique, puisqu'il fait précéder l'usage des langues conventionnelles par une faculté de nommer à titre privé le réel, au moyen de ce qu'il nomme des « marques » (*Éléments de la loi naturelle et politique*, I, V, 1-2). Locke estime que « si nous pouvions conduire tous les mots jusqu'à leur source » nous découvririons que même « les mots qu'on emploie pour signifier des choses qui ne tombent pas sous les sens ont tiré leur première origine d'idées sensibles », car « la nature suggéra inopinément aux hommes l'origine et le principe » de l'usage des mots au moyen d'impressions sensibles (*Essai sur l'entendement humain*, III, I, § 5). La philosophie du XVIIIe siècle est très influencée par ce type d'explication naturaliste : Maupertuis, à la même époque, adopte des hypothèses proches de celles de Condillac (voir note 28).

81. Dans l'état de nature, il n'y a pas à proprement parler de famille, laquelle ne découle pas d'un besoin mais d'une convention. Cette thèse essentielle est développée contre Locke par la note XII de R. Elle sera appuyée sur un autre plan par l'analyse du désir sexuel (p. 100-101 et note 107) puis complétée au début de la IIe partie (p. 114 et note 127).

82. La première difficulté est de savoir comment le langage humain est devenu *nécessaire* : comme le redira l'*Essai sur l'origine des langues* (chap. I, *OC* V, p. 378), si nous parlons, ce n'est pas parce que nous en avons besoin pour survivre, mais parce que des passions *sociales* nous y poussent. R. laisse ici non résolu le problème de la naissance de ces passions mais récuse déjà l'un des

éléments de l'explication naturaliste de l'origine du langage. Il contribue ainsi à corroborer la thèse qui traverse toute cette première partie du *DI* (et à laquelle il reviendra immédiatement après l'*excursus* sur le langage) : il est faux de dire que les acquis de la société remédient à une déficience originaire de l'homme.

83. R. énonce ici le problème majeur que pose l'institution du langage humain : toute hypothèse sur son invention à partir de processus naturels se heurte à des cercles logiques. Deux cercles, liés l'un à l'autre, sont décrits. 1° il faut avoir institué une société pour parler, or il faut parler pour instituer une société ; 2° il faut penser pour parler, or il faut parler pour penser. Pourquoi le langage humain implique-t-il ces cercles ? Certes, admet R., on trouve chez les animaux (*Essai sur l'origine des langues*, chap. I, *OC* V, p. 379), chez les nourrissons (*Émile*, I, *OC* IV, p. 285) et chez les hommes de la nature (p. 87), une forme de communication, un « cri de la nature », qui exprime de façon unilatérale un état du corps et qui permet des formes élémentaires de collaboration. Cependant le langage humain est qualitativement différent : il est de part en part *conventionnel*. Est conventionnel, d'abord, le fait de lier un signe arbitrairement choisi à un contenu de signification. Or, comment s'accorder sur cette convention sans se faire comprendre d'une façon ou d'une autre ? Et comment se faire comprendre sans se parler ? Voilà pourquoi il faut supposer la société instituée (c'est-à-dire des conventions préalablement établies) pour rendre concevable l'institution du langage. Mais la difficulté est plus sensible encore si l'on approfondit la complexité propre du langage humain. Le problème essentiel réside dans le lien entre parole et abstraction : de là le cercle qui lie parole et pensée. Le langage humain est d'abord grammaticalement articulé (c'est le sens des références aux « parties constitutives du discours », aux « temps des verbes », à la « syntaxe » : voir p. 90-91). Or les règles de la grammaire renvoient à des modalités de la pensée – la représentation du passé, de l'irréel, du conditionnel (les « modes » du discours), des consécutions logiques, etc. – qui sont irréductibles à des états du corps immédiatement ressentis. Par ailleurs, les mots ne désignent pas seulement des objets concrets et singuliers (sans quoi les langues seraient des collections de noms propres), ils renvoient à des catégories d'objets (p. 89). Il faut donc, pour parler, savoir penser, au sens propre du terme : non pas, comme le singe qui va d'une noix à une autre, associer mécaniquement des sensations qui se ressemblent, mais posséder une représentation intellectuelle des caractéristiques communes à des catégories d'objets. Voilà ce qu'est la véritable *généralisation*,

que R. illustre par les idées de triangle et d'arbre (p. 90). Le problème se complique encore si l'on prend en compte les « êtres purement abstraits » « n'ayant point un objet sensible », tels que « les mots de matière, d'esprit, de substance, de mode, de figure » (p. 91). Les techniques reposant sur la sensibilité (onomatopées, gestes mimétiques, désignation) sont ici entièrement inopérantes : comment des hommes pourraient-ils, par ces moyens naturels, partager la compréhension des notions auxquelles renvoient de tels mots ? Bref, tout montre qu'il faut penser pour pouvoir user des mots. Or inversement, il faut parler pour pouvoir penser, car « les idées générales ne peuvent s'introduire dans l'Esprit qu'à l'aide des mots, [...] il faut [...] énoncer des propositions, il faut donc parler pour avoir des idées générales » (p. 90). Le caractère doublement circulaire de l'institution du langage rend ainsi toute explication naturaliste aporétique : l'esprit fait face à un saut qualitatif qui résiste aux hypothèses continuistes.

84. On aperçoit ici l'enjeu dérivé de cette analyse : les conventions linguistiques sont aussi diverses et contingentes que toutes les conventions qui caractérisent l'homme dénaturé. C'est l'idée que développe l'*Essai sur l'origine des langues*, lequel en revanche ne fait qu'évoquer rapidement, dans son Ier chap., la question de l'origine du langage. Dans le *DI*, R. esquisse une critique de l'imperfection des langues existantes, dans la lignée d'une ancienne tradition philosophique (voir notamment Platon, *Cratyle*, 428*d*-439*b* ; Spinoza, *Traité de la réforme de l'entendement*, § 88-89 ; Locke, *Essai sur l'entendement humain*, III, IX-X). Plus loin, il met en scène les premiers tâtonnements des hommes qui, ayant découvert la possibilité de catégoriser le réel, « firent [...] trop peu d'espèces et de genres faute d'avoir considéré les Êtres par toutes leurs différences » (p. 90). La problématique de la *bonne généralisation* se profile ainsi au cœur de la réflexion sur l'invention des langues : si la généralisation est pour R. l'instrument essentiel de la perfectibilité, tant morale qu'intellectuelle (voir *Essai sur l'origine des langues*, chap. I, *OC* V, p. 379), elle en manifeste toute l'ambivalence. R. reviendra souvent sur « l'art de généraliser » (voir B. Bernardi, *La Fabrique des concepts*, *op. cit.*, chap. 10 et 11) : du travail de la généralisation dépendent les réussites et les échecs de la science et de la philosophie, mais aussi de la morale et la politique. Plus loin dans le *DI*, R. soulignera le lien entre les usages abusifs du langage et les institutions corrompues.

85. L'aoriste est un temps de la conjugaison à valeur de passé indéfini.

86. R. récapitule ce que nous avons appris de l'homme de la nature. Du point de vue physique, ses forces individuelles étaient proportionnées à ses « besoins naturels ». Du point de vue métaphysique, il était fort loin de pouvoir communiquer. On ne peut donc lui attribuer le besoin physique ni les moyens intellectuels de la sociabilité. Ce passage est le seul, en dehors de la Préface (p. 56 et note 33), où le concept de *sociabilité* est employé. Il n'est que plus décisif de voir R. prendre ses distances avec ce lieu commun du jusnaturalisme (que seul Hobbes avait également récusé). Mais ce qui n'est pas vrai physiquement et métaphysiquement l'est-il moralement ? C'est ce qu'il reste à examiner.

87. Encore un lieu commun : les misères de l'homme sans société sont au jusnaturalisme moderne ce que les misères de l'homme sans Dieu sont à l'apologétique augustinienne. R. en conteste la consistance logique : la misère est une notion qui enveloppe la représentation d'un manque. Au sens strict, c'est un état moral qui suppose des besoins, un entendement et des passions développés. L'homme de la nature ne manque de rien et, en tout cas, ne peut éprouver ni se représenter les besoins propres à l'homme civilisé. L'enjeu de cette critique est encore une fois la question de ce qui est réellement *nécessaire* dans les acquis de la civilisation.

88. Cette formulation remarquable est plus complexe qu'il ne paraît. Sous la simple équivalence : la raison est à l'homme civil ce que l'instinct est à l'homme naturel, il faut lire une double exclusion. L'instinct est devenu inaudible et inopérant pour l'homme civil, la raison était inutile et inaccessible à l'homme naturel.

89. Ce passage commande la compréhension de la pensée de R. En affirmant que, dans l'état de nature, les hommes n'ont ni « relation morale », ni « devoirs connus », il pose une série de thèses essentielles. 1° Les idées de relation et de morale s'impliquent réciproquement : toute véritable relation (à la différence des rencontres occasionnelles de l'état de nature) implique permanence, habitude et convention (trois déterminations de la catégorie de *mœurs*). Il faut aussi comprendre qu'il n'y a de morale que pour un être devenu « relatif », alors que l'homme de la nature est un être « absolu » : sur ce point, voir la *Lettre sur la vertu* (*supra*, note 72). 2° Parce qu'elle relève de la relation, la moralité ne se définit pas par des normes (le bien et le mal) mais par la modalité du rapport avec autrui (la bonté ou la méchanceté). 3° L'expression « devoirs connus » n'en suppose pas d'autres qui ne le sont pas, elle indique une autre implication : pour qu'il y ait devoir, il faut que l'on sache que l'on doit quelque chose à autrui et que l'on connaisse ce qu'on

lui doit. Il n'y a donc devoir et à proprement parler moralité que pour un être dont les actes passent par la médiation de la délibération et de la réflexion : pour faire le bien que l'on doit faire, il faut en être « instruit ». Ces thèses éclairent le propos de R. sur la bonté naturelle et la pitié : la bonté « naturelle » n'est pas la bonté « morale » et la pitié n'est pas, à proprement parler, un sentiment de moralité. Mais la pitié et la conservation de soi n'en constituent pas moins un mobile d'action, spontané et immédiat, qui permet de parler de la « bonté naturelle » de l'homme. La pensée morale de R. est gouvernée par le paradoxe résultant de ces thèses (la moralité et la corruption sociale sont coextensives) et par le problème qui en découle : comment produire dans l'homme social un *analogon* de la bonté naturelle ? Comment restituer à la délibération réfléchie la rectitude de l'impulsion naturelle ? Le *CS* et l'*Émile* donnent deux réponses parallèles à ces questions.

90. Contre le courant central de la tradition jusnaturaliste (de Grotius à Burlamaqui), R. a établi que l'on ne peut prêter une conduite morale à l'homme de l'état de nature. Cela le conduit-il à adopter la position de ce que l'on pourrait appeler le jusnaturalisme hétérodoxe de Hobbes (et sous certaines modalités de Spinoza) qui ne reconnaît pour principe naturel que la conservation de soi ? C'est à lever cette équivoque qu'il va s'employer en montrant d'abord que le principe de la conservation de soi a été mal entendu par Hobbes, ensuite qu'il n'a pas reconnu cet autre principe qu'est la pitié. Dans cette discussion, R. se réfère au texte du *De Cive* de Hobbes (traduit dès 1649 par Sorbière, sous le titre *Du citoyen*). Il ne semble pas avoir lu le *Léviathan* (non encore traduit).

La conservation de soi exige la satisfaction des besoins naturels et donc la jouissance des biens qui leur correspondent (« la nourriture, une femelle et le repos », p. 81). En affirmant que chacun a un « droit sur toutes choses » (*De Cive*, chap. I, § X), Hobbes passe subrepticement de la possession, qui est la jouissance actuelle de ce dont on a le besoin présent, à la propriété qui exclut autrui de cette jouissance. Par là, il étend le rapport des hommes aux choses aux rapports des hommes entre eux, dans un état où ces derniers ne sont pas établis. Comme le dit V. Goldschmidt (*Anthropologie et politique*, *op. cit.*, p. 314), R. conçoit la conservation comme un « vouloir vivre », Hobbes en fait une « volonté de puissance ». En attribuant à l'homme naturel un désir passionné d'avoir et de pouvoir, Hobbes reproduit l'erreur des jusnaturalistes « classiques » qui lui prêtaient la rationalité et des passions sociales. C'est ce qui le conduit à affirmer que « l'état naturel des hommes, avant qu'ils eussent formé des sociétés, était une guerre perpétuelle, et non seulement cela, mais une guerre de tous contre tous » (*De Cive*, chap. I, § XII). Dans la conception de R., leurs besoins bornés et l'absence de rapports constants entre eux excluent toute véritable hostilité entre les hommes de la nature : la guerre naît de l'état civil. La confrontation de R. avec Hobbes sur ce point est développée dans les *Principes du droit de la guerre* (voir note 57).

91. Hobbes (*De Cive,* Préface) avait caractérisé « la nature animale de l'homme » hors société civile en le comparant avec un enfant et le « méchant » avec un enfant robuste (*puer robustus*) : « Si vous ne donnez aux enfants tout ce qu'ils désirent, ils pleurent, ils se fâchent, ils frappent leurs nourrices, et la nature les porte à en user de la sorte. Cependant ils ne sont pas à blâmer, et on ne dit pas qu'ils sont mauvais, premièrement, parce qu'ils ne peuvent point faire de dommage, et après, à cause qu'étant privés de l'usage de la raison, ils sont exempts de tous les devoirs des autres hommes. Mais, s'ils continuent de faire la même chose lorsqu'ils sont plus avancés en âge, et lorsque les forces leur sont venues avec lesquelles ils peuvent nuire, c'est alors que l'on commence de les nommer, et qu'ils sont méchants en effet. De sorte que je dirais volontiers, qu'un méchant homme est le même qu'un enfant robuste, ou qu'un homme qui a l'âme d'un enfant ; et que la méchanceté n'est autre chose que le défaut de raison en un âge auquel elle a accoutumé de venir aux hommes, par un instinct de la nature, qui doit être alors cultivée par la discipline... » Ce raisonnement stipule l'existence chez l'enfant de passions que sa faiblesse l'empêche d'assouvir et auxquelles la raison, lorsqu'il sera adulte, lui défendra d'obéir. R. refuse ces présuppositions. 1° On l'a déjà vu, la raison ne vient pas aux hommes par un « instinct de la nature ». 2° Si l'enfant se conduit « méchamment », c'est parce qu'objectivement ses besoins excèdent ses forces ; or, dans l'état de nature, dès que l'homme devient adulte, il est assez fort pour satisfaire ses besoins, et l'idée d'un « enfant robuste » est *logiquement contradictoire.* 3° Hobbes joue indûment sur le concept de force qui se rapporte d'une part aux choses (pour la satisfaction des besoins), d'autre part aux hommes (pour la satisfaction des désirs qui dépendent d'eux). La dépendance des choses est naturelle, celle des hommes naît des rapports sociaux. La faiblesse morale, c'est la dépendance d'autrui. Cette discussion est reprise au l. I de l'*Émile* (*OC* IV, p. 288). Elle oppose R. à Hobbes mais aussi à Diderot.

92. « L'ignorance des vices est plus utile chez eux que chez d'autres la connaissance de la vertu. » Justin (*Histoires*, l. II,

chap. II, § 15) vantait en ces termes les mœurs des anciens Scythes. R., signale J. Starobinski, a pu trouver cette référence chez Grotius (*DGP*, II, II, § 2). Elle transparaît déjà dans le *DSA* (*OC* III, p. 11).

93. Ici commence le développement que R. consacre à la pitié qui, avec la conservation de soi, définit la condition morale de l'homme naturel. Ces pages sont délicates. Nous avons vu que, dans l'état de nature où les hommes n'ont pas de rapports suivis entre eux, il ne peut être question, *stricto sensu*, de moralité : la pitié, vertu *naturelle*, ne saurait donc être une vertu *morale*. Or R. va affirmer que de la pitié « découlent toutes les vertus sociales ». Pour comprendre que ces deux propositions ne s'opposent pas mais s'articulent, il faut suivre le raisonnement pas à pas.

Si Hobbes a « mal entendu » le principe de la conservation de soi, il a carrément ignoré la pitié. Contre lui, R. croit pouvoir invoquer un aveu universel dont Mandeville sera le témoin (il est désigné successivement comme « le détracteur le plus outré de toutes les vertus humaines », « l'auteur de la Fable des Abeilles », enfin par son nom propre). L'ouvrage de Mandeville (paru en 1723, lu par R. dans la traduction de Bernard, 1740) était réputé pour avoir soutenu que les vices privés sont la source de la félicité publique. Une thèse bien éloignée de celles de R. qui fait donc parler en sa faveur le témoin de la partie adverse (un procédé rhétorique classique). Au demeurant, Mandeville a mal compris l'idée de pitié, comme Hobbes celle de conservation.

94. C'est d'abord par sa fonction que R. définit la pitié. La conservation de soi, ne regardant que soi-même, ne connaît aucune limite : la pitié est un frein (elle « adoucit », « tempère », plus loin R. écrira « modère ») qui en évite les excès. Mais il ne faudrait pas croire que le souci de la conservation de soi et la pitié s'opposent comme le privilège que l'on s'accorde et celui que l'on reconnaît à autrui : R. va s'attacher à montrer que la pitié est une autre modalité de l'amour de soi. On notera que l'amour-propre (il peut être « féroce ») est présenté comme l'héritier dépravé du désir de se conserver. Sur la différence entre amour-propre et amour de soi, voir la note XV de R.

95. Les indications que donne ici R. précisent en quel sens la vertu est naturelle. Elle est commune à tous les animaux en tant que doués de sensibilité : ils sont affectés par la souffrance exprimée par leur semblables. Mais qui sont ces semblables ? Le texte de la Préface (voir p. 56 et les notes 32 et 34) étendait cette sensibilité à tous les êtres sensibles ; ici R. paraît la restreindre au cadre de chaque espèce. Il n'y a là ni contradiction ni hésitation : comme on verra

plus loin, la pitié procède d'une identification susceptible d'élargissement ou de rétrécissement. Cette flexibilité joue un grand rôle dans la généalogie des « vertus sociales » : ainsi, l'amour de la patrie sera un analogue de la pitié entre membres d'une même espèce et le sentiment d'humanité de la commisération naturelle envers tout être sensible. On a voulu opposer l'affirmation (faite ici à deux reprises) du caractère pré-réflexif de la pitié à la déclaration de l'*Essai sur l'origine des langues*, chap. IX : « Les affections sociales ne se développent en nous qu'avec nos lumières. La pitié, bien que naturelle au cœur de l'homme, resterait éternellement inactive sans l'imagination qui la met en jeu ». Entre ces deux propositions, il faut reconnaître l'espace qui sépare la pitié comme sentiment naturel de son rôle dans la formation des affections sociales (pour une mise au point développée, V. Goldschmidt, *Anthropologie et politique*, *op. cit.*, p. 337-341). C'est pour l'heure le caractère primitif de la pitié que R. veut souligner. C'est pourquoi il insiste sur le fait que les passions sociales peuvent dépraver ce sentiment mais ne peuvent l'étouffer. Une idée reprise dans les *Principes du droit de la guerre*, trad. Bertrand, Londieser, Amsterdam, 1740.

96. Mandeville, *La Fable des abeilles*, *op. cit.*, t. 2, p. 28.

97. Sylla et Alexandre de Phères, l'un Romain et l'autre Grec, étaient deux célèbres tyrans, à la fois sanguinaires et sensibles. Plutarque les évoque respectivement dans la *Vie de Sylla* et dans celle de *Pelopidus*.

98. Juvénal, *Satire* XV, v. 131-133 : « Par le don qu'elle lui a fait des larmes, la nature atteste doter le genre humain d'un cœur très sensible. »

99. Ayant établi que la pitié est un sentiment naturel et en quoi elle consiste, R. peut désigner sa place dans la généalogie des sentiments moraux. Il ne s'agit pas, bien sûr, de faire de la générosité, la clémence, l'humanité etc., des sentiments naturels : ils impliquent la représentation (par exemple pour la générosité), la distinction (pour l'amitié), la généralisation (pour l'humanité), autant d'opérations de l'esprit qui requièrent un intellect développé. Mais R. entend marquer que, sans la pitié, leur genèse serait incompréhensible. C'est pourquoi il était nécessaire de montrer que la dépravation sociale ne peut effacer ce sentiment primitif : le faire parler de nouveau dans le cœur de l'homme civil, tourner la raison à son bénéfice et non à son détriment, tel est l'enjeu de l'éducation morale.

100. Ce passage sur la commisération répond à La Rochefoucauld (*Maxime* CCLIV) qui, comme toujours, ramène la pitié à l'intérêt : puisque c'est en nous identifiant à autrui que nous

éprouvons de la pitié pour lui, c'est encore à nous que nous pensons. Dans une perspective augustinienne, en effet, l'amour de soi et l'amour d'autrui (*a fortiori* l'amour de Dieu) s'opposent. La nature de l'homme a été corrompue par le péché : ce n'est pas de son mouvement spontané, selon un principe d'immanence, mais d'une grâce transcendante que l'on doit attendre la vertu. Ce sont des thèses que, théologiquement et moralement, R. récuse : il n'oppose pas intérêt et vertu mais intérêt à avoir et intérêt à être (voir B. Bernardi, *La Fabrique des concepts*, *op. cit.*, chap. 6). La réfutation suit ici la méthode indiquée par l'épigraphe tirée d'Aristote et mise en tête du *DI* : l'argument de La Rochefoucauld repose sur l'observation de l'homme dépravé, or c'est l'être de la nature qu'il faut considérer. Dépourvu d'imagination (c'est un « animal spectateur »), il éprouve de la pitié pour un être singulier immédiatement présent (un « animal souffrant »), dont il ne se différencie que numériquement. C'est dans l'homme civil que l'on observe une double mutation de l'identification : elle devient élective (il se distingue et distingue parmi les autres, la préférence étant le corollaire affectif de la distinction) et, d'un autre côté, se généralise, mais devient abstraite et s'affaiblit.

101. Le « Philosophe » pousse à l'extrême les effets moraux de la généralisation : il étend ses vues de façon purement intellectuelle et s'identifie à l'humanité, voire à la nature entière, mais sa sensibilité s'atrophie, au point de le rendre insensible à la souffrance des êtres proches. Dans les *Confessions*, VIII (*OC* I, p. 389, note) R. reproche à Diderot de lui avoir soufflé ce passage excessif. Ce qui peut être vrai du style (voir V. Goldschmidt, *Anthropologie et politique*, *op. cit.*, p. 337), ne l'est pas de la thèse. R. l'avait déjà soutenue en 1753, dans la Préface du *Narcisse* (*OC* II, p. 967). Elle est surtout cohérente avec son « système » et sous-tend sa critique du cosmopolitisme : il repose sur un principe trop abstrait pour pouvoir fonder la conduite morale qui exige toujours un support sensible (*Ms G.*, *OC* III, p. 287).

102. Cette remarque explique pourquoi R. tantôt fait de la conservation de soi et de la pitié deux principes distincts, tantôt les considère comme deux expressions d'un même principe : du point de vue de l'individu, la pitié modère les excès auxquels pourrait le porter l'amour de soi, du point de vue de l'espèce cette modération est un moyen de se conserver. Dans l'état de nature, ces points de vue ont peu d'occasions de s'opposer ; l'état civil au contraire les multiplie, *a fortiori* lorsque l'amour de soi se modifie en amour-propre. Dans une large mesure, l'institution politique a pour objet

de réduire cet écart : ainsi la volonté générale, dans le *CS*, ramène à l'unité la recherche de l'intérêt particulier et celle de l'intérêt commun.

103. Au moment de conclure au sujet de la pitié, R. précise sa situation à l'égard du jusnaturalisme. À son courant dominant, il reproche d'avoir confondu l'homme civil de qui, parce qu'il agit par délibération et réflexion, on peut exiger le respect du droit naturel raisonné (la bonté morale), et l'homme de la nature qui se conduit spontanément selon les principes de la conservation de soi et de la pitié. Mais au courant hobbesien, il reproche, parce qu'il ignore la pitié, de ne pas voir que l'on peut parler d'une bonté naturelle de l'homme. Sur ce point, voir également la note 95. Il serait cependant abusif de voir dans le réalisme de l'opposition entre « maxime sublime » du droit raisonné et « maxime utile » de la bonté naturelle une disqualification de la première. Il faut plutôt comprendre que R. reproche aux théoriciens du droit et de la religion naturels de ne pas avoir vu que la condition de son effectivité était une société bien ordonnée.

104. Comme l'argument par la misère examiné plus haut, ce qu'on pourrait appeler l'argument par la rivalité était un lieu commun de la littérature politique et morale pour démontrer l'instabilité de l'état de nature. Chez Hobbes il joue un rôle déterminant comme cause de la guerre de tous contre tous (*De Cive*, chap. I, § XII et XIII) : la « vaine gloire », la « vaine opinion de soi-même » sont présentées comme une source primitive de conflits. La lutte pour l'estime (de soi, des autres) est même évoquée avant la passion d'appropriation (*ibid.*, § V). Cette thématique sera reprise par Hegel et connaît aujourd'hui de nouveaux développements sous le vocable de « lutte pour la reconnaissance ». On peut s'étonner de la rapidité avec laquelle R. se débarrasse de cet argument. Ce n'est pas qu'il sous-estime sa force, mais il en déplace radicalement le lieu de pertinence : toutes les passions de rivalité énumérées ici supposent une existence sociale dont il estime avoir assez démontré qu'elle était étrangère au véritable état de nature.

105. La discussion sur la passion amoureuse, contrairement à celle sur les passions fondées sur l'estime de soi, occupe longuement R. Son enjeu est crucial. Le désir sexuel est à l'évidence naturel : s'il engendre nécessairement l'hostilité entre les hommes, la thèse de Hobbes reviendra avec une force décuplée. C'est à récuser cette connexion que l'argumentation sera d'abord consacrée. Mais, comme souvent, R. fait monter les enchères : non content de

dissocier désir sexuel et rivalité amoureuse, il affirme que celle-ci naît de la socialisation et que les violences qu'elle suscite résultent des efforts conventionnels de régulation de la sexualité (« il serait encore bon d'examiner si ces désordres ne sont point nés avec les Lois mêmes », écrit-il quelques lignes plus loin).

106. La thèse principale et sa subordonnée sont claires. 1° Le désir sexuel porte naturellement un sexe vers un autre, non un individu déterminé vers un être choisi. 2° La naissance de préférences suppose la comparaison qui ne peut se faire sans la société et l'établissement de critères d'évaluation conventionnels. Ces thèses impliquent conjointement que le jugement moral (l'estime) et esthétique (la beauté) sont des productions sociales. On a souvent insisté sur les stéréotypes misogynes véhiculés par ce passage. Sans aborder en général la question du statut de la femme chez R., on observera qu'en toute logique, c'est dans l'état de nature qu'un sexe doit obéir à un autre, ce qui n'implique aucunement que dans l'état civil telle femme doive obéir à tel homme. Il faudrait dans le cas contraire soutenir cette absurdité, que R. dénie toute pertinence aux évaluations morales ou esthétiques.

107. Le besoin sexuel est ponctuel et immédiat ; c'est sa transformation en désir sous l'effet de l'imagination qui fait entrer l'amour dans la durée. On a sans doute insuffisamment souligné l'importance pour l'anthropologie, la morale, mais aussi la politique de R. de cette corrélation entre désir, appréhension du temps et, par conséquent, convention.

108. L'attribution aux « sauvages » d'une sexualité exubérante est un fantasme de civilisés qui ignorent la corrélation entre l'intensité de leurs désirs et les obstacles mis par la société à leur satisfaction.

109. Puisqu'il s'est employé à considérer la sexualité humaine dans son état primitif, donc animal, R. se doit de répondre aux objections qu'on pourrait lui adresser du point de vue de la zoologie comparée. Mais on ne peut comparer que le comparable. Dans cette discussion, il reste ferme sur son principe : ce n'est pas le rapport d'individu à individu mais de sexe à sexe qu'il faut considérer. La rivalité ne pourrait donc naître que d'un déséquilibre numérique entre les sexes (or il y a autant de femmes que d'hommes), d'une indisponibilité temporaire des femelles ou du caractère saisonnier de l'impulsion sexuelle (deux choses inconnues dans l'espèce humaine).

110. Même si R. lui donne une vigueur et une portée particulières, la dénonciation des effets perturbateurs des conventions sociales pour la sexualité humaine est largement répandue au milieu du XVIIIe siècle. Il est aisé mais un peu puéril de personnaliser l'affirmation finale de R. sur « la débauche » (il faut entendre la prostitution et la masturbation) et les « avortements volontaires ». Kant soulignera dans le même esprit les effets pervers de l'écart croissant imposé par la civilisation entre majorité naturelle et majorité civile : *Conjectures sur le commencement de l'histoire humaine*, note, in *Œuvres*, Bibliothèque de la Pléiade, vol. 2, p. 512-514.

111. R. ne fait pas ici un bilan concernant l'homme de la nature. Si tel était le cas, on ne comprendrait ni le silence fait sur sa qualité d'agent libre et sa perfectibilité, ni l'évocation seulement indirecte et négative de la bonté naturelle. Il tire les conclusions de son enquête sur la question précise qu'il s'était posée : y a-t-il quelque chose dans l'état de nature qui pousse l'homme à en sortir ? La réponse est négative, si l'on renonce à lui attribuer ce qu'il acquiert en se socialisant : l'industrie, le langage, une existence fixe et commune, des rapports établis, qu'ils soient d'association ou d'hostilité, des passions développées et des idées autres que celles issues des pures sensations. Dans l'état de nature, même les inventions qu'un homme pourrait faire ne seraient pas transmises : il n'y aurait aucun progrès. L'état de nature, considéré en lui-même, est un éternel présent. Il est étranger à toute historicité. Le corollaire de cette thèse est que l'histoire est irréductible à toute naturalité.

112. R. a consacré la moitié du *DI* à l'étude de l'homme de la nature. Il le justifie, au moment d'aborder celle de l'homme civil, par la nécessité de repenser l'idée d'état de nature, et pour cela de « creuser jusqu'à la racine ». Il se trouve ainsi en mesure d'aborder de façon radicalement nouvelle la question de l'origine de l'inégalité. Certes, dès la première page (p. 64 et note 40), il avait exclu que l'on puisse fonder les inégalités sociales sur les inégalités naturelles (une idée d'esclave avait-il dit). Il n'y reviendra pas. Mais c'était, et c'est encore, un autre argument que de justifier les inégalités sociales comme un moindre mal répondant aux inégalités naturelles. Pour le réfuter, il convient de montrer qu'on surestime ces dernières et leurs conséquences.

113. Le raisonnement se développe autour de deux arguments et de leur combinaison. Le premier est anthropologique. Les différences de force et d'ingéniosité qui existent naturellement entre individus restent ce qu'elles sont dans un état caractérisé par sa fixité ; c'est l'état civil, régi par une logique expansive et cumulative, qui multiplie leurs conséquences. Le second argument est conceptuel et

politique. Déjà esquissé dans la discussion avec Hobbes, il est ici systématisé. On peut parler de différence pour des individus que l'on compare, sans qu'ils aient de rapport que dans notre esprit ; pour parler au sens strict d'inégalité, il faut qu'ils soient réellement en relation, que les rapports qu'ils ont entre eux fassent de leurs différences des avantages pour les uns, des handicaps pour les autres. Il y a des différences naturelles, il n'y a d'inégalité que sociale. Décisive en elle-même (les débats sur l'inégalité gagneraient à mieux la prendre en compte), cette thèse implique une conséquence plus importante encore. Puisque l'inégalité se dit toujours d'un rapport inégal, elle implique une relation de domination et de servitude : elle met les hommes sous la dépendance les uns des autres. Cette idée a en outre une réciproque : en dénouant les rapports de domination, en supprimant la dépendance, on réduit les inégalités à de simples différences. Des pans entiers de la politique de R. prennent ici leur inspiration : une société bien ordonnée est celle dans laquelle la soumission aux lois supprime la dépendance personnelle. Sa morale et sa pédagogie aussi : l'éducation d'Émile tend à lui faire accepter la dépendance des choses en le soustrayant à celle des personnes. C'est le point d'ancrage de la part de stoïcisme qu'on trouve chez R.

114. Ici se situe le point de retournement de la démarche du *DI*. Négative jusqu'ici, elle a produit ce résultat : on cherchera en vain dans la « constitution » primitive de l'homme (ce terme, substitué après-coup à celui de « condition », souligne que c'est de la nature de l'homme qu'il a été question) l'explication de sa « nature actuelle ». Passant de la partie négative à la partie positive de l'analyse, R. va devoir recourir massivement, dans un premier temps du moins, au registre hypothétique qui jusqu'ici n'a été utilisé que dans quelques moments d'anticipation. Puisque aucune nécessité interne ne peut rendre compte de ce changement d'état, il faut que les circonstances aient joué un rôle déterminant. On aurait tort de voir dans l'utilisation du terme « hasard » l'idée d'un effet sans cause. Le hasard ne s'oppose pas ici à la causalité mais à la finalité. L'activation de la perfectibilité humaine obéit à un enchaînement dont la nécessité n'est pas immanente mais externe à sa constitution naturelle.

115. En creusant, comme il vient de le faire, l'écart entre l'homme de la nature et l'homme civil, plus encore en montrant qu'il était illusoire de lier directement ces deux états comme procédant l'un de l'autre, et en affirmant qu'une multiplicité de facteurs sur une durée considérable avaient dû concourir au passage de l'un à l'autre, R. a

fragilisé sa propre démarche : comment rendre compte de ce passage sans sombrer dans l'arbitraire de la pure fiction ? Dans un geste de retournement spectaculaire, le dernier moment de la Ire partie du *DI* fait de cette fragilité une force et montre la nécessité, la validité et la fécondité de sa méthode. La Préface et l'Exorde (p. 56 et 65) nous avaient prévenus : ignorants ce que furent les premiers temps de l'humanité, il nous fallait « écarter tous les faits » qui ne relevaient que de la légende. La méthode d'analyse régressive suivie tout au long de la première partie a cependant permis de former une idée, épurée mais claire et solide, de tout ce que n'était pas et du peu qu'était l'homme de la nature. Désormais, les termes sont fixés, qu'il faut relier entre eux par des « faits intermédiaires ». La démarche de l'historien, qui établit les faits positifs, étant interdite, c'est à conjecturer les faits probables qu'il faut se résoudre. Cette démarche incombe au *philosophe* : ce texte est un de ceux où R. se revendique le plus clairement et positivement comme tel. Conjecturer n'est pas imaginer, mais « tirer de la nature des choses » ce qui est « le plus probable ». La probabilité entretient un rapport à la vérité bien particulier, qui est d'approximation : certes les choses peuvent s'être déroulées « de plusieurs manières » et le récit que fera la seconde partie du *DI* s'écartera dans une certaine mesure du déroulement événementiel effectif. Mais cet écart ne saurait être que partiel et, en tout cas, ne compromettra pas la vérité du « système » qui ne consiste pas à relater des événements mais à restituer des enchaînements. R., faute de relater le passage de l'homme de la nature à l'homme civil, passe de la considération d'événements singuliers effectifs à celle de classes d'événements possibles, pour reconstituer la logique du passage de l'état de nature à l'état civil.

116. Cet *incipit* est un passage clé du *DI* : il désigne, par anticipation, la thèse centrale de la IIe partie. R. n'y décrit pas l'institution de la propriété en général (il mentionnera plusieurs étapes préalables dans la formation de l'idée de la propriété). C'est de l'appropriation de la terre qu'il s'agit et, partant, de la propriété foncière. Il faut le souligner : l'acte de force qu'elle constitue n'a d'effectivité que par le consentement de « gens assez simple pour le croire ». R. (*CS*, I, 3) généralisera cette relation entre force, consentement et droit. L'appropriation de la terre constitue un point de basculement décisif dans l'histoire de l'humanité. Elle ne détermine pas le passage à l'état de société, mais d'un état de société à un autre : la « société civile », cause de l'avènement de la misère et de la guerre. L'interprétation la plus courante assimile « société civile » et « société politique » (« civil » est souvent synonyme de « politique » aux XVIIe et XVIIIe siècles) : il

s'agirait donc de l'apparition du pouvoir et des lois, que l'appropriation foncière rendrait nécessaires. Mais le sens de l'adjectif est fluctuant selon les auteurs et les contextes : on peut aussi voir dans cette « société civile » l'établissement de rapports d'appropriation et de domination, sans que ces rapports soient encore garantis par des institutions politico-juridiques. R. écrit d'ailleurs quelques lignes plus loin qu'il décrit ici le « dernier terme de l'état de Nature » : cela peut signifier soit que l'apparition de la propriété foncière se situe encore dans l'état de nature, au sens classique d'un état pré-politique, soit qu'elle est contemporaine du basculement dans l'état politique. Dans le premier cas, le « fondateur de la société civile » est celui qui crée, dans l'état social pré-politique, une situation de guerre inter-individuelle comparable à celle qu'imaginait Hobbes. Mais ce premier propriétaire foncier peut aussi être considéré comme une anticipation du « riche » qui proposera un pacte social pour garantir ses propriétés (p. 126-127) : le fait qu'il ne se contente pas de s'approprier factuellement le terrain, mais accompagne cet acte d'une déclaration, doit conduire à voir en lui le créateur d'un état de droit, fût-il embryonnaire, et non simplement d'un état de fait.

R. ne croit évidemment pas que l'avènement de la propriété foncière ait pu avoir lieu, historiquement, sur le mode d'un tel acte unique et solennel : du point de vue de l'« origine », cette nouvelle donne s'est imposée de façon progressive et insensible, et c'est après-coup qu'il a fallu l'institutionnaliser. S'il présente les choses comme il le fait ici, c'est qu'il commence à se placer au point de vue des « fondements » : la propriété foncière n'a pu être respectée qu'à condition de reposer sur l'institution de ce que R. nommera plus loin « une nouvelle sorte de droit [...] différent de celui qui résulte de la loi naturelle » (p. 122). Un point essentiel est l'accent mis sur l'objet de cette modification des rapports sociaux : que R. désigne le premier propriétaire foncier comme le « *vrai* fondateur de la société civile » implique la réfutation de toute autre caractérisation de la rupture avec l'état social pré-politique pacifique.

117. La jouissance des « fruits » de la nature (de tous les biens consommables qu'elle produit spontanément) est un droit naturel, car elle est nécessaire à la survie. Elle est compatible avec une possession commune. L'appropriation de la terre, en revanche, ne peut pas se justifier par une nécessité naturelle. Cette thèse est, en son temps, révolutionnaire, au moins par la façon dont R. en dégage les enjeux. Elle est clairement dirigée contre Locke, qu'il critique souvent dans le *DI* sans forcément le nommer. C. B. Macpherson a montré que Locke s'emploie précisément à estomper cette différence

qualitative entre appropriation des fruits et appropriation foncière, afin de donner à cette dernière la légitimité d'un droit naturel (voir *La Théorie politique de l'individualisme possessif*, Paris, Gallimard, 1971, p. 220-242 et J. Locke, *Second Traité*, chap. V).

118. Après avoir imaginé un *événement* clairement identifiable, au cours duquel un sage aurait pu arrêter le cours de l'histoire, R. souligne que les rapports sociaux se sont en réalité modifiés insensiblement jusqu'à devenir irréversibles. Ces modifications, qu'il va maintenant décrire, concernent des modifications dans l'ordre des choses, mais aussi et surtout dans l'ordre des représentations : c'est « *l'idée* de propriété » qui fait l'objet de ce travail de reconstitution généalogique.

119. R. a annoncé qu'il procéderait en suivant « l'ordre le plus naturel ». Il s'essaie donc à l'histoire hypothétique dont il a fait la théorie à la fin de la Ire partie. Il s'agit d'une *logique* évolutive plutôt que d'une histoire positive. Dans cette logique, les éléments indiscutables sont le point de départ (« un animal borné d'abord aux pures sensations »), le point d'arrivée (l'institution de la société civile) et entre les deux beaucoup d'incertitudes, et même de mystères, mais à coup sûr une action réciproque entre développement des affects, de l'intelligence, et étapes successives de la socialisation. Selon V. Goldschmidt, la reconstitution qu'opère R. n'est guère éloignée de ce que la paléoanthropologie nommera plus tard le passage du paléolithique au néolithique (*Anthropologie et politique*, *op. cit.*, p. 483). Cette longue période reste désignée par R., selon la terminologie traditionnelle, comme un « état de nature », au sens d'un état pré-politique ; mais il précise à plusieurs reprises qu'il ne s'agit pas du « véritable » ou du « pur » état de nature : l'homme y est décrit comme inscrit dans une *histoire*, et pour R., l'histoire s'oppose à la nature (voir note 42). Ce second « état de nature » (distinct du premier qui seul était un « véritable état de nature ») est donc une période qui voit la société s'établir progressivement. Il y a pour R. une existence sociale avant que ne s'établisse la société civile.

120. « Ichtyophage » : qui se nourrit de poissons.

121. R. imagine ici des peuples « guerriers » bien avant l'apparition de la propriété foncière et de la société civile. Sans doute faut-il entendre cet adjectif en un sens faible : R. n'exclut pas que des peuples sauvages, avant l'apparition de la propriété foncière, aient eu des comportements belliqueux liés aux querelles d'amour-propre et à l'esprit de vengeance (p. 116-118). La disposition d'instruments de chasse rendrait ces querelles particulièrement meurtrières dans certains peuples. Il ne s'agit pas pour autant de l'origine de la guerre véritable, qui ne sera plus conjoncturelle mais structurelle.

122. R. s'essaie à une reconstitution hypothétique des modifications qui actualisent la perfectibilité. Selon J. Morel, il subit une forte influence des thèses de Condillac concernant l'« histoire de la pensée humaine » (voir « Recherches sur les sources... », art. cit., p. 145-146). Cela n'est vrai qu'à moitié. La doctrine sensualiste de Condillac explique la constitution psychologique et intellectuelle de l'esprit à partir des seules sensations. Ce primat de la sensibilité se retrouve chez R. et lui permet de prendre ses distances avec l'anthropologie de Buffon, lequel, fidèle à la tradition cartésienne, se représente l'homme jeté dans la nature avec une raison toute constituée. Mais R. s'éloigne aussi de Condillac : il accorde un rôle décisif aux passions *sociales* et à l'intersubjectivité. Cette modalité de la sensibilité (celle du « *moi* relatif », selon l'expression d'*Émile*, IV, *OC* IV, p. 534) implique une rupture avec l'anthropologie sensualiste (voir également notes 71 et 263). On notera que, comme à propos de la liberté, l'intersubjectivité est postulée par R. plus qu'elle n'est démontrée.

123. La démarche s'apparente à celle employée pour réfuter la pertinence d'une loi naturelle dont la connaissance exigerait « un très grand raisonneur et un profond Métaphysicien » (p. 55 et note 30). Ici, la genèse de la collaboration et des obligations résulte d'une extrapolation de la connaissance de soi (comme individu d'abord soucieux de sa propre conservation) à la connaissance d'autrui, ce qui évite de fonder la sociabilité sur la « dialectique » (souvent péjoratif au XVIIIe siècle, ce terme désigne un raisonnement métaphysique subtil et plus ou moins sophistique).

124. Ici apparaît une modalité essentielle de l'obligation mutuelle : celle qui résulte de la conscience d'un « intérêt commun ». Ce concept jouera un rôle central dans la pensée politique de R. (voir notamment *CS*, II, 1). L'intérêt commun est caractérisé par une tension structurelle : prolongement et spécification de l'intérêt particulier lorsque ce dernier entre en concordance objective avec celui des autres, il entre pourtant en concurrence, à l'intérieur de chaque individu, avec des intérêts purement privés, inconciliables avec ceux des autres. On trouve en *CS*, I, 7 une théorie plus poussée de cette tension, dont on voit ici qu'elle s'ébauche dès le début de la socialisation.

125. La diversification des langues est furtivement évoquée, puisqu'elle ressortit du mystère de l'origine du langage. Elle n'en constitue pas moins une rupture anthropologique décisive, puisqu'elle est inséparable de la division de l'humanité en *nations* distinctes (voir *Essai sur l'origine des* langues, chap. I et IX, *OC* V, p. 375 p. 406 ; *Émile*, II, *OC* IV, p. 346). Le concept de « nation », qui apparaît ici pour la première fois dans le *DI*, ne doit pas

s'entendre en un sens originellement politique : la nation est d'abord une réalité affective et morale. Il n'en demeure pas moins que l'insistance sur le caractère *national* du lien entre les membres des corps politiques conservera dans toute l'œuvre de R. une importance majeure (voir notamment *Corse*, *OC* III, p. 912-913 ; *Pologne*, chap. III, *ibid.*, p. 960-961 et 966).

126. Le terme « révolution » est employé ici, comme il le sera à plusieurs reprises par la suite, dans son sens moderne (voir note 74) : après des siècles de « progrès presque insensible », « l'âge des cabanes » (cette dernière expression est de V. Goldschmidt) représente une rupture qui ouvre un nouvel ordre de choses : la vie en société. La famille est la première forme d'institution sociale : R. tire la conséquence de la démonstration, faite dans la première partie et la note XII, du caractère non naturel de la famille. Les cabanes sont le premier objet de *propriété*, distincte d'une simple prise de possession, même s'il ne s'agit pas encore d'un titre juridique à proprement parler. La propriété commence, pour R, lorsque les biens appropriables cessent d'être universellement accessibles, comme l'étaient les « fruits » offerts en surabondance par la nature (voir notes 116 et 117). On retrouve ainsi la question de savoir quand commence à proprement parler la guerre (voir note 57). R. émet une hypothèse pour mieux l'écarter : la fabrication et la propriété des cabanes peuvent engendrer des conflits, mais pas encore la guerre. En effet, si les cabanes peuvent susciter la convoitise, le fait d'en être privé n'a pas de conséquences vitales. Il n'en sera pas de même pour la propriété de la terre.

127. Le développement que R. consacre à ce stade de la « société commencée » porte successivement sur l'institution de la famille, la constitution des nations, le développement des passions sociales. En formant la société à partir de la famille, R. ne se contredit pas. La famille n'est pas un fait de nature mais une institution. Ce n'est pas la relation sexuelle mais l'habitation (le texte joue sur l'origine commune des termes habitat et habitude) qui est le support matériel de la formation des sentiments de sociabilité dont R. marque bien l'ambivalence : ils produisent douceur et mollesse. Mais la balance penche vite du côté négatif : la coopération et l'emploi des premières techniques libèrent du temps (l'oisiveté est une condition de la culture) que les hommes vont employer à satisfaire des besoins factices dont ils deviendront dépendants et qui, en outre, les rendront dépendants les uns des autres. L'idée d'un affaiblissement de la vigueur originelle de l'homme par le nouveau régime de sexualité qu'entraîne la cohabition des sexes est d'origine épicurienne : Lucrèce, *De Natura rerum*, V, v. 1011-1026.

128. Dans les paragraphes précédents, la consécution de l'habitat commun aux modifications des affects, et celle de l'augmentation de la productivité à la multiplication des besoins, étaient de ces faits généraux qui découlent de la nature des choses. L'intervention des accidents géologiques comme causes occasionnelles de l'institution des langues est une des conjectures particulières annoncées à la fin de la première partie. Depuis un siècle, les théories concernant les transformations du globe terrestre se multipliaient, mais c'est incontestablement le second discours de l'*Histoire naturelle* de Buffon, « Histoire et théorie de la terre », publié en 1749, qui est la source de R. (Buffon, *Œuvres*, *op. cit.*, p. 67-105). L'intérêt de R. pour la figure de l'île est constant et multiforme : autant littéraire (Robinson est cité souvent dans *Émile*), existentiel (l'île Saint-Pierre, dans la Ve *Rêverie*), que politique (la Corse). Son traitement ici est subtil : d'un côté la clôture insulaire aurait été favorable à la formation des langues, de l'autre son débordement par la navigation aurait permis qu'elles se répandent.

129. La famille, considérée en elle-même comme mode de relation de ses membres entre eux, avait pu être qualifiée de « petite société », à la fois par comparaison et anticipation. R. envisage maintenant les conséquences de l'institution familiale pour les relations des familles entre elles. De ce point de vue (la distinction est autant logique que chronologique), on doit vraiment parler de société. Mais en quel sens ? Les hommes, errants et épars dans l'état de nature, vont désormais mener une existence sédentaire et groupée : à n'en pas douter, c'est une existence socialisée. La fixité et la constance de l'habitation génèrent inévitablement des relations et des habitudes communes qui sont le fondement de ce que R. appelle ici *nations*. Il prend soin cependant de poser une distinction essentielle : l'unité « de mœurs et de caractère » qui fait la nation ne provient pas « des règlements et des lois » mais d'un « même genre de vie et d'aliments », d'un même milieu de vie. Cette distinction porte en creux une restriction : cette société n'est pas encore une société politique, et une affirmation : il y a une forme de société pré-politique. C'est respectivement de ces deux points de vue que R. parlera un peu plus loin de ce premier état social à la fois comme d'une « société commençante » (ce n'est pas encore une société politique) et d'une « société commencée » (nous sommes d'ores et déjà dans l'état civil). Le concept de société civile, chez R., permettrait donc de penser, en extension et en compréhension, le passage de la société commençante à la société politique.

130. Le rôle que le désir sexuel ne pouvait jouer dans la formation du lien social revient au sentiment amoureux dans son développement. Pour le meilleur : il tisse des liens entre les individus et leurs familles ; pour le pire : il engendre les rivalités et l'hostilité. Entre les deux est intervenue la socialisation du désir qui donne naissance aux comparaisons et aux préférences. Comme l'île, la fête est un thème récurrent chez R. (voir par exemple les dernières pages de la *Lettre à d'Alembert*). La fête, ici, théâtralise et collectivise l'ambivalence des transformations opérées dans l'homme : la rivalité amoureuse donne naissance à une rivalité des talents qui est porteuse de rapports de domination. Dans les développements qui suivent, la problématique de la reconnaissance tient une place que la première partie avait refusé de lui accorder dans l'état de nature (voir p. 99 et note 104). Le désir de se faire valoir et la crainte du mépris, généralisations de la rivalité amoureuse, sont dans ce premier état de socialisation à la fois source de la « civilité » et des violences interpersonnelles.

131. La cohérence du développement final sur « l'âge des cabanes » n'apparaît pas immédiatement. Comment R., après avoir montré que la lutte pour la reconnaissance – l'expression convient rigoureusement ici – rend « les vengeances terribles et les hommes sanguinaires et cruels », peut-il conclure, au paragraphe suivant, que cet état était « le meilleur à l'homme » ? Pour saisir la logique argumentative, il faut voir qu'elle porte avant tout sur le caractère *équilibré* de cet état. Cette question concerne généralement l'enquête sur la formation des sociétés politiques conduite par la seconde partie du *DI*. R. veut à la fois rendre compte de la marche vers « le dernier terme de l'inégalité », ce qui implique de restituer l'enchaînement des causes et des effets, et montrer que celui-ci n'obéit ni à une fatalité ni à une téléologie, ce qui requiert de montrer la part que la contingence et la volonté y prennent. Pour cela, il doit montrer qu'à chaque étape correspond un certain équilibre que seul un élément nouveau peut rompre.

C'est la socialisation du désir qui entraîne le développement des passions de rivalité : l'ignorance de cette vérité essentielle conduit à prendre pour état naturel de l'homme l'état de sauvagerie qui est en fait le premier état social (on notera au passage combien R. s'écarte du lieu commun du « bon sauvage »). Pour autant, on ne doit pas plus confondre la « société commencée » avec celle qui naîtra de la « grande révolution » qui va bientôt être évoquée. Si une certaine forme de propriété (celle des cabanes) est déjà apparue, nous avons vu qu'elle n'était pas susceptible de faire naître de véritable conflits (voir note 126). La violence que la rivalité et la lutte pour la reconnaissance suscitent ne concerne pas le rapport aux choses, mais le rapport des personnes entre elles. De ce point de vue, la référence à Locke (R. cite l'*Essai philosophique concernant l'entendement humain* dans la traduction de Costes, l. IV, chap. III, § 18) est l'objet d'un biais évidemment volontaire. Si l'« injure » (au sens ancien de violation d'un droit – « *jus* ») implique la propriété, cela n'est pas le cas au sens strict des atteintes à l'honneur (les injures au sens moderne d'offenses), dont il est question ici. Il ne pourra y avoir violation d'un droit que lorsque sera établie la propriété foncière (on rejoindra alors la thèse de l'*incipit* sur la propriété de la terre), et avec elle les lois qui lui donneront consistance. C'est bien ce que confirme la suite du raisonnement. Dans cet état intermédiaire qu'est la « société commençante », la bonté naturelle n'est plus suffisamment opérante et les lois ne sont pas encore établies. Ce sont, positivement, l'unité « de mœurs et de caractère » évoquée plus haut, « la moralité commençant à s'introduire dans les actions humaines », et, négativement, la crainte de la vengeance que l'offensé peut exercer, qui constituent le « frein » empêchant les rivalités de dégénérer. Il n'y a pas lieu de s'étonner que R. voie là un état d'équilibre qui est selon lui « le moins sujet aux révolutions » : tant que l'établissement de la propriété n'aura pas donné aux rapports entre les hommes l'enjeu et l'assiette du rapport aux choses, les différends ne seront jamais ni assez intenses ni assez durables pour susciter ce « plus horrible état de guerre » qui rendra nécessaire l'institution politique (voir p. 125 et note 142). L'examen de la société commencée conforte la thèse initiale : c'est l'établissement de la propriété foncière qui donnera son « véritable » fondement à la société civile.

132. On a vu pourquoi la société commençante était en équilibre et très peu sujette aux révolutions. Elle constituait en outre le meilleur état possible pour l'homme parce que le prix de la sortie du pur état de nature (l'éveil des sentiments de rivalités et les conflits qu'ils suscitent) était modéré mais surtout contrebalancé par les premiers développements des facultés de l'homme : formation des sentiments de sociabilité, éveil de l'intelligence, de l'affectivité, du sens esthétique, de la moralité. Ce sont exactement les « avantages » dont le *CS* (I, 7) crédite le « passage à l'état civil », mais sans les « abus » dont il dit qu'ils ramènent l'homme en dessous de la brute.

133. Le texte, après un long détour rétrospectif, retrouve le point de basculement annoncé dans l'*incipit*. Ce moment se révèle intrinsèquement instable, au rebours de l'équilibre qui prévalait

auparavant : aussi sera-t-il qualifié plus loin de « grande révolution ». R. souligne les deux éléments décisifs pour comprendre cette instabilité : « l'égalité disparut, la propriété s'introduisit ». Il rappelle ainsi qu'il n'a pas perdu de vue l'objet principal du *DI* (l'origine de l'inégalité) et synthétise ses deux thèses majeures. 1° L'inégalité telle qu'elle existe dans les sociétés civiles (l'inégalité « de convention », voir note 40), ne s'explique pas par les inégalités naturelles, mais par une modification des rapports sociaux – c'est en ce sens précis qu'il peut écrire que « l'égalité dispar[aît] » *à un moment déterminé de l'histoire humaine.* 2° Cette modification est intimement liée à l'apparition de la propriété et plus précisément de la seule forme de propriété qui requière absolument de prendre une forme juridique : la propriété foncière. R., approfondissant ce bouleversement, pose les bases d'une théorie économique dont toute son œuvre se nourrira (voir notamment *Émile*, III, *OC* IV, p. 456-470, où il renvoie d'ailleurs explicitement à ce passage du *DI* ; pour une étude approfondie des théories économiques de R., voir B. Fridén, *Rousseau's Economic Philosophy*, Londres, Kluwer Academic Publishers, 1998. Sur la théorie rousseauiste du droit de propriété et son dialogue critique, sur ce point, avec la tradition jusnaturaliste, voir B. Bachofen, *La Condition de la liberté*, Paris, Payot, 2002, chap. II).

La « révolution » engage une pluralité de causes qui s'impliquent réciproquement, R. soulignant ainsi le caractère hautement contingent et improbable de cette nouvelle configuration historique (il s'inscrit en cela contre la science économique de son temps, notamment celle des physiocrates, qui voyait dans les progrès d'une économie de production le prolongement d'une nécessité *naturelle*). Elle consiste d'abord dans l'invention de la division sociale du travail : seule la spécialisation permet d'augmenter la production de telle sorte « qu'un seul [ait] des provisions pour deux » (c'est un lieu commun depuis Platon : voir *République*, II, 369e-370a-c). Mais cette accumulation de la richesse, précise R., n'est possible qu'à condition d'être « utile ». Or elle ne l'est que si les surplus peuvent être échangés (par le moyen du négoce), ce qui suppose préalablement l'existence... de la spécialisation (avant la spécialisation, aucun producteur ne trouve de débouché pour ses surplus, car chacun produit tout ce dont il a besoin). Il y a là un cercle : pour expliquer l'origine de la spécialisation, il faut présupposer son existence, or elle n'a pas d'origine naturelle. Cependant l'énigme historique peut se résoudre en faisant intervenir (au prix de difficiles conjectures) l'invention et l'adoption conjointe de deux nouvelles techniques : l'extraction et la transformation des métaux, d'une part, l'agriculture « en grand » d'autre part – techniques qui l'une et l'autre exigent pour la première fois l'appropriation de la terre elle-même, et non seulement de ses productions. Ces deux techniques complexes impliquent un nouveau rapport au temps : « il faut se résoudre à perdre d'abord quelque chose pour gagner beaucoup dans la suite » (p. 121), il faut assurer sa subsistance pendant le délai qui sépare le commencement du travail du moment où il devient rentable. Bref, il faut, pendant un certain temps, que les uns assurent la subsistance des autres, ce qui ne peut se faire qu'à condition de réciprocité : à ce moment seulement la division du travail, l'accumulation et l'échange marchand deviennent *nécessaires*, ou du moins forment un système qui s'auto-entretient ; par ailleurs, ces deux nouvelles techniques ont une rentabilité bien supérieure aux techniques de production plus anciennes. En résultent *inégalité* et *propriété*, car la richesse cesse d'être accessible de façon uniforme et universelle : elle devient plus ou moins abondante, donc plus ou moins rare (ou ressentie comme telle) et suscite donc convoitise et conflit : la « misère » et l'« esclavage » en constituent l'horizon. Si cette conflictualité naissante est décrite par R. dans un style satirique, c'est qu'il prend le contre-pied d'une thèse devenue en son temps un lieu commun : celle du « doux commerce », formulée notamment par Savary et Montesquieu, plus tard par Turgot (voir A. O. Hirschman, *Les Passions et les intérêts*, trad. P. Andler, Paris, PUF, rééd. 2001, p. 58-59). R. joue d'ailleurs sur le double sens du mot « commerce ». Au moment où le terme tend à se spécialiser dans le sens de « relation marchande », il lui conserve son sens classique et générique de « relation sociale » : en évoquant « les douceurs [du] commerce indépendant » dont jouissent les hommes avant la division du travail, il suggère à la fois que la relation sociale n'est « douce » que lorsqu'elle n'est pas marchande et qu'il n'est pas impossible, à cette condition, de concilier relation sociale et indépendance.

134. R. oppose qualitativement les fruits de la terre offerts directement par la nature et les minerais que l'homme lui arrache au prix d'un travail pénible et violent : *cf. Rêveries du Promeneur solitaire*, VIIe Promenade, *OC* I, p. 1066-1067.

135. « Industrie » : au sens ancien, « travail », « activité productrice ».

136. Cérès est la déesse de l'agriculture ; les « thesmophories » sont des fêtes « législatrices » (c'est le sens littéral du terme grec). R. retranscrit mot pour mot, depuis « Lorsque les Anciens » jusqu'à « une nouvelle sorte de droit », le texte du *DGP* (II, II, § 2) dans la

traduction de Barbeyrac. La phrase suivante est en revanche de sa main et déborde largement la thèse de Grotius.

137. R. annonce ici les aspects les plus novateurs de son analyse de l'inégalité conventionnelle. Il souligne que l'appropriation de la terre suppose son « partage » : il montrera en effet par la suite que la terre, à la différence des fruits, peut être appropriée en totalité et qu'elle le sera même, à terme, nécessairement ; or seule une richesse finie exige d'être partagée. Ce partage est source de conflits (tous n'y ont pas la même part, certains n'y ont même aucune part) et c'est pourquoi il a besoin d'être garanti par un statut juridique. Mais la genèse de l'idée de propriété est présentée ici de façon ambivalente, comme elle le sera dans toute la suite du texte. Cette ambivalence voulue est au cœur de la théorie rousseauiste de la propriété. D'un côté, il souligne qu'elle devrait, du point de vue de son *fondement*, dériver du seul travail (il parle d'ailleurs de « *l'idée* de la propriété *naissante* ») : il reprend alors à son compte une thèse majeure de Locke, qui, par la médiation du travail, tente de donner à la propriété la légitimité d'un droit naturel (voir *Second Traité*, chap. V, § 27 et *Émile*, II, *OC* IV, p. 330-331). Mais le registre du fondement sera sans cesse confronté, dans la suite du *DI*, avec celui de l'*origine* – ce qui fait toute la différence avec Locke, qui au contraire, assimile ces deux registres. Si la propriété avait toujours été dérivée de son fondement légitime (le travail réel effectué par le prétendant à la propriété), elle n'aurait pas été à la source de l'inégalité démesurée, de la « misère », de l'« esclavage » et de la conflictualité sociale qui en résultent. Dans les faits, l'*origine* des propriétés instituées est l'*occupation* unilatérale de la terre (telle que l'inaugure le premier propriétaire décrit dans l'*incipit*). Seule cette origine réelle explique l'apparition de rapports de domination et d'exploitation économique entre les hommes. C'est ce qui justifie l'ajout de R. à la phrase empruntée à Grotius : le droit de propriété, en définitive, « diffèr[e] de celui qui résulte de la loi naturelle ». Avec la propriété de la terre commence un ordre des choses dans lequel le droit positif s'éloignera toujours plus du droit naturel.

138. R. n'a jamais contesté l'existence d'inégalités naturelles, celles des forces et des talents, encore qu'il s'agisse plutôt dans l'état de nature des différences que reconnaîtrait un observateur extérieur : ce n'est que lorsque les hommes ont noué des rapports que ces différences sont devenues des inégalités de comparaison (p. 116-117 et note 131). Un nouveau stade est franchi ici : la division du travail change le statut de la différence des talents : combinées à celle des situations, elles génèrent les inégalités sociales. Ce sont, on

notera l'expression, des inégalités « de combinaison » (elles découlent des rapports sociaux et de la disjonction que crée la propriété foncière entre travail et enrichissement). D'elles procéderont les inégalités d'institution.

139. Ici s'achève, à proprement parler, l'histoire conjecturale de la sortie de l'état de nature. Nous sommes entrés dans la société civile. Le paragraphe suivant va faire le bilan des changements intervenus dans la constitution de l'homme. La part de la contingence devient de moins en moins grande, c'est un enchaînement de causes et d'effets qui va prévaloir. Au demeurant, il ne faudra pas faire grand effort pour se le représenter (c'est ainsi qu'il faut comprendre « imaginer ») : il suffira de tirer des enseignements des témoignages de l'histoire. Le philosophe, n'ayant plus guère à suppléer l'historien (voir p. 106-107 et note 115), va se consacrer à une autre tâche : il conjecturera moins les faits manquants qu'il ne rendra compte de l'enchaînement des faits connus.

140. Le tableau que R. dresse de l'homme civil peut se lire de deux façons, comme bilan ou comme point de départ. D'un côté, il est le contrepoint de celui que la première partie a dressé de l'homme de la nature. L'amour de soi a laissé la place à l'amour-propre, l'animal stupide et borné est devenu un être intelligent, la commisération a été progressivement étouffée par la rivalité. Cette première révolution (passage de la nature à la culture) a été à l'origine de l'apparition des « nations sauvages ». Une seconde révolution, liée à l'apparition de la propriété foncière, située quant à elle dans l'histoire des sociétés, a eu pour effet de substituer la servitude à l'indépendance : l'amour-propre – présent dès le commencement des sociétés – est maintenant « *intéressé* », c'est-à-dire qu'il n'a plus pour enjeux des biens seulement symboliques (l'honneur, l'admiration), mais une domination sur les choses qui a pour conséquence une domination bien réelle sur les hommes. Ce tableau peut ainsi être lu comme le relevé des facteurs qui vont entraîner l'humanité jusqu'au « dernier terme de l'inégalité » (p. 145).

De ce point de vue, la thématique du paraître occupe une place déterminante. Encore faut-il bien cerner ses contours. On a beaucoup insisté sur les dimensions esthétique et éthique de l'opposition de l'être et du paraître, de la lumière et de l'obscurité, de la transparence et de la duplicité (c'est le thème central de l'œuvre majeure de J. Starobinski : *La Transparence et l'Obstacle*, Paris, Gallimard, 1971). Ce passage doit conduire à mettre l'accent sur le fait que la logique du paraître est celle de l'être social ; non seulement parce que les hommes sont poussés à se faire passer pour ce qu'ils ne sont pas mais parce qu'ils ne peuvent littéralement être que par la médiation du paraître. L'être social est un être auquel le paraître est nécessaire. Le désir de reconnaissance fait que l'on n'est que si l'on est reconnu. Le règne de la dépendance fait que le riche et le puissant mêmes doivent « intéresser » les pauvres et les faibles, l'appétit de domination ne peut s'assouvir qu'en obtenant le consentement de ceux que l'on veut dominer. Là encore, l'institution de la propriété occupe une place décisive. Elle ne suppose pas seulement l'appropriation : pour pouvoir être conservée, elle doit parvenir à se faire passer pour légitime. C'est de cette nécessité pour la propriété de paraître un droit que résultera à terme l'institution politique. La question de savoir s'il s'agit ici de *fondement* ou d'*origine* est complexe : il y a à la fois usurpation et, dans l'usurpation, germe de légitimité (recherche du consentement).

141. Nous sommes dans cette zone indécise, celle de la « société naissante », qui va voir l'appropriation de la terre se muer en propriété foncière. L'appropriation porte en elle une logique de saturation de l'espace foncier qui est fini. Cette thèse a son correspondant dans les *Principes du droit de la guerre* : l'institution du premier État entraîne nécessairement l'extension de la souveraineté sur toute la Terre. Dans les deux cas, le nouvel ordre des choses est essentiellement conflictuel. R. lit la découverte des « nouveaux mondes » en sens inverse des penseurs classiques : elle signifie moins l'ouverture de nouveaux espaces à l'appropriation que la clôture de l'espace appropriable. Mais, si l'appropriation foncière ne laisse aucun reste de terre libre, elle laisse au contraire des hommes en reste, que R. appelle « surnuméraires ». Exclus du grand partage, ils n'ont de choix qu'entre la servitude et la violence. L'appropriation, parce qu'elle génère nécessairement des exclus, porte en elle sa contestation, en fait et en droit. Pour une analyse de la figure des « surnuméraires », principe explicatif de la conflictualité sociale et fondement d'une réinterprétation du droit naturel de propriété, voir B. Bachofen, *La Condition de la liberté*, *op. cit.*, en particulier p. 143-148.

142. L'expression « horrible état de guerre » que choisit R. pour décrire l'effet produit par le grand mouvement d'appropriation foncière fait bien évidemment référence à Hobbes mais, non moins clairement, pour lui faire pièce. L'état de guerre n'est pas une conséquence de l'état de nature mais de ce que l'homme en est sorti. De ce point de vue, R. défend sa thèse constante : « La guerre naît de l'état social. » Ce texte contredit-il cette autre thèse, tout aussi essentielle, qu'il ne peut y avoir de guerre qu'entre États (*Principes*

du droit de la guerre, op. cit., et *CS* I, 4) ? Rien n'est moins sûr. La formule du *CS* ramasse une idée plus complexe : la guerre véritable naît de l'existence d'un pouvoir institué garant d'une emprise sur des terres et des populations, et son enjeu est donc toujours, en dernière instance, ce pouvoir et les effets de domination qu'il produit. En ce sens, la guerre entre propriétaires et non-propriétaires et la guerre inter-étatique possèdent la même structure, la première portant d'ailleurs en germes la seconde et en donnant la clé. Dans les deux cas, une appropriation territoriale suppose l'existence de puissances établies et d'inégalités conventionnelles (et non plus naturelles), reposant sur une expropriation, produisant un conflit d'intérêts auquel l'humanité ne peut plus se dérober et dont l'enjeu devient à proprement parler vital (ce qui n'était pas le cas s'agissant par exemple des conflits ponctuels pour la possession des cabanes : voir note 126). C'est de guerre au sens propre qu'il s'agit – R. ne nie d'ailleurs pas que la guerre puisse être « civile » et par exemple opposer au sein de la société, au moins sous la forme d'un « état de guerre », les maîtres et les esclaves (voir *Principes du droit de la guerre, op. cit.*).

143. « Atterré par la nouveauté du mal, comblé et misérable à la fois, / il préfère abandonner sa richesse, et, ce qu'il avait pourtant convoité, il le déteste » (Ovide, *Métamorphoses*, XI, V. 127-128).

144. Pour saisir ce moment décisif, il est indispensable de bien comprendre le statut du paraître dans l'état civil (voir note 140). L'acte d'appropriation est un acte de force. Comme tout ce qui repose sur la force, l'appropriation est instable. C'est donc une « nécessité », pour la stabiliser, de lui donner le renfort du consentement. Cette thèse sera généralisée par le *CS* (I, 3) : « Le plus fort n'est jamais assez fort pour être toujours le maître, s'il ne transforme sa force en droit et l'obéissance en devoir. » L'appropriation ne peut se maintenir qu'en se muant en propriété. Pour cela, le possédant n'a d'autre possibilité que « d'employer en sa faveur les forces même de ceux qui l'attaquaient » : les surnuméraires. C'est parce qu'il repose sur un calcul exact des causes et des effets que le projet du riche (donner à son coup de force la force du droit) est « le plus réfléchi qui soit jamais entré dans l'esprit humain ». On se tromperait lourdement en ne voyant dans le discours qu'il va tenir aux pauvres qu'une tromperie fallacieuse. L'état de guerre qui règne désormais entre les hommes est effectivement onéreux pour les pauvres eux-mêmes. L'élément de la ruse et de la tromperie s'appuie sur l'expérience d'une situation bien réelle.

145. Ce passage est un de ceux dont l'interprétation fait le plus débat. Ce pacte social est-il une mascarade ou faut-il lui reconnaître nécessité et validité ? Il faut d'abord se demander qui sont les parties prenantes de ce pacte. D'un côté en effet le discours du riche est celui d'un possédant s'adressant à d'autres possédants, à des « voisins », autrement dit à ceux dont les possessions se jouxtent. Ils ont entre eux des conflits (de bornage...) qui les empêchent de jouir tranquillement de leurs biens. Ce n'est qu'à des possédants que l'on peut proposer pour but « [d']assurer à chacun la possession de ce qui lui appartient ». Le but de l'opération serait alors de liguer les possédants entre eux pour se défendre de la menace des « surnuméraires ». Mais ce discours s'adresse également à ces derniers. C'est à eux qu'il faut promettre de les « garantir de l'oppression », ce sont eux qui ont intérêt à des lois qui « soumettent également le puissant et le faible à des devoirs mutuels ». Il apparaît dès lors qu'il s'agit pour le riche de légitimer la propriété sous le mobile affiché d'assurer la sécurité. En somme, il est demandé aux surnuméraires de valider l'usurpation dont ils ont été victimes pour échapper à la conséquence (« l'horrible état de guerre ») qui en a résulté. Ces remarques éclairent la question de la validité du pacte. On ne peut discuter ici en détail la longue argumentation de Goldschmidt (*Anthropologie et politique*, *op. cit.*, p. 567-586) qui le conduit, contre les interprétations les plus courantes, à affirmer que ce pacte est « historiquement nécessaire et juridiquement valide ». Sa nécessité historique est indéniable : tout l'objet du texte est de la démontrer. Mais sa légitimité est manifestement équivoque. On ne peut sortir de cette équivocité qu'en distinguant deux logiques qui s'entremêlent dans le texte. Ce que R. montre d'abord en mettant en scène un pacte, c'est que l'établissement du droit suppose, d'une façon ou d'une autre, un consentement. Certes, du point de vue de l'*origine* factuelle, il n'ignore pas que ce consentement est nécessairement progressif, informel et résulte de l'inertie des parties intéressées, des effets sociaux de la croyance religieuse et du conformisme social, à l'image de celui des « simples » qui « croient » le premier propriétaire (voir *DSA*, *OC* III, p. 22 ; *Émile*, IV, *OC* IV, p. 645-646 ; *CS*, III, 5 et IV, 8, *OC* III, p. 406 et 460). À ce titre, le « pacte » du riche ne fait que figurer de façon ramassée une longue et insensible usurpation établie par l'usage – telle que Hume la décrira pour expliquer l'origine des institutions politiques (*Traité de la nature humaine*, III, II-10). C'est ce qui explique qu'y consentent même ceux qui ont tout à y perdre. En revanche, du point de vue du *fondement* rationnel, il est évident pour R. que l'établissement de la

propriété, donc d'un droit institué, suppose un consentement explicite appuyé sur des conditions politiques précises, notamment sur la prise en compte de l'intérêt de tous. C'est pour mettre au jour cette exigence rationnelle qu'il présente artificiellement l'usurpation historique comme un événement, lequel permet de formuler clairement les conditions de cette institution (auxquelles le riche, s'il avait effectivement dû convaincre tous ses congénères, aurait été contraint de se référer). R. commence donc ici subrepticement, sous couvert d'une histoire hypothétique, à se faire théoricien des « principes du droit politique ».

146. Cette phrase confirme l'interprétation précédente : le pacte est, du point de vue de son *contenu*, présenté comme l'institutionnalisation d'une situation de domination au profit exclusif « de quelques ambitieux » et au détriment du plus grand nombre. Mais il ne faut pas négliger les premiers mots de la phrase : « Telle fut, *ou dut être...* ». Même si ce pacte n'a pas eu lieu, il *aurait dû* avoir lieu. Il est donc, du point de vue de sa fonction et du mode de fondation qu'il implique, rationnellement nécessaire. En cela, même si sa motivation et ses effets sont originellement illégitimes, il annonce bien, dans son principe et dans les promesses sur lesquelles il repose, le pacte du *CS*. Ce passage du *DI* contient une indication précieuse sur le statut que R. accorde en général au contrat social légitime. Il ne se fait pas d'illusions sur la conformité des institutions existantes avec les clauses de ce pacte. Mais il n'en réduit pas pour autant le champ d'application à des circonstances historiques exceptionnelles, pas plus qu'il n'y voit une pure et simple utopie. Comme élucidation rationnelle des conditions de *toute* institution politique, il est le principe sous-jacent sans lequel le droit n'est jamais qu'une imposture (voir *LEM*, VI, *OC* III, p. 811). Au fond, la question du bon régime politique se réduit à celle de savoir si les promesses du riche sont ou non tenues dans la réalité.

147. Ce développement, qui se présente comme une parenthèse, contient en réalité une perspective essentielle aussi bien dans l'économie interne du *DI* que dans l'œuvre politique de R. en général. Il donne d'abord la clé d'une thèse qui, on l'a noté, traverse dès le départ la problématique du *DI*. Si Hobbes a tort, ce n'est pas parce qu'il dit que les hommes entretiennent des relations de guerre : il se trompe sur la raison véritable de cet état de guerre généralisé. L'origine de la guerre inter-étatique, telle qu'elle est ici décrite, prolonge la description de l'avènement de l'« horrible état de guerre » qui oppose les particuliers après l'apparition de la propriété foncière : c'est l'emprise sur les terres, conçue cette fois-ci à l'échelle des

nations entières s'appropriant des territoires, qui provoque une réaction en chaîne et sature l'espace disponible. Il en résulte une course à l'espace et une lutte pour la survie des sociétés, contraintes les unes après les autres à se constituer en sociétés politiques et à se disposer à la guerre, ne serait-ce que pour résister à l'absorption dans celles qui existent déjà. La thèse hobbesienne de l'origine naturelle de la guerre est définitivement réfutée : la guerre sous toutes ses formes dérive de l'institution politico-juridique. Un élément montre la radicalité du renversement à l'égard de Hobbes : R. affirme que les guerres inter-étatiques font plus de morts « en un seul jour de combat [...] qu'il ne s'en était commis dans l'état de nature [au sens d'un état de société pré-politique] durant des siècles entiers ». Hobbes, au contraire, reconnaissant que l'institution de l'État ne supprime pas la guerre entre les États, minimise ce moindre mal en considérant que l'humanité y gagne globalement en sécurité et en tranquillité (voir *De Cive*, chap. I, § XIV et *Léviathan*, chap. XIII). Par ailleurs, ce passage du *DI* esquisse une problématique que R. a abordée à plusieurs reprises dans son œuvre, sans jamais en faire l'objet d'un exposé systématique : quelle valeur accorder à l'idée d'un droit inter-étatique ou d'un droit international (un « droit des gens ») ? On devine ici le scepticisme foncier de R. à l'égard de cette idée, à propos de laquelle il s'oppose à Grotius et Pufendorf plus qu'à Hobbes. Sur ce point, voir les commentaires des *Principes du droit de la guerre* et des *Écrits sur la paix perpétuelle*, *op. cit*. Sur la critique rousseauiste des insuffisances du cosmopolitisme, qui témoigne d'un réalisme anthropologique et non d'une opposition de principe, voir V. Goldschmidt, *Anthropologie et politique*, *op. cit.*, p. 594-614.

148. La thèse selon laquelle la conquête donnerait un fondement au pouvoir politique est notamment défendue par Grotius (*DGP*, III, VI, § I-3) et par Hobbes (*De Cive*, chap. VIII) ; quant à l'hypothèse d'une « union des faibles », on en trouve notamment l'idée dans un discours que Platon fait tenir à Calliclès dans le *Gorgias* (483*b*). On doit noter que R. ne récuse pas entièrement ces hypothèses, qui relèvent de l'*origine* réelle (il parle ici des « causes »), mais souligne qu'elles ne sont pas pertinentes pour traiter de « ce qu'[il] veu[t] établir », c'est-à-dire le *fondement* des institutions.

149. « Naturelle », non au sens où elles dériveraient de la *nature*, c'est-à-dire de ce qui est pré-culturel, mais au sens de ce qui est conforme à la « nature des choses » : expression souvent employée par R. pour dire qu'il analyse les conditions de possibilité rationnelles d'un état de fait.

150. De la conquête naît la domination, non l'association consentie sans laquelle il n'y a pas de « véritable société ». R. esquisse ici une réfutation de Grotius (voir note 148) qui sera systématisée dans le *CS* (I, 3 et 4) : la force en tant que telle ne produit aucun véritable droit. Il n'y a de pouvoir politique durable et légitime que comme expression de la volonté d'un « corps politique ».

151. On trouve ici une confirmation de l'idée selon laquelle il existe pour R. une période intermédiaire entre la reconnaissance, plus ou moins informelle ou coutumière, du droit de propriété et sa garantie par l'institution politique : dans les faits, la « société civile » commencerait avant la société politique *stricto sensu.* Par ailleurs, l'argument que développe R. dans ce passage est le suivant : si la force ne peut créer le droit, c'est, outre la raison invoquée dans l'argument précédent, parce que l'inégalité des forces ne précède pas l'institution politique, mais procède de celle-ci. Seule la puissance publique de l'État constitue une « force réelle supérieure à l'action de toute volonté particulière » (*Émile*, II, *OC* IV, p. 311 ; *cf. CS*, I, 9). Avant la création d'une telle force garantissant des positions inégalitaires, les particuliers sont physiquement égaux dans la puissance et dans la fragilité (voir *DI* p. 104-105 et 126 ; *Émile*, IV, *OC* IV, p. 524). Il n'y a donc pas à proprement parler de « forts » et de « faibles » tant que l'on se situe dans un état pré-politique ; la différence produite par la richesse non institutionnalisée crée des inégalités dans la capacité d'action, mais reste fondamentalement instable et fragile.

152. Ce troisième argument confirme l'ambivalence, analysée précédemment, du « pacte du riche », puisque les trois arguments, numérotés de 1 à 3 par R. lui-même, ne portent en réalité pas du tout sur le même aspect de ce pacte. Les deux premiers arguments portaient sur son *fondement* et montraient que seul le consentement peut à proprement parler créer du droit. Le troisième argument porte sur son *contenu* : seuls les riches peuvent avoir eu intérêt à le proposer. Ce qui confirme encore que ce pacte du riche décrit tout à la fois *ce qui devrait être* (le consentement comme fondement du droit) et *ce qui a eu lieu dans les faits* : l'institutionnalisation de la domination des riches. Une formule très subtile est à souligner : « c'eût été une grande folie à eux [les pauvres] de s'ôter volontairement le seul bien qui leur restait [la liberté] pour ne rien gagner en échange ». Ce qui signifie deux choses : 1° que les pauvres n'auraient pas dû, en toute logique, consentir à ce pacte ; 2° que, si l'on observe les faits, à savoir que les sociétés sauvages sont devenues des sociétés politiques, il faut admettre que les pauvres y ont

d'une façon ou d'une autre consenti et donc que la « grande folie » n'est pas évoquée ici comme une hypothèse impossible, mais comme la logique explicative de l'établissement originel des institutions politiques. Certes, comme le dira le *CS* (I, 4), « la folie ne fait pas droit ». Cela est vrai du fondement du droit, mais non de son origine, qui est au contraire élucidée par la prise en compte des effets de cette « grande folie ». On est conduit alors à l'idée d'un consentement non éclairé (idée parfaitement cohérente avec la théorie rousseauiste de la perfectibilité), donc d'un usage de la liberté qui aboutit paradoxalement à un asservissement : c'est ce que La Boétie nommait la « servitude volontaire », héritage théorique dont on trouvera des indices clairs dans la suite du texte.

153. Les allers-retours entre les registres descriptif et normatif compliquent la lecture de cette partie du *DI*, mais la tonalité dominante est celle d'une réflexion sur les fondements, sur les « principes du droit politique » que développera le *CS* (R. évoque d'ailleurs plus loin une « maxime fondamentale de tout le Droit Politique » et achèvera sa démonstration en écrivant que « quand même [les Gouvernements] auraient [...] commencé [par le Pouvoir Arbitraire], ce pouvoir étant par nature illégitime, n'a pu servir de fondement aux Droits de la Société ») : il ne s'agit pas d'établir des faits mais de les « examiner par le droit ». Si, rhétoriquement, R. présente ici les éléments constitutifs d'une institution politique légitime comme les stades de sa genèse historique, il sait bien qu'il ne décrit pas le *commencement* réel des sociétés politiques. Il évoque d'abord des « conventions générales que tous les particuliers s'engageaient à observer », autrement dit des « lois » – c'est le terme employé par la suite –, émanées des « délibérations du peuple », puis le « dépôt de l'autorité publique » entre les mains de « magistrats ». Se dessine ici la distinction (théorisée peu après dans le *DEP* et reprise systématiquement dans le *CS*) entre le pouvoir *législatif*, qui devrait être réservé au peuple souverain, et le pouvoir d'*exécution des lois* (le gouvernement), qui devrait être confié à un corps particulier dans l'État (*DEP*, *OC* III, p. 244-250 ; *CS*, II, 1 et III, 1). Le *DI* n'approfondit pas encore le principe de la souveraineté inaliénable du peuple (l'usage large du terme « gouvernement » au sens de « régime politique » ou d'« État » montre d'ailleurs que les principes de R. ne sont pas encore parfaitement établis). En revanche, il est déjà très clair sur la fonction et les limites du pouvoir exécutif. Ce pouvoir est un moindre mal : il dérive de la nécessité technique de confier à un corps spécialisé la tâche de faire respecter la loi, mais il contient

toujours le risque d'une usurpation despotique. Le *CS* (III, 1, 4 et 10 à 15) traitera cette thématique de façon plus complète.

Sur ces questions, le propos de R. est moins radicalement novateur que dans les développements qui précèdent : il reprend des thèses dont il nomme plus loin les inspirateurs, John Locke et Algernon Sidney. Ceux-ci avaient critiqué dans des termes proches, dès le XVIIe siècle, les grandes théories absolutistes formulées en leur temps, celle de Filmer (appuyée sur l'idée selon laquelle tout droit humain procède d'une institution divine) et celle de Hobbes (appuyée plus pragmatiquement sur le souci de l'ordre public, qui exigerait de laisser la plus faible marge de manœuvre possible à la liberté des particuliers). Sidney et Locke récusent la légitimité d'un pouvoir absolu et arbitraire : si les « chefs » sont nécessaires et légitimes, c'est comme serviteurs de la liberté et de l'intégrité des particuliers, non comme « maîtres » qui les asserviraient (voir *Discours sur le gouvernement*, chap. I, sections I, XVI et XIX et chap. II, sections I, III, VIII et XIII ; *Second Traité*, § 88 à 91 et 137 à 139). R., comme la plupart des philosophes des Lumières, a lu de près ces ouvrages : il cite et discute souvent Locke de façon détaillée et on sait, par les manuscrits qu'il a laissés, qu'il a pris en note le *Discours* de Sidney. Son argumentation le rapproche cependant davantage de Sidney que de Locke : la critique du despotisme ne procède pas tant d'un souci de protéger les particuliers des désagréments matériels et des menaces d'atteinte à leur intégrité, que de la perte irréparable que constitue le renoncement à l'exercice politique de la liberté (rien ne peut nous « dédommager » de cette perte, écrit R.). Cette thèse, qui définit le courant de pensée républicain au sein de la pensée politique moderne, deviendra centrale dans le *CS* et dans toute l'œuvre politique à venir de R.

« L'Apologue » que mentionne allusivement R. est peut-être, comme le suggère J. Starobinski, *Le Vieillard et l'Âne* de La Fontaine (*Fables*, VI, VIII ; voir *OC* III, p. 1353). Quant à la phrase de Pline, elle est extraite du *Panégyrique de Trajan*, LV, 7 : « *sedemque obtinet principis, ne sit domino locus* » (littéralement : « il occupe le siège du prince, pour qu'il n'y ait pas de place pour un maître »).

154. L'édition de 1782 corrige (« nos » au lieu de « les ») l'excès de généralité : c'est des Modernes que R. parle.

155. « Ils nomment paix une misérable servitude » (Tacite, *Histoires*, IV, XVII). Cette phrase est fréquemment citée par les auteurs républicains, notamment par Sidney dans la section XV du chap. I du *Discours sur le gouvernement*.

156. Ce passage est directement inspiré de La Boétie, qui prend le même exemple des animaux sauvages enchaînés (exemple rhétorique peu dans le style de R.) pour établir le caractère contre-nature de la servitude et qui cite l'anecdote, empruntée à Hérodote, des Spartiates Boulis et Sperthias répondant à un satrape (voir *Discours de la servitude volontaire*, rééd. Paris, Payot, 2000, p. 185-186 et 193). R. fait un lapsus à propos du nom du Spartiate, citant sans doute de mémoire un livre qu'il connaît fort bien. Un satrape est le gouverneur d'une division administrative de l'Empire perse. Les Spartiates symbolisent, dans la tradition politique républicaine, l'amour de la liberté et la vertu civique, dont une condition est la frugalité, alors qu'aux Perses est associée la soumission à un régime despotique, dont le « dédommagement » est un bien-être matériel.

R. est très proche de La Boétie dans la façon dont il décrit l'expérience concrète de la liberté. À sa suite, il récuse deux types de préjugés, antinomiques en apparence, en réalité convergents dans leurs conséquences. La liberté est à la fois beaucoup plus rare qu'on ne l'imagine communément (thèse dirigée contre une forme de naïveté ou d'optimisme anthropologique qui méconnaît les multiples causes et déguisements de la servitude : l'*Émile* montre en maints endroits que sur ce point, c'est avec Locke que R. prend ses distances, et à sa suite avec toute une tradition inspirée de Locke au XVIIIe siècle) ; la liberté est en même temps plus indissociable de l'homme qu'on ne le dit parfois (thèse dirigée contre l'idée selon laquelle les hommes seraient destinés à l'obéissance : on la trouve chez Filmer et Bossuet – qui en donnent pour cause le péché originel – mais on la trouve aussi chez Aristote, selon qui certains hommes seraient esclaves en raison d'une imperfection de nature : voir *Les Politiques*, I, 4). Cette double récusation a pour objet d'établir tout ensemble *la nécessité* et *la difficulté* de rendre l'homme à la liberté, qui constitue son essence, en l'avertissant des servitudes inaperçues et en l'encourageant à exercer une liberté dont il peut toujours se saisir pour peu qu'il le veuille.

157. Allusion au principal adversaire désigné par Sidney et Locke : Filmer, dont la *Patriarcha* décrit tout pouvoir comme dérivé de celui de Dieu sur ses créatures, analogue dans sa structure à celui d'un père sur des enfants et confirmé, dans l'ordre des rapports humains, par l'exemple de ce pouvoir paternel, inégalitaire par nature. Sur ce point, voir F. Gunénard, « L'État et la famille », in *DEP*, éd. et commentaire, B. Bernardi (dir.) Paris, Vrin, 2002.

158. On retrouve l'idée du caractère institué, et non naturel, du lien familial, décrit ici comme une réalité non biologique mais civile,

comme un rapport conventionnel impliquant obligations mutuelles et transmission d'un patrimoine. Cette thèse, dirigée précédemment contre Locke (voir note 81), est maintenant utilisée contre Filmer : le pouvoir paternel ne peut fonder le pouvoir politique, puisqu'il le suppose.

159. Cet argument est développé dans le *DEP* (*OC* III, p. 243-244). Le *CS* (I, 2) en utilise d'autres contre la thèse de Filmer, essentiellement empruntés à Locke.

160. Poursuivant la réfutation des « fausses notions du lien social » (titre du chapitre parallèle à ces pages dans la première version du *CS*, *OC* III, p. 297-305), R. en vient à l'idée selon laquelle on pourrait se donner un maître par contrat : ce qu'on appelle communément le contrat de soumission (voir R. Derathé, *J.-J. R. et la science politique de sont temps*, *op. cit.*, p. 209-213). D'emblée, il en conteste la validité (c'est-à-dire la consistance juridique). Une relation contractuelle doit constituer une obligation réciproque et être mutuellement avantageuse. Or on ne peut en rien être obligé envers celui qui se soumet sans conditions et le préjudice constitué par la perte de la liberté n'est pas compensable. Cette argumentation est reprise de façon plus resserrée et conceptualisée dans le *CS* (I, 4) mais, sur plusieurs points, le développement qu'en donne le *DI* a, on va le voir, un intérêt propre. Dans cette discussion, la prévalence du registre du fondement, de réfutative, devient positive : c'est le « vrai fondement » de toute société politique qu'il s'agit d'établir.

161. On a depuis longtemps observé (Musset-Pathay repris par Starobinski, *OC* III, p. 1354) qu'il était paradoxal de voir R. s'appuyer sur Louis XIV, symbole de l'absolutisme. D'autant plus que le texte qu'il cite s'empresse d'ajouter que « les rois sont les auteurs des lois dans leurs États ». Il faudrait donc voir ici une habileté rhétorique, R. faisant rendre par le vice un hommage à la vertu. On observera d'abord que les deux formules que l'on oppose sont rigoureusement associées dans la théorie de la souveraineté développée par Bodin : on oublie trop souvent que l'absolutisme est paradoxalement inséparable d'un légicentrisme. Plus largement, on a ici la distinction traditionnelle de la tyrannie et de la royauté : le tyran ignore la loi, le roi gouverne par les lois et sous elles. L'argument sous-jacent de R. est celui-ci : pour se distinguer du tyran, le roi est obligé de reconnaître qu'il ne peut gouverner que par le consentement de ses sujets et dans leur intérêt. L'absolutisme est miné par cette contradiction, que R. souligne et exploite.

162. Usant d'une double prétérition (« je ne m'arrêterai point... », « je négligerai... »), R. examine d'abord le contrat de soumission d'un point de vue moral. Qui asservit sa liberté se prive de la responsabilité de ses actes : « renoncer à sa liberté, c'est renoncer à sa qualité d'homme, aux droits de l'humanité, même à ses devoirs », dira le *CS* (I, 4).

163. Barbeyrac, dans sa traduction annotée de Pufendorf (*DNG*, VII, VIII, § 6, note 2), renvoie lui-même à Locke, *Second Traité*, § 23. Ces textes développent un autre argument moral : se mettre sans réserve entre les mains d'autrui, c'est lui donner disposition de sa vie. Or nous n'avons pas la disposition de notre propre vie. Seul Dieu qui nous l'a donnée peut nous la reprendre. Ces deux arguments moraux portent sur la relation d'esclavage, relation par laquelle une personne devient la chose d'une personne. R. ne leur donne qu'une place subordonnée parce qu'ils concernent la relation d'homme à homme et non celle d'un peuple à un homme.

164. Le propos semble répétitif : R. démontre à nouveau que la liberté est inaliénable et que, quand bien même elle le serait, nous ne saurions engager celle de nos descendants. Mais l'argumentation change de registre : ce n'est plus du point de vue de la morale mais de celui du droit que l'idée du contrat de soumission est envisagée. Ici l'interlocuteur désigné est Pufendorf, dont R. suit de près la traduction par Barbeyrac : « Car comme on transfère son bien à autrui, par des Conventions et des Contrats : on peut de même par une soumission volontaire, se dépouiller en faveur de quelqu'un, qui accepte la renonciation, du droit que l'on avait de disposer pleinement de sa liberté et de ses forces naturelles » (*DNG*, VII, III, § 1). Dans les lignes suivantes, Pufendorf moque la « crasse ignorance » de ceux qui invoquent hors de propos la « maxime commune : que l'on ne saurait donner ce que l'on a pas ». R. fait ressortir que Pufendorf forme le contrat de soumission sur le modèle du contrat de vente. Il démontre le caractère sophistique de cette analogie en opposant ce que l'on *a*, et que l'on peut aliéner, et ce que l'on *est* (la vie et la liberté) dont on ne peut se défaire sans s'anéantir. Cette opposition entre la propriété, qui est de l'ordre de l'avoir et de la convention, et la liberté, qui (comme la vie) est de l'ordre de l'être et de la nature, structure toute la pensée de R. On observera qu'elle touche également en son cœur la pensée de Locke qui réunit sous le concept de « propriété » la vie, la liberté et les biens (une innovation soulignée et approuvée par Barbeyrac dans la Préface à sa traduction de Pufendorf). À ce double titre, ce passage est essentiel. On doit observer encore que cette opposition est moins explicite dans

le *CS*, qui choisit Grotius, au lieu de Pufendorf, comme interlocuteur. En revanche, cette substitution de Grotius à Pufendorf permettra à R. un autre type de clarification. Pufendorf se place déjà bien sur un terrain juridique et non strictement moral ; mais la relation qu'il envisage est encore celle d'un contrat entre particuliers. Son cadre conceptuel reste donc celui du droit privé. Le choix de Grotius (*CS*, I, 4) permettra au contraire à R. de passer sur le terrain du droit public (ou plutôt de ce qu'il appelle « droit politique »), puisque Grotius envisage le contrat de soumission comme se nouant entre « un peuple » et « un roi ». Et la réfutation de R. consistera, *in fine*, à démontrer qu'un peuple doit être un peuple avant de se donner à un roi (*CS* I, 5). La pertinence du contrat de vente devient dès lors nulle et il faut passer au modèle du contrat de société ou plutôt, en termes de droit politique, au contrat d'association. On voit donc que les développements respectifs du *DI* et du *CS* sont loin d'être redondants.

165. R. clarifie par cette formulation le déplacement de registre opéré dans cette partie du *DI*, de la question de l'origine à celle du fondement (voir notes 153 et 160, ainsi que, dans l'introduction, l'analyse de la modification par R. de la question formulée par l'Académie de Dijon). Il ne s'agit pas ici de dire comment les gouvernements ont historiquement commencé mais ce qui doit être reconnu comme leur fondement en droit. Réciproquement, au sujet des « clauses de ce contrat », le *CS* (I, 7) affirmera : « bien qu'elles n'aient peut-être jamais été formellement énoncées, elles sont partout les mêmes ».

166. Les précautions avec lesquelles R. aborde les discussions qui vont suivre demandent la plus grande attention. Pour commencer, l'opinion commune n'est pas celle de tous (pensons à Filmer ou Bossuet) mais de ce qu'il appellera dans les *LEM* cette « plus saine partie » des politiques qui donnent pour fondement à l'ordre politique une « convention de ses membres » (*OC* III, p. 806). De plus, cette « opinion commune » ne le satisfait pas, puisqu'il considère que « les recherches sont encore à faire ». On ne saurait donc s'étonner de le voir soutenir des idées qu'il repoussera plus tard (à commencer par celle d'un contrat de gouvernement, conception récusée en *CS*, III, 16). En ce qui concerne le droit politique, le *DI* ne représente pas le dernier mot des conceptions de R. Il serait cependant discutable de croire qu'à cette date, sa réflexion n'est pas déjà avancée. Il y a des années qu'il travaille à ses *Institutions politiques* dont le plan était « déjà formé » (voir la première partie de notre introduction). Il faut donc être attentif aux inflexions que R. ne peut

manquer d'apporter à cette opinion commune. Ainsi, il n'est pas vrai que R. s'inscrit ici dans la théorie du pacte de soumission puisque les lois fondamentales sont au-dessus du gouvernement (ce qui, par exemple, exclut Hobbes et même Pufendorf de l'« opinion commune »). Les modèles du contrat de gouvernement et du pacte de soumission ne sont pas juxtaposables.

167. Ce passage dénote ce qu'il faut bien appeler l'instabilité des conceptions de R. à ce stade de sa réflexion. D'un côté, son analyse du pacte fondamental comme contrat, faite en termes de droit politique et en ne considérant « que l'institution humaine », le pousse à affirmer la révocabilité du contrat et même la supériorité (« à plus forte raison ») du droit du peuple à cet égard. D'un autre côté, la considération du risque d'anarchie qui en résulterait le pousse à affirmer la nécessité d'une sacralisation de l'autorité politique par la sanction de l'autorité divine. On a vu dans ce dernier argument la reprise de la thèse centrale de Pufendorf : l'obligation politique repose sur l'obligation naturelle qui elle-même dépend de l'obligation par la loi divine (*Les Devoirs de l'homme et du citoyen*, l. I, chap. III, § X, trad. Barbeyrac, *reprint* Université de Caen, t.1, p. 100). C'est inexact : le raisonnement de Pufendorf subordonne le droit politique au droit divin ; R., dans ce texte, montre seulement une *articulation* entre droit politique et fonction politique de la religion. Mais il est vrai que la solution rousseauiste à ce problème ne sera élaborée que dans le *CS*. Il maintiendra que « la seule raison » ne peut garantir le respect de l'obligation, il continuera en ce sens à attribuer un rôle à la religion (sous deux modalités différentes suivant que l'on considère l'institution des sociétés (II, 7) ou les sociétés institués (IV, 8)), mais il distinguera le *fondement* de l'obligation (qui ne peut être que le pacte social) de *la formation du sentiment d'obligation* (auquel la religion civile peut contribuer avec d'autres instruments d'édification civique). Corrigeant Warburton, il affirmera donc que la religion ne saurait fonder l'ordre politique mais en est tout au plus « l'instrument ».

Ce passage témoigne donc de la complexité de la position de R. sur la question de la rébellion, puisqu'il la présente ici comme un moyen d'empêcher le peuple de disposer du « funeste droit » de s'emparer de la souveraineté par la violence. Cette position, surprenante sous le plume d'un républicain, peut s'expliquer. Quoiqu'il ne considère pas qu'elle soit absolument illégitime ni qu'elle doive à tour prix être empêchée, R. ne se fait pas pour autant d'illusions sur le caractère nécessairement libérateur de la rébellion. Il exprime au contraire souvent sa méfiance à l'égard de la « sédition brouillonne » et ne considère pas que les peuples tireraient profit de constantes remises en cause du pouvoir (voir *Émile*, IV, *OC* IV, p. 629 ; *Confessions*, V, IX et XII, *OC* I, p. 216, 437-438 et 609 ; *Dialogues*, II et III, *OC* I, p. 887 et 935 ; *Pologne*, *OC* III, p. 973-974). Il écrit dans le *CS* (I, 1) que, si la force peut toujours succéder à la force, on ne peut se contenter de ce constat désabusé : « l'ordre social est un droit sacré ». L'idée d'un rôle modérateur de la croyance religieuse comme instrument de sacralisation de l'ordre social doit alors être comprise dans une perspective pragmatique, comme recherche d'un moindre mal.

168. R., on le voit, oppose nettement l'esprit de conquête à l'esprit de la république, invalidant les interprétations qui lui attribuent, sur la foi d'un passage de l'*Émile* (l. I, *OC* IV, p. 248-249), une conception belliciste de la citoyenneté. « Quiconque veut être libre ne doit pas vouloir être conquérant », écrira-t-il encore plus clairement dans les *Considérations sur la Pologne* (*OC* III, p. 1013). *Cf. supra*, Dédicace, p. 40 ; *Réponse à Bordes* sur le *Discours sur les sciences et les arts*, *OC* III, p. 82 ; *Parallèle entre les deux républiques de Sparte et de Rome*, *OC* III, p. 542 ; *DEP*, *OC* III, p. 268.

169. Une fois de plus, sous l'apparence d'une description d'institutions originelles ou primitives, R. formule des principes rationnels. La nécessité d'élire les magistrats selon des critères de mérite objectif est réaffirmée dans le *CS* (III, 5), qui voit dans l'« aristocratie élective » le meilleur gouvernement : « C'est l'ordre le meilleur et le plus naturel que les plus sages gouvernent la multitude. »

170. Les « Gérontes » étaient, à Sparte, les membres du Sénat. « *Gérôn* » en grec et « *senex* » en latin signifient « vieux ».

171. La façon dont, dans ces deux paragraphes, R. suit son hypothèse (celle de la formation des gouvernements par une convention) montre à la fois que sa pensée politique est encore éloignée de ce qu'elle sera dans le *CS* et qu'elle en recèle, comme en germe, bien des thèses essentielles. La première et peut-être la plus importante est l'affirmation du lien que l'institution de la magistrature entretient avec l'inégalité. Cette idée a un premier sens, très classique : nommer des magistrats implique de leur donner des pouvoirs, des prérogatives qui les mettent au-dessus des autres. Mais R. dit ici bien autre chose : l'institution de la magistrature implique des inégalités déjà établies qui servent de critères de distinction. L'affirmation selon laquelle toutes les magistratures furent d'abord électives porte en elle la distinction entre souveraineté et gouvernement et la conception de celui-ci comme pouvoir délégué sous conditions. Déjà, R. fait preuve d'une certaine indifférence à l'égard de la forme

du gouvernement : ce qui importe est de savoir si le peuple se défait de sa souveraineté ou non. Dans un cas, il se donne des maîtres, dans l'autre, il se soumet aux lois. De là l'appréciation très positive portée ici sur la démocratie. Mais la description du processus de dégénérescence des gouvernements doit aussi attirer l'attention : on peut y discerner deux thèses majeures de R. : 1° tout pouvoir délégué tend à l'usurpation (ici R. parle d'une tendance à la patrimonialisation des offices) ; 2° le dessaisissement du pouvoir souverain par l'élection – le « système des représentants » dont parle le *CS* (III, 15) – ne peut déboucher que sur la tyrannie. Ces thèses sont encore peu articulées, mais R. est déjà maître de ses principes.

172. Ces lignes qui, sous couvert de la description d'une « dégénérescence » des institutions légitimes, donnent à voir les origines historiques de l'ordre existant, résument la réponse de R. à la question posée par l'Académie de Dijon. Les inégalités d'institution résultent d'une série de ruptures marquées au double sceau de l'irréversibilité et de l'engrainement (chacune porte en elle la suivante). Le mot « révolution » a ici le sens que nous avons déjà rencontré s'agissant de la « première révolution » de l'âge des cabanes et surtout de la « grande révolution » qui accompagne l'apparition de l'agriculture et de la métallurgie. Les trois révolutions évoquées ici sont chacune considérée comme un « terme », un aboutissement : la première accomplit la « grande révolution » de la propriété foncière, les deux autres celles qui en dérivent nécessairement. Ces révolutions constituent à elles trois le concept de la société civile qui, en un sens, commence avec la première et, en un autre, enveloppe la séquence entière (voir note 116). Chacune correspond à la transformation d'une inégalité de fait en inégalité de droit (par son « autorisation ») : la possession inégale devient propriété, la distinction des conditions devient pouvoir, la subordination devient servitude. Mais R. avance encore une idée de première importance : parce qu'elle est fondée sur l'inégalité, la société civile est instable. Elle engendre nécessairement de nouvelles révolutions qui sont envisagées sur un mode alternatif : soit la dissolution du corps politique, soit sa restauration comme institution légitime, fondée sur la liberté et l'égalité. Cette alternative ouvre, en aval, l'espace dans lequel la question inaugurale du *CS* peut prendre sens : « rendre légitime » la société civile (I, 1). C'est l'espace du possible politique configuré en *CS*, II, 8. En amont, cette alternative est concevable parce que l'enchaînement qui a fait les sociétés d'inégalité ne procède pas d'une nécessité naturelle mais résulte d'une grande part de contingence historique.

Sur ce point, voir H. Gouhier, « Nature et histoire », *op. cit.*, et notre introduction p. 27-29.

173. « Progrès » : au sens classique et neutre de « progression », « évolution ». Il n'y a là nulle idée d'une amélioration historique.

174. R. éclaire ici en quelques phrases très synthétiques la façon dont il conçoit, dans toute son œuvre, l'articulation entre la morale et la politique. D'un côté, il montre que la nécessité de l'ordre politico-juridique se construit sur le deuil d'une régulation purement morale des relations entre les hommes (*cf. MsG*, I, 2 et 7 ; *CS*, I, 7 et II, 6). De l'autre, il souligne l'influence réciproque (bonne ou mauvaise) des lois sur les mœurs et des mœurs sur les lois, ce qui implique la nécessité d'intégrer à l'œuvre législatrice un souci d'édification morale (*cf. DEP*, *OC* III, p. 251-252 ; *CS*, II, 12 ; IV, 7 ; IV, 8 ; *Confessions*, IX, *OC* I, p. 404 ; *Pologne*, *OC* III, p. 1018-1022). R. s'inspire sur ce dernier point de Montesquieu, à l'égard duquel il reconnaît explicitement sa dette (*Émile*, V, *OC* IV, p. 850-851).

175. L'adjectif « civil », lorsqu'il est explicitement distingué de l'adjectif « politique », désigne ce qui relève des relations de particulier à particulier dans l'ordre social (ainsi l'expression traditionnelle « droit civil » renvoie pour l'essentiel à ce que nous nommons aujourd'hui le « droit privé »). Les « distinctions civiles » sont donc les inégalités de statut qui organisent hiérarchiquement l'ensemble des rapports sociaux, au-delà du pouvoir strictement politique que des hommes exercent sur d'autres hommes. Dans ce paragraphe et les cinq suivants (jusqu'à « nul ne peut se plaindre de l'injustice d'autrui, mais seulement de sa propre imprudence, ou de son malheur », p. 145), R. développe ce qu'il a annoncé dans les deux précédents. Il montre d'une part de quelle façon les mauvaises institutions politiques influencent les mœurs et corrompent les relations sociales, en favorisant une sorte d'emballement dans la course à l'inégalité ; il décrit d'autre part de façon détaillée le processus qu'il a évoqué précédemment en quelques lignes : ce progrès de l'inégalité peut aboutir soit au comble du despotisme, soit à la révolution qui « dissout le gouvernement » et éventuellement ouvre la voie à l'« institution légitime ».

176. Il y a là une nouvelle réminiscence du *Discours de la servitude volontaire*. La Boétie décrit en des termes proches cette pyramide de subordinations successives, ce « filet » dans lequel le tyran prend toute la société (*op. cit.*, p. 212-213).

177. « Race » : au sens ancien de « famille », « lignée ».

178. C'est la conséquence directe de la « grande révolution » qui a substitué aux « douceurs du commerce indépendant » une dépendance universelle : dépendance économique (en raison du développement de la spécialisation, du commerce et du goût pour l'accumulation), dépendance politique et morale, puisque la différenciation économique est à la fois garantie par l'ordre politico-juridique et nourrie par les développements de l'amour-propre qui y est « intéressé ». Le rôle de l'amour-propre dans le processus explique que la relation sociale soit fondée sur la comparaison (donc sur le « paraître ») bien plus que sur le désir qu'a chacun d'augmenter son bien-être objectif. Aussi l'interdépendance, dont on pourrait imaginer qu'elle prenne la forme d'une relation de solidarité, produit-elle en réalité une fuite en avant dans la concurrence, dans la « fureur de se distinguer ».

179. Voir les notes 40 et 169 : un État « bien » ou « mal constitué » se reconnaît à « l'accord » ou au « conflit » qui y règne entre le « mérite personnel » et les autres formes d'inégalité.

180. La richesse économique est l'indice de toute supériorité sociale, car l'argent est un équivalent universel permettant de vendre ou d'acquérir tous les objets de désir pouvant faire l'objet d'une aliénation, comme le montrait déjà Aristote (*Les Politiques*, I, 9). Il est donc l'instrument dont font par excellence usage toutes les formes de puissance sociale : en dernière analyse, les « puissants » et les « riches » se confondent. La question que traite le *DI* peut dès lors se résumer ainsi : y a-t-il une corrélation entre les inégalités de richesse et les différences dans les « qualités personnelles » (ce qui est un autre nom du « mérite ») ? Les degrés de corrélation ou de dissociation entre ces deux formes d'inégalité témoignent du degré de corruption de la société par rapport à son « institution primitive » (c'est-à-dire, en réalité, par rapport aux principes du droit naturel raisonné).

181. On retrouve ici l'ambivalence de la perfectibilité et de l'amour-propre. Même si la balance des biens et des maux penche globalement du côté des maux, il est essentiel pour R. de ménager une ouverture dans le spectacle désespérant de la corruption universelle. Le bon usage de l'amour-propre (à travers le souci de l'estime publique) peut ainsi se révéler un instrument précieux pour former les hommes à l'exercice de la liberté. Voir notamment l'importance que lui donne R., comme moyen d'édification civique, dans ses projets pour la Corse et pour la Pologne (*OC* III, p. 911, 935, 938, 962, 1019, 1034 et *passim* ; B. Baczko, *Lumières de l'utopie*, Paris, Payot, 1978, p. 91).

182. B. Fridén souligne l'importance de cette thèse, récurrente dans l'œuvre de R., et son originalité par rapport aux dogmes de la science économique naissante : une fois les besoins minimaux satisfaits, le sentiment de satisfaction n'est pas fonction de la richesse considérée de façon absolue, mais relativement à la richesse d'autrui (*Rousseau's Economic Philosophy*, *op. cit.*, p. 79 et 140-141). Il suffit, pour mesurer cette originalité de R., de mettre ses analyses en regard de ce qu'écrit A. Smith vingt ans plus tard sur l'« opulence » et la satisfaction dont jouit à ses yeux un simple « travailleur journalier » dans une économie concurrentielle développée, satisfaction selon lui bien supérieure à celle d'un « roi africain », maître de « dix mille sauvages nus » mais dépourvu des commodités dont jouit l'heureux journalier européen (*Richesse des nations*, I, I). Derrière le propos du moraliste se cache, dans l'œuvre de R., une méditation sur les sophismes et les aveuglements constitutifs du nouvel univers qui se dessine sous ses yeux, fondé sur un mode aberrant d'évaluation de la richesse et du bonheur (sur cette évolution de la conception de l'intérêt individuel à l'époque moderne, voir A. O. Hirschman, *Les Passions et les intérêts*, *op. cit.*, notamment p. 33-64).

183. R. le dira de façon encore plus spectaculaire dans les *Principes du droit de la guerre* : « la guerre est née de la paix ou du moins des précautions que les hommes ont prises pour s'assurer une paix durable » (*op. cit.*). Dans le calcul des biens et des maux attribuables à l'institution de la société civile, il faut prendre en compte la guerre et ses effets, inconnus dans l'état de nature (voir note 147).

184. Le « point d'honneur » est le différend qui met en cause l'honneur d'une personne : R. fait allusion au code de l'honneur féodal réglant les duels. La critique de cet archaïsme est un lieu commun de la pensée politique moderne. R. y reviendra en des termes moins convenus dans la *Lettre à d'Alembert sur les spectacles.* Il y décrit le Tribunal des Maréchaux de France (institution d'origine féodale, juge du « point d'honneur ») comme un modèle d'autorité morale plus puissante que les lois et obligeant les particuliers à se rendre dignes de l'estime publique (*OC* V, p. 62-63).

185. « Si tu m'ordonnes de plonger mon glaive dans la poitrine de mon frère, dans la gorge de mon père, dans les entrailles de mon épouse enceinte, quoique j'y répugne, je m'exécuterai » (Lucain, *Pharsale*, I, 376). Sidney cite ces vers dans le *Discours du gouvernement*, chap. I, section XIX.

186. On notera le glissement dans la signification du conditionnel : d'abord justifié par l'évocation d'un ouvrage restant à écrire qui « dévoilerait toutes les faces différentes sous lesquelles l'inégalité s'est montrée jusqu'à ce jour », ce mode verbal finit insensiblement par être mis au service de l'évocation d'un ordre du possible, d'une hypothèse sur l'histoire à venir, qui a toutes les allures d'une prophétie.

187. « Qui ne place aucun espoir dans l'honnêteté ». La phrase latine se trouve presque exactement chez Sidney (*Discours du gouvernement*, chap. I, section XIX), qui, selon Vaughan, s'inspirerait, en la transformant, d'une formule de Tacite (*Histoires*, I, 21). Voir la note de J. Starobinski, *OC* III, p. 1358.

188. Il s'agit d'un « état de nature » au sens que Hobbes et Locke donnent à l'expression *state of nature* (une société pré-politique) : il n'existe aucune loi positive ni aucun arbitre impartial qui protégerait les sujets contre les persécutions du despote, donc les hommes redeviennent égaux en droit et juges souverains de leurs propres droits – ce qui caractérise de fait la société pré-politique. La description du despotisme comme un état de nature déguisé se trouve chez Locke (*Second Traité*, § 90).

189. R. est là encore proche de Locke, qui décrit le despote devenu ennemi de ses sujets comme le véritable « rebelle », au sens étymologique : celui qui réintroduit un état de guerre (*bellum*) dans l'ordre civil, puisqu'il se place au-dessus des lois et use de la puissance publique pour attaquer les droits des particuliers. La révolte est donc rendue légitime par la nécessité de rétablir le droit (voir *Second Traité*, § 226-227). R. utilise le terme de « sultan », selon l'usage courant (systématique, par exemple, chez Montesquieu) consistant à placer fictivement en Orient le despotisme que l'on critique en Europe. On notera qu'il souligne davantage que Locke le caractère foncièrement imprévisible des conséquences des révoltes, ce qui explique sa méfiance à l'égard de la « sédition brouillonne » (voir note 167) : il peut en résulter aussi bien la guerre civile ou un nouveau despotisme qu'une instauration de la république. C'est pourquoi ses pronostics récurrents sur les révolutions à venir (*Émile*, III, *OC* IV, p. 468-469 ; *Confessions*, XI, *OC* I, p. 565 ; *Pologne*, *OC* III, p. 954) ont une tonalité plutôt catastrophiste qu'exaltée.

190. « L'événement » : le résultat.

191. R. explicite le sens du parcours effectué dans le *DI* et les apparentes digressions qui l'ont amené à cheminer pas à pas le long de « routes oubliées et perdues ». Pour découvrir « la solution d'une

infinité de problèmes de morale et de politique que les philosophes ne peuvent résoudre », il lui a fallu montrer d'abord « l'espace immense » qui sépare l'ordre de la culture de l'ordre de la nature, puis les différentes « positions intermédiaires » qui se situent entre les premières formes de civilisation et la civilisation moderne. Il lui a donc fallu se faire anthropologue, psychologue, ethnologue, historien, économiste pour sortir de la représentation abstraite et uniformisante de l'humanité construite par les « philosophes » (le terme désigne ici principalement Hobbes, Locke et leur postérité théorique) et pour élucider la structure et les origines de l'ordre social existant.

192. La tradition rapporte que le philosophe grec Diogène (Ve-IVe s. av. J.-C.) se promenait à Athènes en plein midi, une lanterne à la main, en disant : « Je cherche un homme. »

193. L'« ataraxie », ou absence de troubles de l'âme, est l'idéal de sagesse que se donnent plusieurs philosophies antiques, dont le stoïcisme.

194. Sur les Caraïbes, voir note 59.

195. Sur ce point, voir note 40.

196. L'ensemble du passage est inspiré de Montaigne (*Essais*, l. I, chap. XXX). L'exemple de l'enfant commandant à un vieillard fait référence à la situation qui, en vertu des lois de succession dynastique, voit parfois un enfant ou même un nourrisson être nommé roi. Les exemples illustrent trois formes de dissociation entre inégalité objective et inégalité instituée. Les deux premiers soulignent l'aberration d'un pouvoir exercé par le moins méritant sur le plus méritant, le dernier décrit l'injustice d'une situation qui voit coexister l'extrême misère et la richesse sans mesure. Cette troisième forme d'inégalité enfreint à la fois le droit de chaque homme à se conserver et son droit à bénéficier de la richesse qu'il a contribué à produire (en ce sens, la loi naturelle est bien transgressée « de quelque façon qu'on la définisse »). C'est ce point que les analyses de R. ont permis d'éclairer de la façon la plus novatrice par rapport aux critiques, courantes en son temps, du despotisme et de l'aristocratie héréditaire : ce n'est pas un hasard si R. achève son discours en insistant sur cet aspect de l'inégalité.

197. Ces notes (voir l'avertissement de R., p. 59) sont un complément du *Discours*. Elles apportent certains arguments et en éclairent quelques points décisifs. Sur leur rédaction, voir la première partie de notre introduction.

198. Smerdis était un fils du roi Cyrus et devait lui succéder. Il avait été tué, mais sa mort avait été cachée aux Perses. En 522 av.

J.-C., un prêtre profita de la ressemblance de son propre frère avec Smerdis pour le faire proclamer roi. Lorsque l'usurpation fut découverte, les sept oligarques qui avaient pris l'initiative de le renverser délibérèrent sur le meilleur régime à adopter, et Otanes plaida pour la démocratie. Hérodote rapporte ces événements dans ses *Histoires*, III, 67-84.

199. Sur les satrapes de l'Empire perse, voir la note 156.

200. La famille d'Otanes est restée libre de tout assujettissement, précise Hérodote, à condition qu'elle « ne transgresse pas les lois des Perses » (*Histoires*, III, 83). En d'autres termes, son indépendance n'était que relative : elle n'était pas soumise à la même sujétion hiérarchique que les autres familles aristocratiques par rapport au roi, mais elle n'était pas pour autant souveraine dans l'État, ce qui aurait été intenable et contradictoire (*cf. CS*, I, 6 et 7). Pour R. il n'y a, dans l'État, de liberté que dans le cadre de la loi. Cette anecdote permet de distinguer respect de la loi et respect des privilèges. La république n'est pas un régime qui, au nom de l'égalité et de la liberté, affaiblit le pouvoir de la loi : elle crée au contraire une égalité et une liberté par la loi.

201. R. cite *L'Histoire naturelle* de Buffon, dans l'édition in-12 publiée à partir de 1752 et non dans la première édition de 1749, dont la numérotation des tomes et des pages est différente.

Quoique proche du pouvoir et toléré par l'autorité ecclésiastique (il a la charge importante d'« intendant des jardins du roi » et s'est toujours soumis pour la forme à la censure des théologiens), Buffon est reconnu comme une autorité scientifique majeure par les « philosophes ». La critique du récit de la Genèse que contiennent ses thèses sur l'histoire de la terre, critique implicite et prudente dans la forme mais radicale dans le contenu, a joué un rôle essentiel dans la lutte entre les autorités concurrentes de la science expérimentale et de la révélation. Voir E. Cassirer, *La Philosophie des Lumières*, *op. cit.*, p. 78-79, et J. Roger, *Les Sciences de la vie dans la pensée française au XVIII*[e] *siècle* [1963], rééd. Paris, Albin Michel, 1993, p. 528 et 542.

En choisissant de citer ce passage, R. joue habilement de cette autorité pour justifier ses réserves à l'égard d'une connaissance de l'homme calquée sur le modèle des sciences de la nature. Buffon reste en effet partiellement attaché à une conception inspirée de Descartes, selon laquelle il existe en l'homme une substance pensante distincte du corps, dont nous n'avons connaissance que par un « sens intérieur » distinct de la sensibilité externe, ce qui fonde une différence ontologique entre l'homme et l'animal (voir

M. Duchet, *Anthropologie et histoire au siècle des Lumières*, Paris, Flammarion, 1971, p. 187-189). Il en découle une différence dans les modes d'approche épistémologique : s'agissant de l'homme, l'introspection doit venir suppléer les limites de l'observation externe.

202. R. discute la question de savoir si l'homme est naturellement bipède ou s'il a pu être, à un moment de son évolution, quadrupède. Cette discussion renvoie aux premières hypothèses transformistes formulées au XVIIIe siècle, avant les grandes théories de Lamarck et de Darwin, hypothèses auxquelles s'oppose alors un large consensus en faveur de la fixité des espèces (voir J. Roger, *Les Sciences de la vie...*, *op. cit.*, p. 211-224). Refusant de prendre position sur cette question qu'il estime insuffisamment éclaircie (voir p. 69), R. affirme ici néanmoins que l'homme est naturellement et originellement bipède. Tout en mentionnant les quelques exemples d'« enfants sauvages » qui ont été observés marchant à quatre pattes, il objecte que cette démarche est accidentelle et liée aux circonstances (l'imitation des animaux qui les ont nourris) : son inadaptation à la morphologie du corps humain semble réfuter l'hypothèse d'une quadrupédie originelle. Cette prise de position doit être mise en rapport avec l'intention qui ordonne la démonstration dans la Ire partie du *DI* : rendre concevable un homme dépourvu des acquis de la civilisation (dans le « pur état de nature ») dont les conditions de vie n'auraient cependant rien d'invivable (voir notes 47 et 49).

203. L'exemple est repris d'une annotation de Pufendorf par Barbeyrac (*DNG*, II, II, § 2, note 1).

204. L'exemple, d'abord rapporté par B. Connor dans l'*Evangelicum medicum, seu medicina mystica* (1697), se retrouve ensuite chez La Mettrie et Condillac (*Essai sur l'origine des connaissances humaines*, I, IV, § 23).

205. Il s'agit d'un homme appelé « *Peter the Wild Man* », qui fut trouvé en 1724 en Allemagne et qui suscita une abondante littérature.

206. Le canon est, notamment chez le cheval, la partie de la jambe qui se situe entre les première et deuxième articulations en partant du sabot. R. note que la jambe humaine n'ayant que deux parties, et non trois comme celle des équidés, se plie difficilement, ce dont résulte une surélévation de l'arrière-train en cas de marche à quatre pattes.

207. L'ensemble de la note vise à démontrer que la terre n'a pas besoin d'être cultivée pour offrir une subsistance suffisante à tous les êtres vivants qui la peuplent, hommes compris. La thèse de la

« fertilité naturelle de la terre » contribue donc à la réfutation de l'idée d'une pénurie et d'une misère dont souffrirait l'homme privé des acquis d'une économie de production. R. s'appuie ici encore sur l'autorité de Buffon, mais il a personnellement étudié les propriétés et les modifications des minéraux, et notamment des terres arables, dans son ouvrage *Institutions chimiques*, paru en 1743 (voir l. II, chap. V, « De la terre », Paris, Fayard, 1999, p. 213-228).

208. « Arabie pétrée » : désigne, dans l'Antiquité, une des trois parties de l'Arabie, dont la capitale était Pétra. Son territoire correspond approximativement à la Jordanie et au nord de l'Arabie Saoudite.

La culture de la terre augmente à moyen terme sa productivité, mais épuise à long terme les sols et les rend infertiles : l'expérience confirme universellement l'affirmation de R., même si la transformation de l'Arabie en désert s'explique non par sa culture intensive, comme Buffon le suppose mais par le déboisement massif qu'elle a subi sous l'Empire romain.

209. *Histoire naturelle*, éd. de 1752, t. I, *Preuves de la théorie de la Terre*, p. 354-355.

210. « Distinctions » : caractères distinctifs.

211. « Vorace » est pris comme synonyme de « carnivore ». La question de savoir si l'homme est naturellement carnivore ou frugivore est liée à celle des origines de la conflictualité, les animaux frugivores se nourrissant sans combattre, à la différence des carnivores. En démontrant que l'homme est anatomiquement conformé comme les frugivores, R. cherche à extirper jusqu'à la racine la thèse d'une origine naturelle de la guerre (sur ce point, voir notre introduction et la note 57).

J. Morel montre que R. a tiré ses informations scientifiques sur la taille de l'intestin d'un article paru dans le *Journal économique* de 1754 (« Enquête sur les sources... », art. cit., p. 181). Cela suffit à témoigner de l'attention que R. portait à tous les domaines du savoir empirique et aux acquis les plus récents de la recherche de son temps. Sur la prédilection de R. pour une alimentation non carnée, voir *Émile*, I et II, *OC* IV, p. 265-276 et 411-414.

212. Dicéarque (IVe-IIIe s. av. J.-C.) est un savant grec, disciple d'Aristote, principalement connu comme géographe. Le fragment cité par saint Jérôme est emprunté par R. à Barbeyrac, dans son annotation de Grotius (*DGP*, II, II, § II-3, note 13).

213. « Les relations » : les récits relatés par écrit.

214. Cette remarque annonce les réticences qui s'exprimeront dans la note X sur le manque de fiabilité des relations de voyage

rédigées par des missionnaires, des marchands ou des aventuriers. R. leur reconnaît ici malgré tout une valeur documentaire, dès lors qu'il ne s'agit que de décrire des faits et non de porter des jugements ou de se prononcer sur la nature humaine.

J. Morel (« Recherches sur les sources...», art. cit., p. 188-194) montre que R. a une connaissance de première main des ouvrages du père du Tertre, missionnaire français auteur d'une *Histoire générale des Antilles habitées par les Français*, publiée en 1767, ainsi que du récit fait par Francisco Correal du périple qui le conduisit, à la fin du XVIIe siècle, de la Floride à la Terre de feu (*Voyage aux Indes occidentales*, traduit de l'espagnol en 1722). En revanche, il ne connaît les récits de Peter Kolben que par des passages cités dans un recueil intitulé *Histoire générale des voyages. Collection de toutes les relations de voyages par terre et par mer*, publié depuis 1746 en volumes chez l'éditeur parisien Didot. Le dernier volume qu'il a consulté avant d'écrire le *DI* est le t. XI, paru en 1754. Sur Kolben et l'observation des Hottentots, voir la note 68.

215. R. cite un passage rapporté dans le t. V de l'*Histoire générale des voyages*, 1748, p. 155-156. J.-F. Gautier d'Agoty, graveur d'anatomie et physicien, avait publié en 1752 des *Observations sur l'histoire naturelle, sur la physique et sur la peinture*.

216. *Histoire naturelle*, t. VII de l'éd. in-12 de 1753, p. 249-250.

217. « Voraces » : voir note 211.

218. J. Starobinski signale que cet « auteur célèbre » est Maupertuis, qui intitule le IIe chap. de son *Essai de philosophie morale* : « Que dans la vie ordinaire la somme des maux surpasse celle des biens » (voir *OC* III, p. 1364, note 2 de la p. 202). R. reprend le jugement de Maupertuis à son compte, mais ne s'en tient pas à une interprétation fataliste : toute son analyse, dans cette longue note, s'appuie sur la description du désir de l'homme civil, distinguée du besoin physiologique. Elle annonce donc la distinction de la note XV entre amour de soi et amour-propre. La misère de l'homme civilisé ne tient pas tant à une ingratitude de la nature ou de la fortune qu'au caractère structurellement insatiable du désir. R. le répétera dans toute son œuvre : l'art du bonheur (qui se confond avec la disposition à la bonté) réside dans la faculté d'ajuster ses désirs aux moyens de les satisfaire ; ce qui se fait spontanément pour l'homme de la nature, et ce qui suppose une sagesse rare chez l'homme civil. Voir sur ce point A. M. Melzer, *R. La bonté naturelle de l'homme*, trad. J. Mouchard, Paris, Belin, 1998, p. 37-38 et F. Guénard, *R. et le travail de la convenance*, *op. cit.*, notamment p. 114-130.

Le propos de R., dans cette note, n'est pas seulement celui d'un moraliste : la méditation met au jour les liens entre la constitution de l'ordre social et la misère de l'homme (puisque les passions insatiables ne naissent et ne se développent que dans les rapports sociaux, dont elles sont le principal aliment : d'où la distinction entre « l'homme » – au singulier, pris isolément – qui est « naturellement bon » et « les hommes » qui sont « méchants »). Quoique la bonté naturelle de l'homme ne soit pas irrémédiablement détruite, la difficulté d'en faire réapparaître les potentialités dans l'homme civil dénaturé est subordonnée à une difficile et improbable modification des mœurs et des rapports sociaux. Dans cette perspective, R. réfute la naïveté de la thèse optimiste inventée par les modernes, formulée particulièrement par Mandeville et Voltaire, et qui nourrira toute la théorie économique de Smith, selon laquelle « la société est tellement constituée que chaque homme gagne à servir les autres » (p. 162-163). Selon cette thèse, l'intérêt égoïste serait paradoxalement facteur d'ordre et de sociabilité, notamment grâce au mécanisme de l'échange marchand. R. ne nie pas qu'il soit parfois rentable de fournir aux autres ce qu'ils désirent. Mais le problème est « que cela serait fort bien si [chacun] ne gagnait encore plus à leur nuire. Il n'y a point de profit si légitime qu'il ne soit surpassé par celui qu'on peut faire illégitimement » (*ibid.*). Il renoue ainsi avec l'adage mercantiliste selon lequel « nul ne gagne qu'un autre ne perde ». Et il en exhibe la raison profonde : le désir de l'homme civil ne se satisfait pas d'un bien-être objectif et absolu, mais d'une comparaison entre sa satisfaction et celle d'autrui (voir note 182). Il en résulte que la conflictualité est structurellement, et non accidentellement, au cœur des relations sociales. Si la conclusion de l'analyse est à certains égards hobbesienne, la description des causes tourne le dos à l'anthropologie naturaliste du philosophe anglais.

219. Montaigne mentionne dans les *Essais* (I, XII) cette anecdote rapportée par Sénèque dans le *De Beneficiis*, VI, XXXVIII, 69.

220. « Vaisseaux » : vaisselle, en particulier les assiettes et les plats. Le plomb entrait souvent dans leur composition chez les Romains. R. croyait que le cuivre, utilisé à l'époque moderne, était également toxique : il avait envoyé une lettre au *Mercure de France*, publiée en juin 1753, « Sur l'usage dangereux des ustensiles de cuivre ».

221. R. reprendra cette thèse en 1756 dans sa polémique avec Voltaire à propos du tremblement de terre de Lisbonne de novembre 1755. Quand Voltaire, dans le *Poème sur le désastre de Lisbonne*, évoque la fatalité aveugle afin de railler l'hypothèse leibnizienne

(caricaturée) d'un ordre providentiel, R. répond, dans sa *Lettre à M. de Voltaire [sur la providence]*, que le tremblement de terre est certes dû à l'infortune, mais que ses conséquences désastreuses sont liées à l'imprudence et à la démesure des établissements humains : « convenez [...] que la nature n'avait point rassemblé là vingt mille maisons de six à sept étages, et que si les habitants de cette grande ville eussent été dispersés plus également, et plus légèrement logés, le dégât eût été beaucoup moindre, et peut-être nul » (*OC* IV, p. 1061).

222. R. évoque les horreurs de la guerre dans la IIe partie du *DI*, p. 128.

223. Allusion à l'homosexualité et à la sodomie.

224. « Exposer » un enfant signifie l'abandonner (selon une terminologie héritée du vocabulaire romain antique).

225. Allusion aux castrats et aux eunuques.

226. Allusion aux pratiques contraceptives. L'« abstinence », autrefois considérée comme une vertu morale, devient un comportement pragmatique et intéressé.

227. « Réalgar » : sulfure d'arsenic, utilisé par les orfèvres. Le ms des *Institutions chimiques* s'interrompt précisément au cours du développement consacré à l'arsenic (*op. cit.*, p. 360).

228. M. Senellart rappelle qu'après Montesquieu (*EL*, XXIII, 10, 19 et 26 ; *Lettres persanes*, CXXII à CXXII), Hume (*Of the Populousness of Ancient Nation* [1752], traduit en français en 1754) et Wallace (*Essai sur la différence du nombre des hommes dans les temps anciens et modernes*, 1752), environ 1900 ouvrages sont parus entre 1760 et 1789 sur les questions de population et d'économie politique (voir « La population comme signe du bon gouvernement », in *R. et la philosophie*, A. Charrak et J. Salem (dir.), Paris, Publications de la Sorbonne, 2004, p. 189-192). Pour R., le critère le plus indiscutable d'une société bien ordonnée est l'augmentation de sa population (voir *CS*, III, 9). Il s'est lui-même essayé à établir statistiquement la thèse selon laquelle les grandes villes modernes tendent structurellement à la dépopulation : en témoigne un brouillon (*Fragments politiques*, *OC* III, p. 528) qui établit une comparaison, pour Paris en 1758, du nombre de morts par rapport aux baptêmes et du nombre d'enfants abandonnés par rapport aux mariages.

229. La défense du luxe, qui prend le contre-pied d'une ancienne tradition héritée de Platon et d'Aristote et dont l'argument est le gain économique qui en résulterait pour la totalité de la population, est notamment développée par Mandeville dans *La Fable des*

abeilles (remarque M) et par Voltaire dans *Le Mondain* (1736) et dans *La Défense du Mondain* (1737).

230. *Cf. DEP, OC* III, p. 274 et *Émile*, III, *OC* IV, p. 458-460. B. Fridèn note que R. décrit dans ces textes le principe que les économistes nomment la « loi de King », qui explique notamment par la forte élasticité des prix des biens de première nécessité le fait que les agriculteurs voient leur revenu non pas augmenter, mais baisser, lorsque leur production augmente (voir *Rousseau's Economic Philosophy, op. cit.*, p. 86-89).

231. R. anticipe une interprétation réductrice de son propos : la critique de la société civile ne doit pas s'entendre comme aspiration à revenir à un état d'innocence naturelle, qui a irrémédiablement disparu. Elle doit s'entendre comme injonction à faire le meilleur usage de la liberté morale qui caractérise l'homme dénaturé.

232. Il s'agit de la loi divine révélée, en particulier de l'interdiction de manger de l'arbre de la connaissance du bien et du mal, interdiction qui rend possible la définition et la condamnation d'un « péché originel » (*Genèse*, 2-3). Cette interdiction peut paraître arbitraire et irrationnelle, et elle a en effet souvent heurté les esprits raisonnables. Mais on peut, comme R., en trouver la raison dans la nécessité de « donner aux actions humaines une moralité qu'elles n'eussent de longtemps acquise », c'est-à-dire de soumettre les hommes à une première obligation morale.

233. Dans cette note à laquelle Cl. Lévi-Strauss se réfère pour souligner la façon dont R. anticipe une science encore à naître, l'anthropologique empirique, on note l'influence de Buffon (*Histoire naturelle*, in-12, vol. VI : *Histoire naturelle de l'homme* ; *Variétés dans l'espèce humaine*, Paris, 1753) et peut-être celle de Maupertuis, qui dans ses *Lettres* (1752) adopte une hypothèse très proche quant à la proximité, voire la parenté, de certains grands singes avec les hommes.

234. Ctésias (V^e^-IVe s. av. J.-C.) est un historien grec qui vécut en Perse et décrivit l'histoire et la géographie de la Perse et de l'Inde. Ses ouvrages sont connus par des fragments rapportés par d'autres auteurs. Comme Hérodote, qui vécut à Athènes au Ve siècle av. J.-C. et décrivit de nombreux peuples grecs et barbares dans ses *Histoires*, il mêle des récits légendaires à des observations rigoureuses.

235. Ce passage donne une indication importante sur le statut empirique que R. accorde à l'idée d'un « homme naturel ». Alors qu'il a fortement marqué la différence qualitative entre l'« homme de la nature » et l'homme dénaturé par la culture, au point d'écrire que l'homme de la nature est une construction hypothétique

obtenue par « dépouillement », donc un être qui « n'a peut-être point existé » (p. 70 et 53), il n'exclut cependant pas que des hommes restés dans la véritable état de nature aient pu, non seulement exister, mais même, dans certaines régions du monde, se conserver dans cet état, faute d'avoir été affectés par les mystérieuses « circonstances » nécessaires pour actualiser les potentialités inhérentes à l'espèce humaine. Ce qu'en dit R. fait écho aux descriptions de la Ire partie du *DI* sur l'homme dans le premier état de nature, pleinement homme par son appartenance à l'espèce mais encore non dénaturé, se situant donc dans la modalité du « presque » (voir note 58). C'est ainsi qu'il faut comprendre ses remarques sur leur rapport à la mort ou à la technique (p. 176). L'enjeu de cette hypothèse iconoclaste est de donner toute sa mesure à l'idée d'une essentielle plasticité de l'espèce humaine et donc de détruire jusqu'à la racine le préjugé de la « tourbe philosophesque » selon lequel « les hommes sont partout les mêmes ».

236. Voir note 214. Le passage est extrait du t. V (1748), l. XVIII, chap. VIII, § 4, p. 87-89.

237. Andrew Battel, voyageur et aventurier anglais, vécut entre la fin du XVIe et le début du XVIIe s. Revenu en Angleterre après des périples en Amérique du sud et en Afrique, il en fit le récit à son ami Samuel Purchas, qui les publia dans *Hakluytus Posthumus or Purchas his Pilgrimes, contayning a History of the World in Sea Voyages and Lande Travells, by Englishmen and others* (1625).

238. Royaume de Laongo : situé en basse Éthiopie, entre le Congo et le Gabon.

239. Olfert Dapper, médecin hollandais, a vécu à la fin du XVIIe s. Il a publié plusieurs récits de voyages, dont une *Description de l'Afrique* (1668).

240. « Forcer » signifie ici « violer ». Dans la mythologie grecque, le satyre est un être mi-homme, mi-bouc, réputé pourchasser les nymphes et les jeunes filles.

241. Jérôme Merolla, missionnaire italien, est auteur d'un *Voyage au Congo* (1692).

242. R. synthétise ici les acquis anthropologiques de la Ire partie du *DI* : l'homme possède par nature des dispositions distinctives, telles que la perfectibilité et la faculté de parler. Mais ces potentialités ne se développent pas naturellement : leur actualisation exige une formation résultant de l'immersion dans un milieu social, qui élève l'homme à l'humanité et lui donne une forme spécifique, liée à une configuration culturelle déterminée.

243. Dans la médecine traditionnelle, le « monstre » est une erreur de la nature, qui se reconnaît notamment à son infertilité.

244. « L'expérience » à laquelle pense R. est de tenter de croiser un humain et un orang-outang. L'appartenance à une même espèce se définit en effet par l'interfécondité. Cependant, pour procéder « innocemment » (c'est-à-dire sans commettre une faute religieuse ou morale) à cette expérience, il faudrait d'abord être assuré que les orang-outangs sont bien des hommes (la relation sexuelle d'un homme avec un animal étant l'objet d'un interdit à la fois religieux et moral).

245. Voir note 204.

246. R. se montre lucide sur les problèmes que pose la méthodologie de l'observation anthropologique. Il y revient régulièrement dans son œuvre (voir notamment *Essai sur l'origine des langues*, chap. XI, *OC* V, p. 409 ; *Lettre à Christophe de Beaumont*, *OC* IV, p. 987-988). Sur la critique épistémologique des récits de voyage, voir *Émile*, V, *OC* IV, p. 826-832 ; *Émile et Sophie, ou Les Solitaires*, Lettre II, *OC* IV, p. 912. C'est une critique commune à l'époque : voir M. Duchet, *Anthropologie et histoire au siècle des Lumières*, *op. cit.*, p. 87-102.

On peut entendre la formule « la philosophie ne voyage pas » en deux sens. Elle peut signifier, comme laisse supposer la suite du texte, que les philosophes devraient davantage voyager, afin de substituer aux récits de l'avidité commerciale ou conquérante ceux de la curiosité désintéressée. Mais la deuxième partie de la phrase semble autoriser une autre interprétation, qui ne contredit d'ailleurs pas la première, à condition de distinguer entre la véritable philosophie et ce qui prétend à ce nom : la philosophie prétendue des voyageurs-savants garderait toujours les pieds dans son pays d'origine, elle serait toujours enracinée dans une vision ethnocentriste, et ne serait le plus souvent que l'expression des préjugés d'un peuple, aussi peu universels que le sont la cupidité des marchands, l'ambition des soldats et le prosélytisme des missionnaires.

247. « Philosophesque » est un néologisme de R. Sur la distinction entre la « véritable » et la fausse philosophie, voir la note 22.

248. Ch.-M. de La Condamine (1701-1774), après une formation militaire et scientifique, mène des expéditions en Afrique du Nord et au Moyen-Orient, avant d'être envoyé en 1735 par l'Académie des sciences au Pérou afin de mesurer un degré de méridien à proximité de l'équateur. Il atteint Cayenne depuis l'Équateur en descendant l'Amazonie. Revenu en France en 1745, il est élu à l'Académie des sciences, publie plusieurs récits de voyage et des articles dans l'*Encyclopédie* de Diderot et d'Alembert.

249. P.-L.-M. de Maupertuis (1698-1759), fils d'un corsaire et marchand malouin, se forme aux mathématiques et devient membre de l'Académie des sciences en 1723. Il est envoyé par celle-ci en Laponie en 1736-1737 pour mesurer la longueur d'un degré de méridien à proximité du pôle nord. Comme l'expédition de La Condamine au Pérou, il s'agit de trancher, par des mesures directes, entre deux conceptions de la forme de la Terre, l'une, inspirée de Cassini, affirmant qu'elle est allongée aux pôles, l'autre, inspirée de Newton, affirmant qu'elle est aplatie aux pôles.

250. J. Chardin (1643-1716) se rend en Perse et en Inde en 1665 pour y faire le commerce des diamants. Il repart entre 1671 et 1680 pour un périple qui le conduit en Turquie, en Géorgie, en Perse, en Inde puis en Afrique du Sud. Il publie en 1686 la première partie des *Voyages de monsieur le chevalier Chardin en Perse et autres lieux de l'Orient*, ouvrage qu'il complète en 1711.

251. E. Kaempfer (1651-1716), médecin de la Compagnie néerlandaise des Indes orientales, a visité la Perse, le Siam (Thaïlande), la Chine et le Japon. Il a publié une *Histoire naturelle, civile et ecclésiastique de l'Empire du Japon* (traduite en français en 1729).

252. La Barbarie : l'Afrique du Nord. Le pays des Cafres : région de l'Afrique méridionale, dans l'actuelle province du Cap (Afrique du Sud). Les Malabares : les habitants de Malabar, région littorale de l'ouest de l'Inde, au sud de Goa. Le Mogol : l'Empire du Mogol, royaume fondé par Timur-I Lan (Tamerlan) et dont le territoire, variable au cours des siècles, s'étendit du nord de l'Inde à l'Iran et à l'Asie centrale. Le royaume de Siam : l'actuelle Thaïlande. Les royaumes de Pegu et d'Ava : l'actuelle Birmanie. La Tartarie : l'actuelle Tatarie. Les Terres magellaniques : la Terre de Feu, région située au sud de l'actuel Pérou. Les Patagons : les habitants de la Patagonie, région située au sud de l'actuelle Argentine. Certains récits de voyageurs leur attribuaient une taille gigantesque : R. reflète ici l'incrédulité que ces descriptions suscitaient, notamment chez Buffon. Le Tucuman : province située au nord de l'actuelle Argentine.

253. « Histoire », au sens que ce mot possède encore au XVIIIe siècle, signifie : description empirique méthodique. Le programme d'une « histoire naturelle, morale et politique » de l'humanité est celui d'une anthropologie circonscrivant tous les aspects de la condition humaine : comme le formule la Ire partie du *DI*, elle supposerait de connaître non seulement « le physique » de l'homme, mais également son « côté métaphysique et moral », perspectives auxquelles R. ajoute ici la nécessité d'observer l'homme dans la

diversité des milieux sociaux auxquels il appartient. « Mon objet, écrit Saint-Preux dans la *Nouvelle Héloïse*, est de connaître l'homme, et ma méthode de l'étudier dans ses diverses relations » (IIe partie, Lettre XVI, *OC* II, p. 242) ; *Cf. Confessions*, IX, *OC* I, p. 413 ; *Dialogues*, I, *OC* I, p. 728).

254. *Second Traité*, chap. VII, § 79 et 80, trad. de D. Mazel (Amsterdam, 1691). R. critique à plusieurs reprises l'idée que la famille soit une institution « naturelle » (voir notes 81, 107 et 158). Cette idée peut sembler en contradiction avec ce qu'il écrit dans le *CS*, I, 2 : « La plus ancienne de toutes les sociétés, et la seule naturelle, est celle de la famille. » Cette contradiction n'est qu'apparente. Dans le *CS*, R. se situe dans le cadre de l'ordre civil et il compare entre elles les différentes formes de sociétés instituées, toutes construites sur la base de relations morales – ce qui explique que le père, à la différence de ce qui a lieu dans le pur état de nature, demeure auprès de la mère après la fécondation. Or, parmi les sociétés instituées, il est indiscutable que la famille soit la seule dont la base soit biologique. C'est en ce sens très restrictif qu'il faut entendre l'idée d'une « société naturelle » : elle est *la plus* naturelle parmi les sociétés instituées. Par ailleurs, même dans le chap. cité du *CS*, R. insiste sur la dimension conventionnelle du lien familial, qui se révèle dès lors que les enfants cessent de dépendre physiquement des parents. L'idée essentielle est que le lien familial, comme lien qui se *perpétue*, relève d'une reconnaissance réciproque de statuts, et non d'une liaison biologique.

255. C'est la même objection que R. fait, dans le corps du *Discours*, à propos de toute la pensée jusnaturaliste : « On commence par rechercher les règles dont, pour l'utilité commune, il serait à propos que les hommes convinssent entre eux ; et puis on donne le nom de Loi naturelle à la collection de ces règles, sans autre preuve que le bien qu'on trouve qui résulterait de leur pratique universelle » (p. 55). Bref, « nature » est le nom dont on baptise indiscrètement tout ce à quoi on suppose une légitimité ou une nécessité, ce qui dispense d'en établir le fondement véritable.

256. Sur les difficultés que présente la vérification empirique de tout énoncé concernant l'homme dans le pur état de nature, voir note 28.

257. La formule est presque la même que celle qu'emploie R. à propos de l'institution des langues (p. 85) : dans toute explication naturaliste des comportements proprement humains, on peut découvrir, à un moment ou un autre, un artefact logique plaçant, dans ce qui est donné comme naturel, un élément conventionnel.

258. Allusion à la polémique passionnée qui suivit la publication du *DSA*.

259. « Et rien ne serait ôté à la félicité du genre humain si, débarrassés du fléau et de la confusion nés de la multiplicité des langues, les hommes n'étaient aptes à en pratiquer qu'une seule, et qu'il leur fût possible d'exposer toutes choses au moyen de signes, de mouvements et de gestes. Dans l'état actuel des choses, la comparaison fait apparaître que la condition des bêtes, que le vulgaire qualifie de brutes, est bien meilleure que la nôtre sur ce point. En effet, celles-ci, sans intermédiaire, signifient plus vite, et peut-être plus efficacement, leurs sentiments et leurs pensées que ne peuvent le faire les hommes, surtout lorsqu'ils utilisent une langue étrangère. » (Isaac Vossius, *De Poematum cantu et viribus rythmi*, Oxford, 1673, p. 65-66.)

R. ne fait évidemment pas l'éloge de l'abrutissement ni du retour à un état pré-langagier de la condition humaine. Il invite premièrement son lecteur à ne pas confondre ce qui relève des besoins avec ce qui relève des désirs (le langage humain n'est pas un besoin vital, donc il ne dérive pas de la nature, laquelle offre aux animaux d'autres moyens, à certains égards aussi efficaces, de communication). Par ailleurs, R. met constamment en lumière *l'ambivalence* des acquis de la civilisation, contre une conception naïve corrélant systématiquement progrès des facultés intellectuelles et progrès des mœurs. Or, si l'on tient compte de cette thèse selon laquelle les formes que prend la culture sont contingentes et déterminent des modalités diverses (plus ou moins satisfaisantes) de l'existence, il apparaît que la citation de ce texte du savant hollandais Isaac Vossius (1618-1689) a pour enjeu masqué un jugement qui importe à R. quant à l'évolution de la civilisation. On sait qu'il affirme, notamment dans l'*Essai sur l'origine des langues* (chap. II à IV), que le développement d'une expression savante et abstraite, au détriment d'une culture de l'affectivité et de la musicalité, appauvrit la communication en signification et en intensité – ce qui le conduit à affirmer que la thèse du *Cratyle* de Platon « n'est pas si absurde qu'[elle] paraît l'être » (*OC* V, p. 383). Or c'est pour appuyer cette valorisation d'une expression contournant les médiations rigides de l'abstraction, évoquant ainsi plus directement les objets par un rapport sensible, qu'il cite également Vossius dans l'article « Rythme » de l'*Encyclopédie* : « Vossius dans son livre *De poematum cantu et viribus rhythmi,* relève beaucoup le *rythme* ancien, et il lui attribue toute la force de l'ancienne musique. Il dit qu'un *rythme* détaché, comme le nôtre, qui ne représente point les formes et les figures des choses, ne peut avoir aucun effet. »

260. « Quantité discrète » : quantitée « séparée », « divisée » (celle des nombres, objets de l'arithémtique), qui se distingue de la quantité « continue » (celle des figures, objets de la géométrie).

261. Palamède, membre de l'armée grecque lors de la guerre de Troie, est un élève du savant centaure Chiron. De nombreuses inventions lui sont attribuées : certaines lettres de l'alphabet grec, la monnaie, les nombres, les jeux des osselets, des dés et des dames. Platon formule son scepticisme sur la question de l'invention des nombres dans *La République*, VII, 522 c-d.

262. R. souligne, malgré l'objection de Platon, les difficultés que présente la question de l'invention des nombres, en insistant sur la différence entre la perception globale d'une pluralité et la formulation intellectuelle de cette pluralité au moyen du dénombrement et du calcul. Kant reviendra sur cette différence dans la *Critique de la raison pure* : « Quand je dispose cinq points les uns à la suite des autres : ....., c'est là une image du nombre cinq. Au contraire, quand je ne fais que penser à un nombre en général, qui peut être cinq ou cent, cette pensée est la représentation d'une méthode pour représenter une multitude » (« Analytique transcendantale », l. II, chap. I, trad. Tremesaygues-Pacaud, Paris, PUF, 1944, p. 152). La représentation méthodique des objets suppose de franchir un seuil qualitatif par rapport à la représentation intuitive, même si celle-ci contient déjà une forme de connaissance. C'est une différence comparable à celle que fait R. entre un singe allant d'une noix à une autre et un homme se représentant les caractéristiques abstraites d'un objet sous la forme d'un concept (p. 89). La réticence de R. à l'égard de la doctrine sensualiste n'est pas sans rapport avec les questions relatives à la théorie de la connaissance qui guideront la démarche de Kant. Il en révèle en outre les enjeux anthropologiques.

263. R. revient à de nombreuses reprises sur cette distinction (voir *Lettre à Beaumont*, *OC* IV, p. 936 ; *Émile*, IV, *OC* IV, p. 489 ; *Dialogues*, I, *OC* I, p. 669).

La description de la démesure de l'amour-propre opposée à un amour raisonnable de soi-même est empruntée par R. à une longue tradition de la philosophie morale – que Derathé fait remonter au stoïcisme (*J.-J. R. et la science politique de son temps*, *op. cit.*, p. 138). R. lui donne cependant une portée entièrement nouvelle. L'amour-propre n'est pas un simple défaut dont nous pourrions nous défaire : il est aussi indissociable de l'homme civil que la perfectibilité. La meilleure éducation n'empêche d'ailleurs pas son développement (voir *Émile*, IV, *OC* IV, p. 489-551). Il est intéressant de noter que lorsque R., dans le second *Dialogue*, réfute la psychologie matérialiste du physiologue anglais Hartley, il utilise comme argument ce qu'il nomme « la sensibilité [...] active et morale qui n'est autre chose que la faculté d'attacher nos affections à des êtres qui nous sont étrangers [...], dont l'étude des paires de nerfs ne donne pas la connaissance », et qui se traduit notamment par l'activité de l'esprit qui « embrasse plus d'objets, saisit plus de rapports, examine, compare » et qui « dans ces fréquentes comparaisons [...] n'oublie ni lui-même, ni ses semblables, ni la place à laquelle il prétend parmi eux » (*OC* I, p. 805). La nature prospective, intentionnelle et intersubjective du désir donne à penser que nous ne sommes pas que des corps soumis à des lois mécaniques ou biologiques. La théorie de l'amour-propre est mise par R. au service d'un anti-matérialisme, ou plus exactement de la critique d'un certain réductionnisme anthropologique, critique qui repose sur des bases entièrement différentes du dualisme métaphysique classique. Aussi R. se garde-t-il bien de condamner purement et simplement l'amour-propre : il distingue ses modalités, qui peuvent aussi bien nous élever que nous abaisser, tout comme la perfectibilité – dont il est le principal moteur. L'amour-propre est « orgueil dans les grandes âmes, et vanité dans les petites » (*Émile*, IV, *OC* IV, p. 494).

264. Sur la critique de la conception réductrice des conditions du bonheur qui se développe à l'époque de R., voir la note 182.

265. J. Starobinski indique l'origine des anecdotes rapportées par R. À propos des Indiens d'Amérique : abbé Prévost, *Le Pour et le Contre*, 1734, t. IV, p. 254-258 et La Hontan, *Dialogues curieux*, rééd. Baltimore, Paris, Londres, Gilbert Chinard, 1931, p. 202. À propos des Groenlandais : Isaac de la Peyrère, *Relation du Groenland*, Paris, 1645, rééd. Amsterdam, J.-F. Bernard, 1715, p. 150-156 (voir *OC* III, p. 1376-1377).

266. Remarque très éclairante sur la question de l'existence d'une phase intermédiaire entre l'état de paix et d'indépendance qui caractérise les nations sauvages et l'institution des sociétés politiques qui entérinent le droit de propriété. On pourrait en effet penser que les « surnuméraires » n'ont aucune raison de faire la guerre aux propriétaires tant que le droit positif n'est pas institué, puisqu'ils peuvent encore se dérober à la contrainte que les propriétaires exercent sur eux (en se « dispersant ») et peuvent donc survivre sans combattre. À cela, R. objecte deux éléments à prendre en compte : une sorte de saturation de l'espace par l'augmentation de la population, qui

précède et prépare la saturation de l'espace par la conquête ; ensuite une servitude volontaire liée à l'habitude du joug plutôt qu'à la contrainte, et dont les désagréments ne se font sentir que lorsque les relations de domination sont devenues quasiment irréversibles.

267. Selon J. Starobinski, il s'agit de Louis-Hector, duc de Villars (1653-1734), maréchal de France (voir *OC* III, p. 1377).

268. Isocrate (436-338 av. J.-C.), *Aréopagitique*, VII, § 20.

269. Sur la légitimité d'une inégalité fondée sur le mérite, voir notes 40 et 169. On notera une évolution de la pensée de R. sur un point important. Il valorise ici une conception juridique du mérite civil, attesté par des actes concrets et reconnu par des magistrats chargés spécifiquement d'en juger, en le distinguant du mérite moral, dont le juge est l'opinion publique et qui est toujours menacé de donner prise à l'arbitraire. Par la suite, il réévaluera l'importance politique d'un jugement portant sur les mœurs (voir *Lettre à d'Alembert*, *OC* V, p. 61-69 et *CS*, IV, 7) ; et il ira jusqu'à attribuer à l'estime publique un rôle décisif dans le jugement du mérite civil et de l'avancement dans les charges publiques (*Pologne*, *OC* III, p. 1019).

LISTE DES ABRÉVIATIONS

AJJR : *Annales de la société J-J. Rousseau*

CC : *Correspondance complète de J.-J. Rousseau*, R. A. Leigh éd.

Corse : Rousseau, *Projet de constitution pour la Corse*

CS : Rousseau, *Du contrat social*

DEP : Rousseau, *Discours sur l'économie politique*

DGP : Grotius, *Le Droit de la guerre et de la paix*

DI : Rousseau, *Discours sur l'origine et les fondements de l'inégalité parmi les hommes*

Dialogues : Rousseau, *Dialogues. Rousseau, juge de Jean-Jacques.*

DNG : Pufendorf, *Le Droit de la nature et des gens*

DSA : Rousseau, *Discours sur les sciences et les arts*

EL : Montesquieu, *De l'esprit des lois*

LEM : Rousseau, *Lettres écrites de la montagne*

MsG : Rousseau, *Manuscrit de Genève* (1re version du *Contrat social*)

OC : *Œuvres complètes de Rousseau* en 5 vol., Gallimard, Bibliothèque de la Pléiade

Pologne : Rousseau, *Considérations sur le gouvernement de Pologne*

Second Traité : Locke, *Second Traité du gouvernement civil*

BIBLIOGRAPHIE

Œuvres de Rousseau

Œuvres complètes, B. Gagnebin et M. Raymond éd., coll. La Pléiade, 5 vol., Paris, Gallimard, 1959-1995 (notés *OC* I à *OC* V).

Correspondance complète, R. A. Leigh éd., Genève, 40 vol., 1965-1984.

Principes du droit de la guerre et *Écrits sur la paix perpétuelle*, textes établis par B. Bernardi et G. Silvestrini, commentaire sous la dir. de B. Bachofen et C. Spector, Paris, Vrin, « Textes et commentaires », 2008.

Du contrat social, éd. présentée et annotée par B. Bernardi, Paris, GF Flammarion, 2001.

Institutions chimiques, éd. B. Bensaude-Vincent et B. Bernardi, *Corpus des œuvres philosophiques de langue française*, Fayard, 1999.

Parmi les nombreuses éditions du second *Discours*, on retiendra les deux suivantes :

J. Starobinski, *OC* III (1959) : notice, p. XLII-LXXII, texte, p. 109-223, annotation p. 1285-1382.

H. Meier, édition critique annotée et commentée, Paderborn-Munich, Schöning UTB (1984), 5e éd. 2001.

Études

ALTHUSSER L., « Le courant souterrain du matérialisme de la rencontre », *Écrits philosophiques et politiques*, t. 1, Stock / IMEC, 1994.

AUDI P., *De la véritable philosophie, Rousseau au commencement*, Paris, Le Nouveau Commerce, 1994.

AUDI P., *Rousseau, Éthique et passion*, Paris, PUF, 1997.

BACHOFEN B., *La Condition de la liberté. Rousseau, critique des raisons politiques*, Paris, Payot, 2002.

BACZKO B., *Rousseau. Solitude et communauté* [1964], trad. fr. Paris, La Haye, Mouton, 1974.

BACZKO B., *Lumières de l'utopie*, Paris, Payot, 1978.

BENREKASSA G., *Le Langage des Lumières, concepts et savoir de la langue*, Paris, PUF, 1995.

BERNARDI B., *La Fabrique des concepts. Recherches sur l'invention conceptuelle chez Rousseau*, Paris, Champion, 2006.

BERNARDI B., *Le Principe d'obligation*, Paris, EHESS/Vrin, 2007.

BOUCHARD M., *L'Académie de Dijon et le premier* Discours *de Rousseau*, Paris, Les Belles Lettres, 1950.

CASSIRER E., *Le Problème Jean-Jacques Rousseau* [1932], trad. fr. Hachette, 1987.

CASSIRER E., *La Philosophie des Lumières* [1932], trad. fr. Fayard, 1966.

CHARRAK A., « Du droit naturel au droit naturel raisonné », *Cahiers philosophiques de Strasbourg*, t. 12, 2002.

CLAPARÈDE E., « Rousseau et l'origine du langage », *AJJR*, t. XXIV, Genève, Droz, 1935.

DERATHÉ R., *Le Rationalisme de J.-J. Rousseau*, Paris, PUF, 1948..

DERATHÉ R., *J.-J. Rousseau et la science politique de son temps* [1950], rééd. Paris, Vrin, 1988.

DERRIDA J., *De la grammatologie*, Paris, Minuit, 1976.

DUCHET M., *Anthropologie et histoire au siècle des Lumières*, Paris, Flammarion, 1971.

FRIDÉN B., *Rousseau's Economic Philosophy*, Londres, Kluwer Academic Publishers, 1998.

GOLDSCHMIDT V., *Anthropologie et Politique. Les principes du système de Rousseau*, Paris, Vrin, 1974.

GOUHIER H., *Les Méditations métaphysiques de J.-J. Rousseau*, Paris, Vrin, 1970.

GRŒTHUYSEN B., *Jean-Jacques Rousseau*, Paris, Gallimard, 1949.

GUÉNARD F., « L'État et la famille », in *Discours sur l'économie politique*, éd. et commentaire, B. Bernardi (dir.) Paris, Vrin, 2002.

GUÉNARD F., *Rousseau et le travail de la convenance,* Paris, Champion, 2004.

GUICHET J.-L., *Rousseau, l'animal et l'homme. L'animalité dans l'horizon des Lumières*, Paris, Cerf, 2006.

HARTMANN P., « Rousseau et la philosophie (une enquête sur le terme "philosophie" et ses dérivés dans les œuvres d'avant la rupture) », *AJJR*, t. XLIII, Genève, Droz, 2001.

HIRSCHMAN A. O., *Les Passions et les Intérêts* [1977], trad. fr. PUF, 2001.

LAUNAY M., *J.-J. Rousseau écrivain politique*, Cannes et Grenoble, C.E.L.-A.C.E.R., 1971.

LÉVI-STRAUSS Cl., *Tristes tropiques* [1955], rééd. Terre humaine poche, 1998.

LÉVI-STRAUSS Cl., « J.-J. Rousseau, fondateur des sciences de l'homme », in *Anthropologie structurale II*, Paris, Plon, 1973.

MACPHERSON C. B., *La Théorie politique de l'individualisme possessif* [1962], trad. fr. Gallimard, 1971.

MASTERS R. D., *La Philosophie politique de Rousseau* [1968], trad. fr. ENS éditions, Lyon, 2002.

MELZER A. M., *Rousseau. La bonté naturelle de l'homme* [1990], trad. fr. Belin, Paris, 1998.

MOREL J., « Recherches sur les sources du *Discours sur l'inégalité* », *AJJR*, t. V, Genève, A. Jullien, 1909.

PERKINS, M. L., « Liberty and the concept of legitimacy in the *Discours sur l'inégalité* », *Studies on Voltaire and the eighteenth century*, 89, 1972.

PHILONENKO A., *J.-J. Rousseau et la pensée du malheur* (3 vol.), Paris, Vrin, 1984.

RADICA, G., *L'Histoire de la raison. Anthropologie, morale et politique chez Rousseau*, Paris, Champion, 2008.

ROGER J., *Les Sciences de la vie dans la pensée française au XVIIIe siècle* [1963], rééd. Albin Michel, Paris, 1993.

SCHINZ, A, « Histoire de l'impression et de la publication du *Discours sur l'inégalité* de Rousseau », *Publications of the Modern Language Association of America*, 28, 1913.

SENELLART M., « La population comme signe du bon gouvernement », in *Rousseau et la philosophie*, A. Charrak et J. Salem (dir.), Paris, Publications de la Sorbonne, 2004.

SILVESTRINI G., *Alle radici del pensiero di Rousseau, istituzioni e debattito politico a Ginevra nella prima metà del settecento*, Milano, Francoangeli, 1993.

SPINK J.S., *J.-J. Rousseau et Genève. Essai sur les idées politiques et religieuses de Rousseau dans leur relation avec la pensée genevoise au XVIIIe siècle*, Paris, 1934.

STAROBINSKI J., *La Transparence et l'Obstacle*, Paris, Gallimard, 1971.

STAROBINSKI J., Introduction et annotation au *Discours sur l'inégalité*, *Œuvres complètes*, Pléiade, vol. III.

TISSERAND R., *Les Concurrents de Rousseau à l'Académie de Dijon pour le prix de 1754*, Paris, Boivin, 1936.

VARGAS Y., *Rousseau. L'énigme du sexe*, Paris, PUF, 1997.

CHRONOLOGIE

Année	La vie et l'œuvre de Rousseau	Éléments historiques contextuels
1707		Émeutes populaires à Genève.
1709		Bossuet, *Politique tirée des propres paroles de l'Écriture sainte.*
1712	28 juin : naissance de J.-J. R.	
1718		Abbé de Saint-Pierre, *La Polysynodie.* Fin de la guerre de succession d'Espagne. Mouvement de « représentations » à Genève.
1715		Mort de Louis XIV. Régence du Duc d'Orléans.
1720	Lecture de moralistes, d'historiens, de Plutarque.	Effondrement du système de Law.
1722	Mis en pension chez le pasteur Lambercier.	
1724	R. habite chez son oncle S. Bernard, il est brièvement apprenti greffier.	
1725	Contrat d'apprentissage chez un graveur.	Avènement de Louis XV.
1724		Barbeyrac, trad. de Grotius, *Le Droit de la Guerre et de la Paix*.
1725		Mort de Pierre le Grand de Russie.
1728	14 mars : R. quitte Genève. 21 mars : premier passage chez Mme de Warens. 25 avril à Turin : « conversion ». Il perd son droit de citoyenneté.	
1729	Juin : retour à Annecy chez Mme de Warens. Bref passage au séminaire.	Émeutes en Corse contre les Génois.

Année	La vie et l'œuvre de Rousseau	Éléments historiques contextuels
1731	Après quelques pérégrinations (Lyon, Neuchâtel, Paris), installation chez Mme de Warens à Chambéry.	
1734		Barbeyrac, dernière trad. de Pufendorf, *Le droit de la nature et des gens.* Montesquieu, *Considérations sur les causes de la grandeur des Romains et de leur décadence.*
1735	Premier séjour aux Charmettes.	
1737-38		Nouvelle période d'agitation politique à Genève.
1740	Précepteur à Lyon chez M. de Mably.	Avènement de Frédéric II de Prusse ; guerre de succession d'Autriche.
1742	Août : présentation à l'Académie des sciences d'un système de notation musicale.	Silhouette, trad. de Warburton, *Dissertations sur l'union de la religion, de la morale et de la politique.*
1743	R. se lie aux Dupin, études de chimie chez Rouelle. Juillet : départ pour Venise où il sera une année secrétaire de l'ambassadeur de France.	
1745	R. se lie avec Thérèse Levasseur. Il entre dans le cercle de Diderot et Condillac.	
1747	R. entreprend un ouvrage intitulé *Institutions chymiques.*	Burlamaqui, *Principes du droit naturel.*
1748		Montesquieu, *De l'Esprit des lois.* Fin de la guerre de succession d'Autriche.

Année	La vie et l'œuvre de Rousseau	Éléments historiques contextuels
1749	Travaux de documentation et secrétariat pour les Dupin, notamment en vue d'une « réfutation » de Montesquieu. Collaboration à l'Encyclopédie pour la musique. Véritable mise en chantier des *Institutions politiques.* Conception et rédaction du *Discours sur les sciences et les arts.*	*Observations sur le Gouvernement de la Pologne*, du roi Stanislas. Incarcération de Diderot à Vincennes.
1750	R. obtient le prix de l'Académie de Dijon pour son discours.	
1751	Avec la polémique qui suit le discours, « R. le musicien » devient « R. le philosophe ».	Duclos, *Considérations sur les mœurs.* Burlamaqui, *Principes du droit politique.*
1753	R. entreprend la rédaction du *Discours sur l'origine de l'inégalité*.	Conflits de Louis XV avec les Parlements.
1754	Dédicace du second *Discours* à Genève, réintégration dans ses droits de citoyenneté. Été au bord du Léman : « Je digérais le plan déjà formé de mes Institutions politiques ». Rédaction de l'article « Économie politique », publié en 55. Rentré à Paris, R. est chargé des papiers laissés par l'abbé de Saint-Pierre.	Diderot, article *Droit naturel*, publié en 1755 dans le vol III de l'Encyclopédie.
1756	Installation à l'Ermitage. Parmi les projets recensés, les *Institutions politiques.* Rédaction des *Principes du droit de la guerre.* *Lettre à Voltaire*du 18 août 1756.	Début de la Guerre de Sept Ans.
1757	Installation à Montmorency.	Attentat de Damien contre Louis XV.
1758	Constatant qu'il ne peut achever rapidement les *Institutions*, R. décide d'en séparer le *Contrat social.* *Lettre à d'Alembert sur les spectacles.*	D'Alembert, *Éléments de Philosophie.*

Année	La vie et l'œuvre de Rousseau	Éléments historiques contextuels
1760	Publication de la *Nouvelle Héloïse.*	
1761	*Extrait du projet de paix perpétuelle de l'Abbé de Saint-Pierre.*	
1762	Mai : Le *Contrat social* paraît en même temps que l'*Émile.* Condamnations en cascade. R. fuit la France. Rejeté à Genève, il échoue à Môtiers.	Suppression des Jésuites en France. Calas supplicié. Avènement de Catherine II de Russie.
1763	R., par lettre au syndic Favre du 12 mai, « abdique » sa citoyenneté. *Lettre à Christophe de Beaumont.*	Premières « représentations » à Genève, en soutien à R. En sens inverse, *Lettres écrites de la Campagne* de J.-R. Tronchin.
1764	Juin : visite d'un patriote corse, Butafuco, demandant à R. un projet pour son pays. Déc. : *Lettres écrites de la Montagne.*	Bauclair, *L'Anti-Contrat social.* Voltaire, *Le Sentiment des Citoyens*, libelle anonyme contre R. Beccaria, *Des délits et des peines.*
1765	Rédaction du *Projet de Constitution pour la Corse* (publié en 1782).	Fin de la Guerre de Sept Ans.
1764		Stanislas Poniatowski roi de Pologne.
1766	Séjour d'un an en Angleterre auprès de Hume.	Élie Lussac, *Lettre d'un anonyme à M. J.-J. Rousseau.*
1667	Retour en France. R. séjourne successivement à Trye, Bourgoin, Lyon avant de retourner en 1770 à Paris, rue Platrière.	
1768		Confédération de Bar en Pologne. Acquisition de la Corse par la France.

Année	La vie et l'œuvre de Rousseau	Éléments historiques contextuels
1770	Les *Confessions* sont achevées.	Renvoi du ministère Choiseul.
1771	Rédaction des *Considérations sur le gouvernement de Pologne* (publiées en 1782 par Dupeyrou).	
1774		Mort de Louis XV, avènement de Louis XVI.
1776	Les *Dialogues, Rousseau juge de Jean-Jacques* sont achevés. Rousseau engage la rédaction des *Rêveries du promeneur solitaire*. Leur rédaction sera interrompue par sa mort.	Déclaration d'indépendance américaine.
1778	Mai : Rousseau s'installe chez le marquis de Girardin, à Ermenonville. Il y meurt le 2 juillet.	
1789		*Déclaration des droits de l'homme et du citoyen.*
1791	27 août : pétition à l'Assemblée nationale pour le transfert des restes de Rousseau au Panthéon français.	L.-S. Mercier, *De J.-J. Rousseau considéré comme l'un des premiers auteurs de la Révolution.*
1794	Les restes de Rousseau sont solennellement transférés au Panthéon.	

TABLE DES MATIÈRES

INTRODUCTION 7
La rédaction du second Discours*, sa publication et sa première réception,* 8. *L'objet du second* Discours *: « les fondements réels de la société humaine »,* 14. *La méthode et les méthodes du second* Discours *: « dépouillement » et « fondation »,* 19. *La logique causale dans le second* Discours *: contingence, histoire, et politique,* 26.

NOTE SUR CETTE ÉDITION 33

DISCOURS SUR L'ORIGINE ET LES FONDEMENTS DE L'INÉGALITÉ PARMI LES HOMMES PAR JEAN JACQUES ROUSSEAU

citoyen de Genève.

Dédicace à la République de Genève 37
Préface 51
Discours 63
Première partie 69
Seconde partie 109
Notes de Rousseau 149

NOTES 197
LISTE DES ABRÉVIATIONS 289
BIBLIOGRAPHIE 291
CHRONOLOGIE 297

Composition et mise en page

GF Flammarion

14/10/193439-X-2014 – Impr. MAURY Imprimeur, 45330 Malesherbes.
N° d'édition L.01EHPN000515.C004 – Juin 2008 – Printed in France.